CW00747383

Kazuo Ishiguro

Le géant enfoui

*Traduit de l'anglais
par Anne Rabinovitch*

Gallimard

Titre original :

THE BURIED GIANT

Éditeur original : Faber & Faber Limited, Londres.

Kazuo Ishiguro, 2015.
Éditions des Deux Terres, mars 2015, pour la traduction française.

Kazuo Ishiguro, né à Nagasaki en 1954, est arrivé en Grande-Bretagne à l'âge de cinq ans. Décrit par le *New York Times* comme « un génie original et remarquable », il est l'auteur de six romans : *Lumière pâle sur les collines*, *Un artiste du monde flottant* (Whitbread Award 1986), *Les vestiges du jour* (Booker Prize 1989), *L'inconsolé*, *Quand nous étions orphelins*, *Auprès de moi toujours*, et d'un recueil de nouvelles, *Nocturnes*. Tous ses ouvrages sont traduits dans plus de quarante langues. En 1995, Kazuo Ishiguro a été décoré de l'ordre de l'Empire britannique pour ses services rendus à la littérature, et, en 1998, la France l'a fait chevalier de l'ordre des Arts et des Lettres. Deux de ses livres ont été adaptés au cinéma : *Les vestiges du jour* et, plus récemment, *Auprès de moi toujours*. Les droits cinématographiques du *Géant enfoui* ont été vendus à Hollywood. Kazuo Ishiguro vit à Londres avec son épouse.

Deborah Rogers
1938 - 2014

PREMIÈRE PARTIE

CHAPITRE I

Vous auriez cherché longtemps le chemin sinueux ou la prairie paisible qui, depuis, ont fait la gloire de l'Angleterre. Il y avait des kilomètres de terre désolée, en friche ; ici et là, des sentiers rustiques sur les collines escarpées ou les landes désolées. La plupart des routes laissées par les Romains, endommagées, ou envahies par les mauvaises herbes, disparaissant le plus souvent dans la végétation sauvage. Des bancs de brouillard glacé suspendus au-dessus des rivières et des marécages, fort utiles aux ogres qui, à l'époque, vivaient encore dans ce pays. Les gens qui habitaient dans les environs – on se demande quelle désespérance les avait conduits à s'établir en des lieux si lugubres – redoutaient sans doute ces créatures, dont le halètement était audible bien avant que n'émergent de la brume leurs silhouettes difformes. Mais ces monstres n'étaient pas une source d'étonnement. Les gens devaient alors les considérer comme un risque banal, car en ce temps-là ils avaient bien d'autres sujets de préoccupation. Comment extraire de la nourriture du sol réfractaire ; ne pas se trouver à court de bois de chauffage ; enrayer la maladie qui pouvait tuer une douzaine de porcs en une seule journée et faire apparaître des éruptions verdâtres sur les joues des enfants.

En tout cas, les ogres n'étaient pas si méchants, pourvu qu'on ne les provoque pas. Il fallait accepter que, parfois, peut-être à la suite d'une obscure querelle dans leurs rangs, une créature fît irruption dans un village en proie à une fureur terrible, et qu'en dépit des cris et des armes brandies elle se déchaînât, blessant quiconque tardait à s'écarter de son chemin. Ou que, de temps à autre, un ogre emportât un enfant dans la brume. Les gens devaient accepter avec philosophie de pareilles violences.

Dans une contrée au bord d'un vaste marécage, à l'ombre de collines dentelées, demeurait un couple âgé, Axl et Beatrice. Des noms peut-être inexacts ou incomplets, mais par commodité, nous les désignerons ainsi. Je dirais qu'ils menaient une vie isolée mais, à cette période, peu de gens vivaient « isolés » dans un sens que nous comprendrions. Pour la chaleur et la sécurité, les villageois habitaient dans des abris, souvent creusés à flanc de colline, communiquant par des tunnels et des couloirs protégés. Notre vieux couple résidait donc au fond d'un souterrain tentaculaire – « bâtiment » serait un mot trop grandiose – avec une soixantaine d'autres villageois. En quittant ce labyrinthe pour contourner la colline à pied pendant une vingtaine de minutes, on atteignait la colonie suivante, selon toute apparence identique à la première. Mais, pour les habitants eux-mêmes, de multiples détails leur inspirant de la fierté ou de la honte les différenciaient.

Je ne souhaite pas donner l'impression que la Grande-Bretagne se résumait à cela et qu'à l'époque où de magnifiques civilisations s'épanouissaient ailleurs dans le monde nous étions à peine sortis de l'Âge de fer. Si vous aviez eu le loisir de sillonner la campagne, vous auriez découvert des châteaux regorgeant de musique, de bonne chère, d'excellence sportive ; ou des monastères avec des habitants pétris d'érudition. Mais rien à faire. Montés sur un cheval puissant, par temps clair, vous auriez pu voyager des jours sans voir poindre un seul château, un seul monastère au-dessus de la végétation. Rencontrant surtout des communautés comme celle que je viens de décrire, et à moins d'être chargés de victuailles et de vêtements à offrir, ou d'être armés jusqu'aux dents, vous n'auriez pas été sûrs d'être bien accueillis. Je regrette de dépeindre un tel tableau de notre pays à cette période, mais c'est la vérité.

Revenons à Axl et Beatrice. Comme je l'ai dit, ce vieux couple vivait en bordure du souterrain, où son logis était moins protégé des éléments et bénéficiait à peine du feu de la grande salle, où tout le monde se réunissait le soir. Peut-être avaient-ils habité plus près du feu autrefois ; au temps où leurs enfants logeaient avec eux. C'était juste une idée qui traversait l'esprit d'Axl lorsqu'il restait allongé dans son lit pendant les heures vides avant l'aube, à côté de son épouse endormie, le cœur rongé par une sensation de perte innommable l'empêchant de trouver le sommeil.

Sans doute pour cette raison, Axl avait abandonné sa couche ce matin-là et s'était glissé sans bruit au-dehors pour s'asseoir sur le vieux banc gauchi près de l'entrée du souterrain, et attendre les premières lueurs du jour. C'était le printemps, mais l'air était encore vif, même avec la cape de Beatrice, qu'il avait prise en sortant et drapée sur lui. Il était si absorbé dans ses pensées que lorsqu'il eut conscience du froid qui le glaçait, les étoiles avaient toutes disparu, un rougeoiement s'étendait sur l'horizon, et les premières notes du chant des oiseaux émergeaient de l'obscurité.

Il se leva avec difficulté, regrettant d'être resté dehors si longtemps. Il était en bonne santé, pourtant il avait eu du mal à se débarrasser de sa dernière fièvre, et ne souhaitait pas rechuter. L'humidité montait dans ses jambes, mais quand il se tourna pour rentrer chez lui, il était très satisfait : il avait réussi ce matin à se rappeler nombre de choses qui lui échappaient depuis des semaines. De plus, il se sentait prêt à prendre une décision très importante – qu'il avait trop souvent reportée – et il était gagné par une excitation dont il souhaitait aussitôt faire part à sa femme.

À l'intérieur, les couloirs du labyrinthe étaient encore plongés dans l'obscurité, et il dut franchir à tâtons la courte distance le séparant de la porte de sa chambre. Beaucoup des « accès » du souterrain étaient de simples voûtes indiquant le seuil d'un logis. L'aspect ouvert de cet aménagement ne paraissait pas nuire à l'intimité des villageois, mais permettait aux pièces de bénéficier de la chaleur du grand feu, ou des petits feux autorisés à l'intérieur, qui circulait dans les couloirs. La chambre d'Axl et de Beatrice, trop éloignée, était cependant équipée de ce que nous pourrions identifier comme une vraie porte ; un large châssis en bois entrecroisé de petites branches, de plantes grimpantes et de chardons qu'il fallait soulever d'un côté chaque fois qu'on entrait ou sortait, mais qui bloquait les courants d'air glacés. Axl se serait volontiers passé de cette porte, qui avec le temps était devenue un objet de fierté colossale pour Beatrice. À son retour il avait souvent trouvé sa femme en train de retirer des fragments desséchés de l'édifice pour les remplacer par des ramées fraîches récoltées pendant la journée.

Ce matin-là, Axl déplaça la barrière juste assez pour se glisser à l'intérieur, prenant soin de faire le moins de bruit possible. Ici, la lumière du petit jour filtrait dans la pièce à travers les fissures de leur mur extérieur. Il distinguait à peine sa main devant lui, et, sur le lit de tourbe, la forme de Beatrice encore endormie sous les épaisses couvertures.

Il fut tenté de tirer sa femme du sommeil. Car il était presque sûr que si elle avait été éveillée à cet instant précis et lui avait parlé, les derniers obstacles entre lui et sa décision se seraient enfin effondrés. D'ici quelques heures seulement la communauté s'animerait, la journée de travail commencerait, alors il s'installa sur le tabouret bas dans l'angle de la chambre, encore enroulé dans la cape de sa femme.

Il se demanda si la brume serait épaisse, si une fois l'obscurité dissipée, il verrait qu'elle s'était insinuée dans la pièce par les fentes. Puis ses pensées s'éloignèrent de ces sujets, revenant à ce qui le préoccupait. Avaient-ils toujours vécu ainsi tous les deux, en périphérie de la communauté ? Ou bien leur vie avait-elle été différente autrefois ? Dehors, les bribes d'un souvenir avaient resurgi : un court moment où il longeait le corridor central du labyrinthe, le bras posé sur les épaules d'un de ses enfants, un peu courbé, non en raison de son âge, ce qui serait le cas aujourd'hui, mais parce qu'il voulait éviter de se cogner la tête aux poutres dans la pénombre. Peut-être l'enfant venait-il de lui parler, disant quelque chose d'amusant, car ils riaient ensemble. Mais à présent, comme tout à l'heure, rien ne se fixait vraiment dans son esprit, et plus il se concentrait, plus les fragments semblaient s'estomper. Sans doute n'étaient-ce que les divagations d'un vieux fou. Dieu ne leur avait probablement jamais donné d'enfant.

Vous vous demandez pourquoi Axl ne sollicitait pas l'aide des autres villageois pour raviver le passé, mais ce n'était pas si facile. Dans cette communauté, ce sujet était peu évoqué. Non qu'il fût tabou. Il s'était fondu dans une brume épaisse, semblable à celle qui planait sur les marais. En réalité, songer au passé – même récent – ne venait pas à l'esprit des villageois.

Prenons cet exemple, qui tourmentait Axl depuis quelque temps : il était sûr qu'à une époque encore récente avait demeuré parmi eux une femme aux longs cheveux roux – qui jouait un rôle essentiel dans leur village. Chaque fois que quelqu'un se blessait ou tombait malade, c'était elle, si habile à guérir, qu'on envoyait chercher séance tenante. Toutefois, cette femme était désormais introuvable, et personne ne paraissait s'interroger sur son sort, ni même regretter son absence. Lorsqu'un matin Axl avait abordé le sujet avec trois voisins alors qu'ils s'employaient à retourner le champ gelé, leur réaction lui avait appris qu'ils ignoraient tout à fait de quoi il parlait. L'un d'eux avait même interrompu son travail pour fouiller dans sa mémoire, mais avait enfin dit en secouant la tête : « C'est sûrement de l'histoire ancienne. »

« Moi non plus je n'ai aucun souvenir de cette femme, lui répondit Beatrice lorsqu'il l'évoqua un soir. Peut-être que tu l'as inventée pour tes propres besoins, Axl, bien que tu aies auprès de toi une épouse dont le dos est plus droit que le tien. »

Ils avaient eu cette conversation à l'automne précédent, allongés sur leur lit dans la nuit noire, écoutant la pluie battre contre les murs de leur abri.

« C'est vrai que tu as à peine vieilli avec les années, princesse, avait dit Axl. Mais la femme n'était pas un rêve, et tu te souviendrais d'elle si tu prenais un moment pour y réfléchir. Elle était là, devant notre porte, il y a un mois à peine, et cette âme bienveillante demandait si nous avions besoin de quelque chose. Tu ne peux pas l'avoir oubliée.

— Mais pourquoi nous aurait-elle apporté quoi que ce soit ? C'était une parente à nous ? »

— Je ne le crois pas, princesse. Elle était généreuse, c'est tout. Tu t'en souviens certainement. Elle venait souvent ici pour demander si nous n'avions pas froid ou faim.

— Ce que je voudrais savoir, Axl, c'est pourquoi elle se sentait tenue de nous témoigner de la bonté, à nous ?

— Je me suis moi-même posé la question, princesse. Je me rappelle avoir pensé, voici une femme dévouée aux malades, pourtant nous sommes tous les deux en aussi bonne santé que les autres habitants du village. Peut-être a-t-elle eu vent d'une épidémie, et vient-elle nous examiner ? Mais il n'y a aucune épidémie, elle est donc là par pure gentillesse. Maintenant que nous parlons d'elle, je me souviens d'autre chose. Elle était debout sur le seuil et nous disait de ne pas prêter attention aux enfants qui nous insultaient. C'était tout. Ensuite nous ne l'avons plus jamais revue.

— Non seulement cette femme rousse est une invention de ton esprit, Axl, mais elle est stupide de se préoccuper de quelques enfants et de leurs jeux.

— C'est exactement ce que j'ai pensé sur le moment, princesse. Quel mal des enfants peuvent-ils nous causer, ils passent le temps ainsi quand il fait trop mauvais dehors. Je lui ai répondu que nous n'y avions pas attaché d'importance, mais elle voulait tout de même notre bien. Et puis, je m'en souviens, elle a dit qu'il était dommage que nous passions nos soirées dans le noir.

— Si cette créature nous a plaints d'être privés de bougie, répliqua Beatrice, elle a raison au moins sur un point. C'est une insulte, de nous interdire d'en posséder une par des nuits aussi noires, alors que nos mains ne tremblent pas plus que les leurs. D'autres se soûlent au cidre tous les soirs, ou ont des enfants turbulents, mais ils ont droit à des bougies chez eux. Pourtant c'est la nôtre qu'ils ont prise, et je te distingue à peine, Axl, bien que tu sois près de moi.

— Ce n'est pas une insulte, princesse. Les choses se sont toujours passées ainsi, c'est tout.

— Eh bien il n'y a pas que la femme de ton rêve qui juge étrange qu'on nous ait privés de notre bougie. Hier, ou le jour d'avant, je marchais au bord de la rivière et je suis certaine d'avoir entendu les villageoises dire, quand elles ont cru que j'étais hors de portée de voix, qu'un couple honnête comme nous ne devrait pas être obligé de rester dans le noir chaque soir, que c'était une honte. Donc la femme de ton rêve n'est pas la seule à penser cela.

— Elle n'est pas un rêve, je ne cesse de te le répéter, princesse. Il y a un mois, tout le monde la connaissait ici et disait du bien d'elle. Comment se fait-il que le village entier, toi comprise, ait oublié jusqu'à son existence ? »

Se remémorant leur conversation par cette matinée printanière, Axl faillit reconnaître qu'il s'était trompé à propos de la femme rousse. Après tout, il prenait de l'âge, il était sujet à une confusion occasionnelle. Cependant, le cas de la femme rousse n'avait été qu'une péripétie de cette série d'épisodes inexplicables. À son grand dam, il ne lui en revint que quelques-uns à l'esprit, mais il y en avait eu beaucoup, cela ne faisait aucun doute. En particulier l'incident concernant Marta.

C'était une fillette de neuf ou dix ans qui avait toujours eu la réputation d'être intrépide. Toutes les histoires effroyables sur ce qui pouvait arriver aux enfants vagabonds ne semblaient pas entamer son goût pour l'aventure. Et le soir où, moins d'une heure avant la tombée du jour, à l'approche de la brume, les loups hurlant sur le flanc de la colline, le bruit courut que Marta avait disparu, chacun cessa son activité, pris de panique. Un bref instant, des voix appelèrent son nom dans tout le labyrinthe et les villageois se hâtèrent d'arpenter les couloirs, fouillant chaque chambre à coucher, les terriers de stockage, les cavités sous les chevrons, toutes les cachettes où un enfant aurait pu se réfugier par jeu.

Puis, au milieu de cette panique, deux bergers revenant de leur tour de garde dans les collines entrèrent dans la grande salle et commencèrent à se réchauffer près du feu. L'un d'eux annonça alors que, la veille, ils avaient vu un aigle-roitelet tournoyer au-dessus de leurs têtes, une fois, puis deux, et enfin une troisième. Pas d'erreur, dit-il, c'était bien un aigle-roitelet. La nouvelle fit rapidement le tour du souterrain et bientôt une foule se rassemblait autour du feu pour écouter les bergers. Même Axl s'était hâté de les rejoindre, car l'apparition d'un aigle-roitelet dans la région était inédite. Parmi les nombreux pouvoirs attribués au rapace, il y avait sa capacité à effrayer les loups qui, disait-on, avaient entièrement disparu du reste du pays grâce à cet oiseau.

Au début, on questionna les bergers avec impatience et on leur fit répéter leur récit encore et encore. Puis le scepticisme se mit à gagner les auditeurs. Il y avait eu beaucoup de récits de ce genre, fit remarquer quelqu'un, et chaque fois ils s'étaient révélés infondés. Un autre affirma que, le printemps dernier, les deux bergers avaient raconté une histoire identique, mais que, par la suite, personne n'avait aperçu le rapace. Les bergers nièrent avec colère avoir déjà rapporté ces faits, et bientôt le groupe se divisa entre les gens qui prenaient leur parti et ceux qui prétendaient se souvenir de l'épisode présumé de l'année précédente.

Alors que les esprits s'échauffaient, Axl fut submergé par un sentiment de malaise tenace, familier, et, s'écartant des cris et de la bousculade, il sortit pour observer le ciel assombri et la brume qui se déployait sur le sol. Au bout d'un moment, les fragments s'assemblèrent dans son esprit, Marta disparue, le danger, les recherches entreprises quelques instants plus tôt pour la retrouver. Mais déjà ces souvenirs se brouillaient, à l'image du rêve qui se dissipe quelques secondes avant le réveil, et ce fut seulement grâce à un effort suprême de concentration qu'Axl parvint à se raccrocher à la pensée de la petite Marta, pendant que derrière lui les voix continuaient de se quereller au sujet de l'aigle-roitelet. Alors qu'il se trouvait dans cet état d'esprit, il entendit la voix d'une fillette qui chantait toute seule et vit Marta émerger de la brume.

« Tu es une enfant étrange, petite, dit Axl quand elle s'approcha de lui en sautillant. Tu n'as pas peur du noir ? Des loups ou des ogres ?

— Oh si, j'ai peur d'eux, monsieur, répondit-elle avec un sourire. Mais je sais comment me cacher. J'espère que mes parents n'ont pas demandé où j'étais. J'ai reçu une sacrée raclée la semaine dernière.

— Demandé où tu étais ? Bien sûr que si. Le village entier n'est-il pas à ta recherche ? Écoute ce vacarme à l'intérieur. C'est rien que pour toi, mon enfant. »

Marta éclata de rire et dit : « Ah, arrêtez monsieur ! Je sais que je ne leur ai pas manqué. Et d'après ce que j'entends, ce n'est pas à cause de moi qu'ils sont en train de crier. »

Lorsqu'elle prononça ces mots, Axl se rendit compte que la fillette avait tout à fait raison : les voix ne se querellaient pas à son sujet, mais pour autre chose. Il se pencha vers le seuil pour mieux entendre, captant quelques phrases ici et là au milieu des invectives, puis reconstitua peu à peu l'histoire des bergers et de l'aigle-roitelet. Il se demandait s'il devait expliquer la situation à Marta quand elle se glissa devant lui d'un pas sautillant et entra.

Il la suivit à l'intérieur, anticipant le soulagement et la joie que son apparition provoquerait. En vérité, il s'était dit qu'en revenant en sa compagnie, il tirerait un peu de gloire du retour de la petite. Mais, quand ils pénétrèrent dans la grande salle, les villageois étaient encore si absorbés par leur dispute à propos des bergers que peu d'entre eux prirent la peine de regarder dans leur direction. La mère de Marta quitta le groupe le temps de dire à l'enfant : « Alors te voilà ! Tu ne dois pas t'en aller comme ça ! Combien de fois faut-il que je te le répète ? », avant de tourner à nouveau son attention vers les discussions qui faisaient rage autour du feu. Voyant cela, Marta adressa un sourire à Axl comme pour lui signifier : « Qu'est-ce que je vous avais dit ? », puis elle disparut dans l'ombre en quête de ses camarades.

La pièce était devenue beaucoup plus claire. Leur chambre, située en bordure du souterrain, avait une petite fenêtre, trop haute cependant pour que l'on regarde dehors sans être perché sur un tabouret. Elle était recouverte d'un tissu, mais un rayon matinal pénétrait dans l'angle, projetant un rai de soleil sur l'endroit où dormait Beatrice. Axl aperçut, pris dans ce faisceau, un insecte planant dans l'air juste au-dessus de la tête de son épouse. Il se rendit compte alors que c'était une araignée, suspendue par un fil vertical invisible, et alors même qu'il l'observait, elle entama sa descente fluide. Se levant sans bruit, Axl traversa la petite pièce et balaya de la main l'espace au-dessus de sa femme endormie, emprisonnant l'insecte au creux de sa paume. Puis il resta là un moment, à l'observer. Son visage était empreint d'une quiétude qu'il voyait rarement lorsqu'elle était éveillée, et l'afflux de bonheur soudain que ce spectacle lui procura le prit de court. Il sut alors qu'il avait arrêté sa décision, et eut de nouveau envie de la réveiller, juste pour lui annoncer la nouvelle. Mais il reconnut l'égoïsme d'un tel acte – d'ailleurs, comment pouvait-il être aussi sûr de sa réponse ? Finalement il revint en silence vers son tabouret et, en se rasseyant, il se souvint de l'araignée et ouvrit doucement la main.

Lorsqu'il avait guetté l'aube, assis dehors sur le banc, il avait tenté de se souvenir comment Beatrice et lui en étaient venus, la première fois, à envisager ce voyage. Il avait songé alors à une conversation particulière qu'ils avaient eue un soir dans cette même pièce mais, en regardant l'araignée courir le long de sa main puis sur la terre battue, il eut la certitude que le projet datait du jour où cette étrangère vêtue de guenilles noires avait traversé le village.

C'était une matinée grise – déjà en novembre dernier ? – et Axl marchait à grands pas le long de la rivière, sur un chemin surplombé par des saules. Il venait des champs et se hâtait en direction du souterrain, peut-être pour chercher un outil ou recevoir les nouvelles instructions d'un contremaître. En tout cas, il s'arrêta en entendant des éclats de voix derrière les buissons sur sa droite. Il pensa d'abord à des ogres, et chercha aussitôt un rocher ou un bâton. Puis il se rendit compte que les voix – toutes féminines –, en colère, excitées, étaient dénuées de la panique provoquée par les attaques d'ogres. Il se fraya néanmoins un passage à travers une haie de genévriers et parvint, chancelant, dans une clairière, où il vit cinq femmes – qui n'étaient plus de la première jeunesse, mais encore en âge de procréer – étroitement regroupées. Leurs dos étaient tournés vers lui et elles continuaient de crier après une forme

26

dans le lointain. Il était presque arrivé quand l'une d'elles le remarqua avec un sursaut, puis les autres se retournèrent, le considérant avec une certaine insolence.

« Tiens, tiens, dit l'une. C'est peut-être le hasard ou mieux encore. Mais voilà le mari, espérons qu'il la ramènera à la raison. »

La femme qui l'avait vu la première déclara : « Nous avons prié votre épouse de ne pas y aller mais elle n'a rien voulu savoir. Elle insiste pour apporter de la nourriture à l'étrangère, bien qu'il s'agisse sans doute d'un démon ou d'un elfe déguisé.

— Est-elle en danger ? Mesdames, s'il vous plaît, expliquez-vous.

— Une femme bizarre a tourné autour de nous toute la matinée, reprit une autre. Les cheveux flottants et une cape en guenilles noires. Elle a prétendu être une Saxonne mais elle n'est habillée comme aucune des Saxonnes que nous avons rencontrées. Elle a essayé de se glisser derrière nous sur la berge quand nous faisions la lessive, mais nous l'avons vue à temps pour la chasser. Pourtant elle revenait sans cesse, se comportant comme si elle avait un immense chagrin, nous réclamant parfois de la nourriture. Nous pensons que son intention était alors de jeter un sort à votre épouse, monsieur, car ce matin nous avons dû retenir Beatrice par les bras à deux reprises, tant elle était résolue à la rejoindre. À présent, elle nous a échappé et elle est partie en direction du vieux buisson d'épines où l'attend encore ce monstre. Nous l'avons retenue du mieux possible, monsieur, mais les pouvoirs du démon doivent déjà la posséder parce que sa force était anormale pour une femme aussi frêle et âgée que Beatrice.

— Le vieux buisson d'épines…

— Elle est partie il y a un instant à peine, monsieur. Mais c'est un démon à coup sûr, et si vous allez à sa poursuite prenez garde à ne pas trébucher et à ne pas vous piquer avec un chardon empoisonné dont la plaie ne guérirait jamais. »

Axl fit de son mieux pour cacher son agacement, disant poliment : « Je vous suis reconnaissant, mesdames. Je vais voir ce que fait ma femme. Pardonnez-moi. »

Pour nos villageois « le vieux buisson d'épines » indiquait un site pittoresque local autant que la vraie aubépine qui semblait jaillir du rocher au sommet, à quelques pas du souterrain. Par une journée ensoleillée, à condition que le vent ne souffle pas fort, c'était un endroit agréable où passer le temps. On avait un beau panorama des terres jusqu'à l'eau, de la courbe de la rivière et des marais au loin. Le dimanche, les enfants jouaient souvent autour des racines noueuses, osant parfois sauter du haut du promontoire dont la pente douce ne leur causait aucune blessure, offrant simplement une prairie herbue où rouler comme un tonneau. Mais ce matin-là, les adultes et les enfants étant absorbés par leurs tâches, l'endroit devait être désert, et Axl, remontant la côte dans la brume, ne fut pas surpris de trouver les deux femmes seules, leurs silhouettes se découpant dans le ciel blanc. Certes, l'étrangère, assise le dos appuyé contre le rocher, était habillée de façon curieuse. Du moins, sa cape semblait faite de multiples morceaux de tissu cousus ensemble, et elle flottait à présent dans le vent, donnant à sa propriétaire l'apparence d'un grand oiseau sur le point de s'envoler. À côté d'elle, Beatrice – encore debout, mais la tête baissée vers sa compagne – avait un air fragile et vulnérable. Elles étaient en grande conversation mais, apercevant Axl qui s'approchait en bas, elles s'interrompirent pour l'observer. Puis Beatrice vint l'interpeller :

« Arrête-toi là, époux, n'avance plus ! Je vais te rejoindre. Mais ne monte pas ici, tu troublerais la tranquillité de la pauvre dame maintenant qu'elle peut enfin reposer ses pieds et manger un peu du pain d'hier. »

Axl obéit à ses instructions et vit bientôt sa femme descendre le long chemin à travers champs jusqu'à l'endroit où il se tenait. Elle alla droit vers lui et, craignant sans doute que le vent emportât ses paroles vers l'étrangère, dit tout bas :

« Ces femmes idiotes t'ont envoyé me chercher, époux ? Lorsque j'avais leur âge, je pensais que c'étaient les vieux qui nourrissaient des peurs et des croyances stupides, estimant que chaque pierre était maudite, chaque chat errant un esprit malin. Mais aujourd'hui je suis vieille, et je découvre que les jeunes sont à leur tour bourrées de préjugés, comme si elles n'avaient jamais entendu la promesse du Seigneur d'être sans cesse à nos côtés. Regarde avec tes propres yeux cette pauvre étrangère, épuisée et solitaire, qui vient d'errer dans la forêt et les champs pendant quatre jours, un village après l'autre lui ordonnant de poursuivre sa route. C'est un pays chrétien qu'elle a traversé, mais prise pour un démon ou peut-être pour une lépreuse, bien que sa peau n'en porte aucune trace. Maintenant, époux, j'espère que tu n'es pas ici pour me dire que je ne dois pas donner à cette pauvre femme du réconfort et la maigre nourriture que j'ai avec moi.

— Je ne te reprocherais rien de tel, princesse, car je vois bien que ce que tu dis est vrai. Avant même de venir ici je me suis fait la réflexion qu'il est honteux qu'on nous empêche désormais de recevoir un étranger avec bonté.

— Retourne donc à tes occupations, époux, car je suis sûre qu'ils vont de nouveau se plaindre de ta lenteur dans ton travail, et que, sans crier gare, ils enverront encore les enfants nous lancer des moqueries.

— Personne n'a jamais dit que j'étais lent dans mon travail, princesse. Où as-tu entendu une chose pareille ? Je n'ai jamais surpris un mot de plainte de ce genre et je suis capable de supporter le même fardeau qu'un homme de vingt ans plus jeune.

— Je te taquinais juste, époux. C'est exact, personne ne se plaint de ton travail.

— S'il y a des enfants qui nous insultent, ça n'a rien à voir avec la rapidité ou la lenteur de mon travail, mais avec des parents trop stupides ou sans doute trop soûls pour leur enseigner les bonnes manières ou le respect.

« — Calme-toi, époux. Je t'ai dit que je te taquinais seulement et je ne recommencerai pas. L'étrangère était en train de me raconter quelque chose qui m'intéresse énormément et qui peut aussi te concerner un jour. Mais elle a besoin d'achever son récit, alors permets-moi de te prier à nouveau de te dépêcher d'accomplir la tâche qui t'incombe et de me laisser l'écouter et lui offrir le réconfort que je peux.

— Je suis désolé, princesse, si je t'ai parlé durement tout à l'heure. »

Mais Beatrice avait déjà tourné les talons et gravissait le sentier en direction de l'aubépine et de la forme à la cape tourbillonnante.

Un peu plus tard, ayant effectué sa tâche, Axl revenait vers les champs et, au risque de mettre à l'épreuve la patience de ses collègues, il fit un détour pour passer de nouveau près du vieux buisson d'aubépine. Car en vérité, s'il avait entièrement partagé le mépris de son épouse pour les instincts suspicieux des femmes, il n'avait pas réussi à chasser l'idée que l'étrangère représentait une sorte de menace, et il se sentait inquiet depuis qu'il avait laissé Beatrice avec elle. Il fut alors soulagé de voir la silhouette de sa femme, seule sur le promontoire devant le rocher, contemplant le ciel. Elle semblait perdue dans ses pensées, et ne remarqua sa présence que lorsqu'il l'appela. Alors qu'il la regardait descendre le sentier, plus lentement qu'avant, il lui vint à l'esprit, et ce n'était pas la première fois, que ces derniers temps il y avait un léger changement dans sa démarche. Elle ne boitait pas exactement, mais donnait l'impression de souffrir d'une douleur secrète. Quand il lui demanda, à son approche, ce qu'était devenue sa curieuse compagne, Beatrice répondit simplement : « Elle a poursuivi sa route.

— Elle devait t'être reconnaissante pour ta gentillesse, princesse. Tu as parlé longtemps avec elle ?

— Oui, et elle avait beaucoup à dire.

— Je vois qu'elle a dit quelque chose qui t'a troublée. Peut-être que ces femmes avaient raison et qu'il valait mieux l'éviter.

— Elle ne m'a pas perturbée, Axl. Elle m'a fait réfléchir cependant.

— Tu es d'une étrange humeur. Tu es sûre qu'elle ne t'a pas jeté un sort avant de s'évanouir dans la nature ?

— Va là-haut près de l'aubépine, époux, et tu la verras sur le chemin, elle vient à peine de partir. Elle espère trouver plus de générosité chez ceux qui habitent de l'autre côté de la colline.

— Alors je vais te laisser, princesse, puisque je vois que tu n'as subi aucun mal. Dieu sera satisfait de la gentillesse dont tu as fait preuve, et dont tu es coutumière. »

Mais cette fois sa femme semblait peu désireuse de le laisser partir. Elle lui saisit le bras, comme pour retrouver un instant l'équilibre, puis posa la tête contre sa poitrine. D'instinct, apparut-il, la main d'Axl se leva pour caresser ses cheveux emmêlés par le vent, et lorsqu'il la regarda il fut surpris de voir ses yeux encore grands ouverts.

«Tu es d'une étrange humeur, n'est-ce pas, observa-t-il. Que t'a dit cette étrangère?»

Elle garda la tête contre sa poitrine un instant encore. Puis elle se redressa et le lâcha. «Maintenant que j'y pense, Axl, il y a peut-être du vrai dans ce que tu dis toujours. C'est bizarre, la façon dont le monde oublie les gens et les événements de la veille ou de l'avant-veille. C'est comme une maladie qui nous atteint tous.

— C'est bien ce que je disais, princesse. Prends cette femme rousse…

— Peu importe la femme rousse, Axl. Il s'agit de tous les souvenirs qui nous échappent.» Elle avait prononcé ces mots en fixant le lointain, noyé sous les couches de brume, mais à présent elle le regardait bien en face et il vit que ses yeux étaient remplis de tristesse et de nostalgie. Ce fut alors – il en était certain – qu'elle lui déclara: «Tu y es opposé depuis longtemps, Axl, je le sais. Mais il est temps d'y repenser aujourd'hui. Il y a un voyage que nous devons entreprendre, sans plus de délai.

— Un voyage, princesse? Quelle sorte de voyage?

— Un voyage jusqu'au village de notre fils. Ce n'est pas loin, époux, nous le savons. Malgré la lenteur de nos pas, c'est une marche de quelques jours tout au plus, une courte distance à l'est de la Grande Plaine. Et le printemps ne va pas tarder à arriver.

— Nous pourrions bien sûr faire ce trajet, princesse. L'étrangère t'a confié quelque chose qui t'en a donné l'idée?

— J'y songe depuis bien longtemps, Axl, même si le souhait de l'entreprendre sans délai m'a été inspiré par ma conversation avec cette pauvre femme. Notre fils nous attend dans son village. Jusqu'à quand devrons-nous le faire encore patienter ?

— Lorsque le printemps sera là, nous envisagerons ce voyage sans faute. Mais pourquoi dis-tu que c'est moi qui ai toujours contrecarré ce projet ?

— Aujourd'hui je ne me souviens plus de tout ce qui s'est passé entre nous à ce sujet, Axl. Mais tu n'as eu de cesse de t'y opposer, alors que j'en avais le désir.

— Eh bien, princesse, parlons-en quand je n'aurai pas de travail à finir et que les voisins ne s'empresseront pas de nous reprocher notre lenteur. Je dois y aller maintenant. Nous en reparlerons bientôt. »

Mais les jours qui suivirent, même s'ils firent allusion à l'idée de ce voyage, ils n'en discutèrent jamais à fond. Ils s'aperçurent qu'ils se sentaient bizarrement mal à l'aise chaque fois que le sujet était abordé, et très vite une entente tacite s'établit entre eux, comme c'est souvent le cas quand un homme et une femme sont mariés depuis des années, et ils évitèrent la question autant que possible. Je précise « autant que possible », car parfois s'imposait une nécessité – un impératif, pourrait-on dire – à laquelle l'un ou l'autre devait se plier. Mais les discussions qu'ils avaient dans ces circonstances s'achevaient immanquablement dans l'esquive ou la mauvaise humeur. Et la fois où Axl demanda à brûle-pourpoint à son épouse ce que l'étrange femme lui avait dit ce jour-là au vieux buisson d'épines, l'expression de Beatrice s'assombrit, et elle parut un instant au bord des larmes. Après cela, Axl prit soin d'éviter toute allusion à l'inconnue.

Au bout de quelque temps, il ne parvint plus à se rappeler comment le sujet de ce voyage était venu dans la conversation, ni ce qu'il avait vraiment signifié pour eux. Mais ce matin, alors qu'il était assis dehors à l'heure froide qui précède l'aube, sa mémoire sembla se clarifier en partie, et beaucoup de choses lui revinrent : la femme rousse ; Marta ; l'étrangère en guenilles noires ; d'autres souvenirs dont nous n'avons pas besoin de nous préoccuper ici. Et il se rappela, avec une précision saisissante, ce qui s'était passé à peine quelques dimanches plus tôt, lorsqu'ils avaient pris la bougie de Beatrice.

Le dimanche était un jour de repos pour ces villageois, puisqu'ils ne travaillaient pas dans les champs. Mais il fallait quand même prendre soin du bétail, et étant donné le grand nombre d'autres tâches qui attendaient d'être accomplies, le pasteur avait admis que l'interdiction de tout ce qui pouvait être interprété comme du travail était inapplicable. Par conséquent, lorsque Axl émergea sous le soleil printanier ce dimanche-là, après une matinée passée à réparer des bottes, il fut accueilli par le spectacle de ses voisins éparpillés dans le champ devant le souterrain, certains assis sur l'herbe clairsemée, d'autres sur de petits tabourets ou rondins, en train de bavarder, de rire, de travailler. Les enfants jouaient partout, et un groupe s'était rassemblé autour de deux hommes

35

construisant une roue de charrette sur le gazon. C'était le premier dimanche de l'année où le temps permettait une telle activité en plein air, et l'atmosphère était presque festive. Cependant, alors qu'il se tenait à l'entrée du souterrain et fixait, au-delà des villageois, l'endroit où le terrain descendait vers les marais, il vit la brume remonter de nouveau, et supposa que dès l'après-midi ils seraient une fois de plus submergés pas une bruine grisâtre.

Il se trouvait là depuis un moment lorsqu'il perçut un brouhaha près des clôtures des pâturages. Cela n'éveilla guère son intérêt au début, mais ensuite lui parvint un son porté par la brise qui le fit se redresser. Car bien que sa vision se fût brouillée de façon agaçante avec les années, son audition était restée fiable, et au milieu des cris qui émergeaient de la foule près de la clôture, il avait entendu s'élever la voix angoissée de Beatrice.

D'autres s'interrompaient aussi pour se retourner et regarder la scène. Axl se hâta parmi eux, évitant de justesse les enfants turbulents et les objets abandonnés dans l'herbe. Avant qu'il eût atteint le petit groupe de ceux qui se bousculaient, les gens se dispersèrent tout d'un coup, et Beatrice apparut au centre, serrant contre sa poitrine un objet qu'elle agrippait des deux mains. Les visages autour d'elle étaient surtout empreints d'amusement, mais la femme qui surgit aussitôt près de l'épaule de son épouse – la veuve d'un forgeron qui avait succombé à une fièvre l'année précédente – avait les traits déformés par la fureur. Beatrice repoussa sa persécutrice, offrant durant ce temps un masque austère, presque dénué d'expression, mais lorsqu'elle vit Axl venir vers elle, l'émotion envahit son visage.

En y repensant à présent, Axl eut l'impression qu'à ce moment-là sa femme avait laissé paraître, plus que tout autre sentiment, un incroyable soulagement. Non que Beatrice eût pensé que tout s'arrangerait avec sa venue ; mais sa présence avait fait toute la différence à ses yeux. Elle l'avait regardé avec soulagement, mais aussi d'un air suppliant, et lui avait montré un objet qu'elle protégeait jalousement.

« C'est à nous, Axl ! Nous ne serons plus plongés dans le noir. Prends-la vite, époux, elle est à nous ! »

Elle tendait vers lui une bougie trapue, un peu biscornue. La veuve du forgeron essaya à nouveau de la lui arracher, mais Beatrice repoussa la main importune.

« Prends-la, époux ! Cette enfant, la petite Nora, elle me l'a apportée ce matin après l'avoir fabriquée de ses propres mains, pensant que nous étions las de passer nos soirées sans lumière. »

Cela provoqua un autre tollé et quelques rires. Mais Beatrice continuait de fixer Axl, pleine d'espoir, implorante, et c'était l'image de son visage qui lui était revenue en premier sur le banc devant le souterrain pendant qu'il attendait le lever du jour. Comment avait-il pu oublier cet épisode alors qu'il avait sans doute eu lieu trois semaines auparavant tout au plus ? Comment se faisait-il qu'il n'y eût pas repensé avant aujourd'hui ?

Il avait allongé le bras, mais n'était pas parvenu à s'emparer de la bougie – la foule l'en avait empêché –

et il avait dit d'une voix forte, avec une certaine conviction : « Ne t'inquiète pas, princesse. Ne t'inquiète pas. » Il avait été conscient de l'ineptie de ses paroles au moment même où il les prononçait, et fut donc surpris quand la foule se calma, et que même la veuve du forgeron recula d'un pas. Alors seulement il comprit que cette réaction n'avait pas été causée par ses paroles, mais par l'approche du pasteur derrière lui.

« En voilà des manières, le jour du Seigneur ! » Le pasteur dépassa Axl à grands pas et fusilla du regard l'assemblée devenue silencieuse. « Alors ?

— C'est dame Beatrice, monsieur, répondit la veuve du forgeron. Elle a trouvé une bougie. »

Le visage de Beatrice s'était de nouveau figé, mais elle n'évita pas le regard du pasteur lorsqu'il se posa sur elle.

« Je vois que c'est la vérité, dame Beatrice, reprit le pasteur. Vous n'avez pas oublié l'édit du Conseil qui vous interdit, à vous et à votre mari, d'avoir des bougies dans votre chambre ?

— De toute notre vie, monsieur, jamais nous n'avons renversé une seule bougie. Nous refusons de rester soir après soir dans l'obscurité.

— La décision a été prise et vous devez la respecter jusqu'à ce que le Conseil en décide autrement. »

Axl vit la colère étinceler dans ses yeux. « Ce n'est que de la cruauté, voilà ce que c'est. » Elle prononça ces mots calmement, presque à mi-voix, mais en regardant le pasteur bien en face.

« Enlevez-lui la bougie, dit le pasteur. Faites ce que je vous demande. Prenez-la-lui. »

Alors que plusieurs mains se tendaient vers sa femme, Axl eut l'impression qu'elle n'avait pas tout à fait compris les paroles du prêtre. Elle se tenait immobile au milieu de la bousculade, l'air perplexe, continuant d'agripper la bougie comme par un instinct oublié. Puis la panique parut la gagner et elle tendit de nouveau l'objet vers Axl, alors même qu'on la renversait. Elle ne tomba pas, retenue par les gens qui se pressaient contre elle, et, se ressaisissant, elle brandit encore la bougie vers lui. Il essaya de l'attraper, mais une autre main s'en empara, puis la voix du pasteur retentit :

« Assez ! Laissez dame Beatrice en paix et qu'aucun de vous ne lui parle durement. C'est une vieille femme qui ne comprend pas tout ce qu'elle fait. Assez, vous dis-je ! Ce n'est pas un comportement convenable pour le jour du Seigneur ! »

Axl, l'atteignant enfin, la prit dans ses bras, et la foule se dispersa. Lorsqu'il se rappela cet instant, il eut l'impression qu'ils étaient restés ainsi un long moment, serrés l'un contre l'autre, elle posant la tête sur sa poitrine, ainsi qu'elle l'avait fait le jour de la visite de l'étrange femme, comme si elle était simplement lasse et cherchait à retrouver son souffle. Il continua de la tenir alors que le pasteur appelait de nouveau les gens à se disperser. Quand ils se séparèrent enfin et regardèrent autour d'eux, ils découvrirent qu'ils étaient seuls près de l'enclos des vaches et de son portail en bois fermé.

« Quelle importance, princesse ? dit-il. Qu'avons-nous besoin d'une bougie ? Nous sommes très habitués à nous déplacer dans notre pièce sans cela. Et notre conversation ne suffit-elle pas à nous divertir, avec ou sans bougie ? »

Il l'observait avec attention. Elle semblait rêveuse, et pas particulièrement perturbée.

« Je suis désolée, Axl, dit-elle. La bougie a disparu. J'aurais dû la garder secrète pour nous deux. Mais j'étais folle de joie quand la jeune fille me l'a apportée et elle l'a fabriquée exprès pour nous. Maintenant elle est perdue. Ça ne fait rien.

— Rien du tout, princesse.

— On nous considère comme un couple stupide, Axl. »

Elle fit un pas en avant et posa de nouveau la tête sur sa poitrine. Ce fut alors qu'elle dit, d'une voix si étouffée qu'il crut d'abord avoir mal entendu :

« Notre fils, Axl. Tu te rappelles notre fils ? Lorsqu'ils m'ont poussée tout à l'heure, c'est de lui que je me suis souvenue. Un homme beau, fort, honnête. Pourquoi devons-nous rester dans cet endroit ? Allons dans le village de notre fils. Il nous protégera et veillera à ce que personne ne nous traite mal. Ne changeras-tu pas d'avis, Axl, après toutes ces années ? Tu dis encore que nous ne pouvons pas aller le voir ? »

Lorsqu'elle prononça ces paroles doucement, contre sa poitrine, d'innombrables bribes de mémoire tiraillèrent l'esprit d'Axl, au point qu'il faillit s'évanouir. Il relâcha son étreinte et fit un pas en arrière, craignant de vaciller et de lui faire perdre l'équilibre.

« Que dis-tu, princesse ? Est-ce moi qui nous ai empêchés de nous rendre dans le village de notre fils ?

— C'est toi sans aucun doute, Axl. C'est bien toi.

— Quand me suis-je opposé à un tel voyage, princesse ?

— J'ai toujours pensé que c'était le cas, époux. Oh, Axl, à présent je ne me rappelle pas bien si tu l'as remis en cause. Et que faisons-nous ici, même si la journée est belle ? »

Beatrice parut de nouveau perturbée. Elle fixa son visage, puis regarda le soleil radieux, et leurs voisins absorbés à nouveau par leurs activités.

« Allons nous asseoir dans notre logis, dit-elle au bout d'un moment. Restons juste tous les deux pendant quelque temps. Une belle journée, c'est vrai, mais je suis épuisée. Rentrons.

— Tu as raison, princesse. Allons nous asseoir et nous reposer un peu, à l'abri de ce soleil. Tu te sentiras tout de suite mieux. »

D'autres gens étaient réveillés dans tout le labyrinthe. Les bergers avaient dû partir depuis un moment mais il avait été si occupé par ses pensées qu'il ne les avait même pas entendus. À l'autre bout de la pièce Beatrice émit un murmure, comme si elle se préparait à chanter, puis elle se retourna sous les couvertures. Reconnaissant ces signes, Axl se fraya un chemin jusqu'au lit en silence, s'assit au bord avec précaution, et attendit.

Elle se mit sur le dos, entrouvrit les yeux et le regarda.

« Bonjour, époux, dit-elle enfin. Je suis heureuse de voir que les esprits n'ont pas choisi de t'emporter pendant mon sommeil.

— Princesse, il y a quelque chose dont je veux parler. »

Beatrice continua de le fixer, les yeux encore mi-clos. Puis elle se redressa en position assise, son visage traversant le filet de jour qui avait illuminé l'araignée un instant plus tôt. Sa crinière grise, dénouée et emmêlée, retombait toute raide sur ses épaules, mais Axl sentit le bonheur frémir en lui devant le tableau qu'elle offrait dans la clarté matinale.

« Qu'as-tu donc à dire, Axl, avant que j'aie eu le temps de me frotter les yeux ?

— Nous avons déjà parlé, princesse, d'un voyage que nous pourrions faire. Eh bien, le printemps est là, et c'est peut-être le moment de partir.

— Partir, Axl ? Partir quand ?

— Dès que possible. Nous n'avons pas besoin de nous absenter plus de quelques jours. Le village peut se passer de nous. Nous parlerons au pasteur.

— Irons-nous voir notre fils, Axl ?

— C'est ce que nous ferons. Nous irons le voir. »

Dehors, le chœur des oiseaux avait commencé. Beatrice leva les yeux vers la fenêtre et le soleil filtrant à travers le tissu accroché en guise de rideau.

« Certains jours je me souviens assez clairement de lui, dit-elle. Puis, le lendemain, c'est comme si un voile était tombé sur sa mémoire. Mais notre fils est un homme beau et bon, je le sais avec certitude.

— Pourquoi n'est-il pas ici avec nous à présent, princesse ?

— Je n'en sais rien. Il se peut qu'il se soit querellé avec les anciens et ait été obligé de partir. J'ai demandé autour de moi, ici personne ne se rappelle de lui. Mais il n'aurait rien fait pour se déshonorer, j'en suis convaincue. Tu ne te rappelles rien, Axl ?

— Quand j'étais dehors tout à l'heure, m'efforçant de me rappeler ce que je pouvais dans le silence, beaucoup de choses me sont revenues. Mais je ne me souviens pas de notre fils, ni de son visage ni de sa voix, même si parfois je crois le revoir quand il était petit, et je lui tenais la main pour longer la rivière, ou une fois, il pleurait et je me suis penché pour le consoler. Mais son apparence aujourd'hui, l'endroit où il habite, s'il a lui-même un fils, je l'ai tout à fait oublié. J'espérais que ta mémoire serait meilleure, princesse.

— C'est notre fils, dit Beatrice. Aussi, je ressens des choses à son égard, même si je ne m'en souviens pas clairement. Et je sais qu'il désire que nous quittions ces lieux pour vivre avec lui sous sa protection.

— C'est la chair de notre chair, alors pourquoi ne voudrait-il pas que nous venions le rejoindre ?

— Même ainsi, je regretterai cet endroit, Axl. Notre chambrette et ce village. On ne quitte pas le cœur léger un lieu qu'on a connu toute sa vie.

— Personne ne nous demande de le faire sans réfléchir, princesse. Pendant que j'attendais le lever du soleil, je me disais que nous aurions besoin de faire ce voyage chez notre fils pour parler avec lui. Car même si nous sommes son père et sa mère, il ne s'agit pas pour nous d'arriver un beau jour et de demander à faire partie de son village.

— Tu as raison, époux.

— Il y a une autre chose qui me préoccupe, princesse. Ce village n'est peut-être qu'à quelques jours de marche, ainsi que tu l'as dit. Mais comment y parvenir ? »

Beatrice se tut, contemplant l'espace devant elle, ses épaules oscillant un peu au rythme de sa respiration. « Je crois que nous saurons très bien trouver notre chemin, Axl, dit-elle enfin. Même si nous ne savons pas encore où il est exactement, je me suis rendue assez souvent dans d'autres villages des environs avec les autres femmes pour échanger notre miel et notre étain. Je peux nous guider les yeux bandés vers la Grande Plaine, et jusqu'au village saxon où nous nous sommes souvent reposées. À coup sûr, le village de notre fils est un peu après, alors nous le repérerons sans peine. Axl, nous allons vraiment partir bientôt ?

— Oui, princesse. Nous commencerons à nous préparer dès aujourd'hui. »

CHAPITRE 2

Ils avaient cependant une quantité de choses à régler avant leur départ. Dans un village comme celui-ci, beaucoup d'objets nécessaires pour le voyage – couvertures, gourdes, amadou – appartenaient à la communauté, et obtenir le droit de les utiliser exigeait beaucoup de négociations avec les voisins. En outre, Axl et Beatrice, malgré leur âge avancé, avaient leur charge de tâches quotidiennes et ne pouvaient pas s'en aller sans le consentement de la communauté. Et quand ils furent enfin prêts à partir, un changement de temps les retarda encore. Car à quoi bon s'exposer aux risques du brouillard, de la pluie et du froid lorsque le soleil était à leur porte ?

Par une matinée lumineuse, sous des nuages blancs clairsemés et une forte brise, ils se mirent enfin en route, munis de bâtons, avec des ballots sur le dos. Axl avait souhaité partir au petit jour – certain que la journée serait belle – mais Beatrice avait voulu à tout prix attendre que le soleil soit haut dans le ciel. Le village saxon où ils s'abriteraient la première nuit, affirma-t-elle, se trouvait à une bonne journée de marche, et leur priorité était de franchir l'angle de la Grande Plaine peu avant midi, à l'heure où les forces obscures de ce lieu seraient endormies.

Ils n'avaient pas marché ensemble depuis longtemps, et Axl s'était inquiété de l'endurance de sa femme. Mais au bout d'une heure il fut rassuré : malgré la lenteur de sa cadence – il remarqua de nouveau une asymétrie dans sa démarche, comme pour atténuer une douleur –, Beatrice avançait sans interruption, la tête baissée contre le vent à travers champs, nullement découragée quand elle rencontrait chardons et broussailles. En montée, ou sur un sol si boueux que poser un pied devant l'autre exigeait un effort, elle ralentissait aussitôt, mais ne s'arrêtait pas.

Les jours précédant leur départ, Beatrice avait paru de plus en plus sûre de l'itinéraire à suivre, du moins jusqu'au village saxon où elle se rendait régulièrement depuis des années avec les autres femmes. Mais une fois qu'ils eurent perdu de vue les collines escarpées dominant leur colonie et traversé la vallée après le marais, elle devint moins confiante. À la bifurcation d'un sentier, ou face à un champ balayé par le vent, elle marquait une pause et restait immobile un long moment, la panique se glissant dans son regard tandis qu'elle scrutait le paysage.

« Ne t'inquiète pas, princesse, disait alors Axl. Ne t'inquiète pas et prends tout le temps qu'il te faut.

— Mais Axl, répondait-elle, se tournant vers lui, nous n'en avons pas. Nous devons traverser la Grande Plaine avant midi si nous voulons le faire en toute sécurité.

— Nous y serons à l'heure, princesse. Prends ton temps. »

Je pourrais souligner ici que naviguer en rase campagne était beaucoup plus difficile à cette époque, pour d'autres raisons que le manque de cartes et de boussoles fiables. Les haies qui divisent aujourd'hui si plaisamment la nature en champs, prairies et chemins n'existaient pas encore. Le voyageur se retrouvait bien souvent face à un paysage monotone, presque identique où qu'il se tournât. Une rangée de pierres verticales sur l'horizon, le coude d'un ruisseau, le relief et le dénivelé particuliers d'une vallée : ces indices étaient le seul moyen de tracer sa voie. Et les conséquences d'une erreur d'orientation s'avéraient souvent fatales. Périr pris par le mauvais temps était un risque négligeable : mais en s'écartant de son chemin, on s'exposait infailliblement aux attaquants – humains, animaux ou êtres surnaturels – qui rôdaient en dehors des routes établies.

Peut-être jugez-vous surprenant le peu de paroles prononcées par ce couple, habitué à se raconter tant de choses, pendant qu'il marchait. À cette époque, une cheville brisée ou une écorchure infectée pouvait être mortelle, il était donc acquis que rester concentré à chaque pas était préférable. Chaque fois que le sentier devenait trop étroit pour marcher de front, c'était toujours Beatrice, et non Axl, qui passait devant. Cela vous étonne peut-être, car il paraît plus naturel que l'homme s'avance le premier sur un terrain potentiellement dangereux, et en effet, dans les zones boisées ou les endroits où ils auraient pu croiser des loups ou des ours, ils échangeaient leurs places sans discussion. Mais le plus souvent, Axl veillait à ce que sa femme fût en tête, car presque tous les monstres ou esprits malins qui pouvaient se trouver sur leur chemin ciblaient leur proie à l'arrière d'un groupe – de la même manière, je suppose, qu'un félin traque une antilope en queue du troupeau. Il n'était pas rare qu'un voyageur jetant un coup d'œil derrière lui s'aperçût que son compagnon avait disparu sans laisser de traces. C'était la peur d'une telle découverte qui poussait Beatrice à demander de temps à autre : « Tu es toujours là, Axl ? » À quoi il répondait chaque fois : « Toujours, princesse. »

Ils atteignirent l'extrémité de la Grande Plaine à la fin de la matinée. Axl proposa de poursuivre afin de tourner le dos au danger, mais Beatrice tint à attendre jusqu'à midi. Ils s'assirent sur un rocher en haut de la pente qui descendait vers la plaine, observant avec attention l'ombre de plus en plus courte de leurs bâtons, maintenus à la verticale dans la terre.

« C'est peut-être un ciel favorable, Axl, dit-elle. Et à ma connaissance, aucune calamité n'a frappé personne dans cet angle de la plaine. Néanmoins, il vaut mieux attendre midi, car à cette heure-là aucun démon ne risquera un seul coup d'œil pour nous voir passer.

— Nous attendrons comme tu le souhaites, princesse. Et tu as raison, c'est la Grande Plaine après tout, même si cet endroit semble inoffensif. »

Ils restèrent assis comme cela un instant, regardant

le paysage en silence. À un moment donné, Beatrice dit :

« Quand nous retrouverons notre fils, Axl, il va sûrement insister pour que nous vivions dans son village. Ça sera étrange de quitter nos voisins après ces années, même s'ils se moquent parfois de nos cheveux gris, tu ne penses pas ?

— Rien n'est encore décidé, princesse. Nous discuterons de tout cela avec notre fils quand nous le verrons. » Axl continua de fixer la Grande Plaine. Puis il secoua la tête et dit doucement : « C'est bizarre, je ne parviens plus à me souvenir de lui à présent.

— J'ai cru rêver de lui la nuit dernière, reprit Beatrice. Debout près d'un puits, il se tournait un peu sur le côté, et appelait quelqu'un. Ce qui s'est passé avant ou après, je l'ai oublié.

— Du moins tu l'as vu, princesse, même en rêve. De quoi avait-il l'air ?

— Un visage beau, puissant, j'en suis certaine. Mais la couleur de ses yeux, le contour de sa joue, je ne sais plus.

— Je ne me rappelle pas du tout ses traits, dit Axl. Ce doit être à cause de cette brume. Il y a beaucoup de choses que je serais heureux de chasser de mon esprit, mais c'est cruel de ne pas être capable de reconstituer une image aussi précieuse. »

Elle se rapprocha de lui, posant la tête sur son épaule. Le vent les frappait de plein fouet à présent et sa cape s'était défaite. L'entourant de son bras, Axl rattrapa le tissu et le replia sur elle.

« Eh bien, j'ose dire que la mémoire ne nous reviendra jamais assez vite.

— Essayons, Axl. Essayons tous les deux. C'est comme si nous avions égaré une pierre précieuse. Mais nous allons sûrement la dénicher si nous joignons nos efforts.

— Bien sûr, princesse ! Mais regarde, les ombres ont presque disparu. Il est temps pour nous de descendre. »

Beatrice se redressa et se mit à fouiller dans son ballot. « Tiens, nous allons les porter. »

Elle lui tendit ce qui ressemblait à deux galets lisses, mais, quand il les examina, il vit des motifs complexes gravés sur chaque face.

« Glisse-les dans ta ceinture, Axl, et prends soin de tourner les inscriptions vers l'extérieur. Cela aidera le Seigneur Jésus-Christ à prendre soin de nous. Je vais porter ceux-là.

— Un seul me suffira, princesse.

— Non, Axl, nous les partagerons équitablement. Maintenant, je me rappelle qu'il y a un chemin par là et, à moins que la pluie l'ait emporté, le trajet sera plus facile que ce que nous avons connu jusqu'à présent. Mais il y a un endroit où nous devons être prudents. Axl, tu m'écoutes ? C'est quand le sentier passe sur le monticule où le géant est enfoui. Pour qui n'est pas au courant, c'est une colline ordinaire, mais je te ferai signe et à ce moment-là tu devras quitter le sentier et contourner la colline jusqu'à ce que nous le rattrapions, là où il redescend. Fouler cette tombe ne nous ferait aucun bien, ni en plein midi ni autrement. Tu m'as bien comprise, Axl ?

— Ne t'inquiète pas, princesse, je te comprends très bien.

— Et je n'ai pas besoin de te le rappeler. Si un inconnu apparaît sur le chemin, ou nous appelle tout près, si nous voyons un pauvre animal pris dans un piège ou blessé dans un fossé, ou tout autre détail pouvant retenir ton attention, ne prononce pas un mot, ne ralentis pas le pas.

— Je ne suis pas idiot, princesse.

— Très bien alors, Axl, il est temps d'y aller. »

Ainsi que Beatrice l'avait promis, ils n'eurent qu'une courte distance à parcourir dans la Grande Plaine. Leur sentier, quoique boueux par endroits, resta bien indiqué et ne les entraîna jamais à l'abri du soleil. Après une première descente il se mit à grimper régulièrement, jusqu'à une haute crête qu'ils se mirent à longer, encadrés de chaque côté par la lande. Le vent était violent, mais à défaut d'autre chose il constituait un antidote bienvenu contre le soleil de midi. Partout, la terre était couverte de bruyère et d'ajoncs, jamais plus hauts que le genou, avec ici et là un arbre solitaire – un spécimen pareil à une vieille bique, courbé par les bourrasques incessantes. Puis une vallée apparut à leur droite, leur rappelant le pouvoir et le mystère de la Grande Plaine, et le fait qu'ils en foulaient une petite partie sans y être autorisés.

Ils marchaient près l'un de l'autre, Axl sur les talons de sa femme. Même ainsi, pendant toute la traversée, Beatrice continua, tous les cinq ou six pas, de répéter comme une litanie : « Tu es toujours là,

Axl ? » à quoi il répondait : « Toujours, princesse. »
Mis à part cet échange rituel, ils se taisaient. Même
lorsqu'ils atteignirent le tumulus du géant, et que
Beatrice fit des signes appuyés pour qu'ils quittent le
chemin et s'enfoncent dans les bruyères, ils continuèrent de lancer cet appel et sa réponse d'une voix
égale, comme s'ils souhaitaient tromper les démons
qui tendaient l'oreille. Pendant ce temps, Axl guettait
les brumes rapides ou un soudain assombrissement
du ciel, mais il ne vit aucun changement suspect, et
la Grande Plaine fut enfin derrière eux. Tandis qu'ils
traversaient un petit bois rempli d'oiseaux chanteurs,
Beatrice ne fit aucun commentaire, mais il vit sa posture se relâcher, et son refrain se tut.

Ils s'arrêtèrent pour manger du pain au bord d'un
ruisseau où ils trempèrent leurs pieds et remplirent
leurs gourdes. Puis leur itinéraire les conduisit sur une
longue voie affaissée de l'époque romaine, bordée de
chênes et d'ormes, où il était beaucoup plus facile de
marcher, mais qui exigeait de la vigilance à cause des
autres voyageurs qu'ils ne manqueraient pas de croiser. Bien sûr, pendant la première heure, ils rencontrèrent, venant de la direction opposée, une
femme et ses deux enfants, un garçon qui conduisait
des ânes, et un couple d'acteurs ambulants qui se
hâtaient de rejoindre leur troupe. À chaque occasion
ils firent une pause pour échanger des plaisanteries,
mais une fois, en entendant un cliquetis de roues et de
sabots, ils se cachèrent dans le fossé. Là non plus, rien
de bien méchant – un fermier saxon avec un cheval et
une charrette remplie à ras bord de bois de chauffage.

Vers le milieu de l'après-midi le ciel commença à se couvrir, annonçant un orage. Ils se reposaient sous un gros chêne, le dos tourné à la route, cachés à la circulation. Une zone dégagée s'étendait devant eux, et ils remarquèrent tout de suite que le temps tournait.

« Ne t'inquiète pas, princesse, dit Axl. Nous resterons au sec sous cet arbre jusqu'au retour du soleil. »

Mais Beatrice était déjà debout, penchée en avant, une main levée pour abriter ses yeux. « Je vois la route qui fait un virage là-bas, Axl. Ce n'est pas loin de la vieille villa. Je m'y suis abritée une fois lorsque je suis venue avec les femmes. Une ruine, mais le toit était encore solide.

— Nous pouvons l'atteindre avant que l'orage n'éclate ?

— Nous y parviendrons si nous partons tout de suite.

— Alors dépêchons-nous. Il n'y a aucune raison d'attraper la mort à cause de la pluie. Et maintenant que je le regarde au-dessus de moi, cet arbre est plein de trous et on voit presque tout le ciel à travers les branches. »

*

La villa en ruine était plus éloignée de la route que ne l'avait cru Beatrice. Aux premières gouttes, sous le ciel qui s'obscurcissait, ils peinaient sur un long chemin étroit envahi d'orties à hauteur de taille qu'ils devaient repousser avec leurs bâtons. La ruine était bien visible depuis la route mais, pendant presque toute cette approche, elle fut cachée par les arbres et les feuillages, et les voyageurs la découvrirent devant eux avec un choc, et un certain soulagement.

La villa avait dû être splendide à l'époque romaine, mais à présent seule une petite portion tenait encore debout. Des sols autrefois magnifiques étaient exposés aux éléments, défigurés par les flaques stagnantes, les mauvaises herbes et le gazon qui poussaient entre les carreaux ternis. Les vestiges de murs, atteignant à peine la cheville à certains endroits, révélaient l'ancien agencement des pièces. Une voûte en pierre conduisait à la partie rescapée du bâtiment, et Axl et Beatrice s'avancèrent prudemment, s'arrêtant sur le seuil pour écouter. Axl finit par appeler : « Il y a quelqu'un ? » Et ne recevant aucune réponse : « Nous sommes deux vieux Bretons qui cherchent à s'abriter de l'orage. Nous venons en paix. »

Le silence régnait toujours et ils pénétrèrent sous la voûte, à l'ombre de ce qui avait dû être autrefois un couloir. Ils ressortirent dans la lumière grise d'une pièce spacieuse, bien qu'un mur entier se fût écroulé là aussi. La pièce voisine avait totalement disparu, envahie à un point oppressant par des plantes à feuilles persistantes qui s'étendaient jusqu'à la limite du sol. Les trois murs encore debout, cependant, procuraient une zone abritée, avec un plafond solide. Là, contre la maçonnerie encrassée de ce qui avait jadis été des parois blanchies à la chaux, se tenaient deux silhouettes sombres, l'une debout, l'autre assise, séparées par une certaine distance.

Sur un fragment de cloison effondrée était installée une petite vieille – plus âgée qu'Axl et Beatrice – semblable à un oiseau, vêtue d'une cape noire au capuchon rejeté suffisamment en arrière pour révéler ses traits parcheminés. Ses yeux étaient si enfoncés qu'on les distinguait à peine. La courbe de son dos effleurait le mur derrière elle. Quelque chose bougea sur ses genoux et Axl vit qu'il s'agissait d'un lapin, maintenu fermement par ses mains osseuses.

À l'autre bout du mur, comme s'il avait cherché à être le plus loin possible de la vieille femme tout en restant à l'abri, se tenait un homme mince de très haute taille. Il portait un long manteau épais, pareil à celui que pourrait revêtir un berger pendant une froide nuit de garde, mais là où il s'arrêtait, le bas exposé de ses jambes était nu. Il avait aux pieds le genre de chaussures qu'Axl avait vu sur des pêcheurs. Sans doute était-il encore jeune, mais le haut de son crâne était lisse et chauve, tandis que des touffes brunes foisonnaient autour de ses oreilles. L'homme avait une posture figée, le dos tourné à la pièce, une main sur le mur devant lui comme s'il écoutait avec attention ce qui se passait de l'autre côté. Il jeta un coup d'œil par-dessus son épaule quand Axl et Beatrice entrèrent, mais ne dit rien. La vieille les regardait elle aussi en silence et seulement quand Axl dit : « Que la paix soit avec vous », ils se détendirent un peu. L'homme de haute taille répondit : « Avancez, mes amis, sinon vous ne serez pas au sec. »

En effet, le ciel s'était littéralement ouvert à présent et l'eau de pluie ruisselait le long d'une section du toit effondré, jaillissant sur le sol près de l'endroit où se tenaient les visiteurs. Le remerciant, Axl conduisit sa femme près du mur, choisissant un point médian entre leurs hôtes. Il aida Beatrice à se décharger de son fardeau, puis posa le sien sur le sol.

Ensuite ils restèrent ainsi tous les quatre pendant un moment tandis que l'orage gagnait encore en puissance, et un éclair illumina l'abri. Les postures étrangement figées de l'homme de haute taille et de la vieille femme semblaient envoûter Axl et Beatrice, car ils se tenaient à présent, eux aussi, immobiles et silencieux. C'était presque comme si, découvrant un tableau et s'y engouffrant, ils avaient été contraints de devenir à leur tour des personnages peints.

Puis, quand la pluie diminua d'intensité et prit un rythme régulier, la vieille femme pareille à un oiseau rompit enfin le silence. Caressant d'une main son lapin tout en l'agrippant de l'autre, elle dit :

« Que Dieu soit avec vous, cousins. Vous me pardonnerez de ne pas vous avoir salués plus tôt, mais j'ai été surprise de vous voir ici. Sachez que vous êtes néanmoins les bienvenus. Une belle journée pour voyager avant l'arrivée du mauvais temps. Mais c'est le genre d'orage qui disparaît aussi vite qu'il est apparu. Vous ne serez pas longtemps retardés, profitez-en pour vous reposer. De quel côté allez-vous, cousins ?

— Nous sommes en route pour le village de notre fils, répondit Axl, où il attend avec impatience de nous accueillir. Mais ce soir nous chercherons refuge dans un village saxon que nous espérons gagner à la tombée de la nuit.

— Les Saxons ont des mœurs sauvages, dit la vieille femme. Mais ils accueillent un voyageur avec plus d'empressement que nous ne le faisons. Prenez place, cousins. Ce rondin derrière vous est sec et je m'y suis souvent assise avec plaisir. »

Axl et Beatrice suivirent son conseil, puis le silence se prolongea encore quelques instants pendant que la pluie continuait de tomber. Enfin, un mouvement de la vieille fit lever les yeux d'Axl. Elle tirait en arrière les oreilles du lapin et, alors que l'animal se débattait pour se dégager, sa main en forme de serre continuait de le maintenir solidement. Puis, tandis qu'Axl l'observait, elle brandit de l'autre main un grand couteau rouillé et le plaça contre la gorge de la créature. Beatrice sursauta à côté de lui, et Axl se rendit compte que les taches foncées sous leurs pieds et ailleurs, sur tout le sol détruit, étaient d'anciennes traînées de sang, et que, mêlé à l'odeur du lierre et de la pierre humide moisie, persistait le relent volatil mais tenace d'un abattage.

Ayant placé le couteau contre la gorge du lapin, la vieille femme redevint très calme. Ses yeux enfoncés, s'aperçut Axl, était fixés sur l'homme de haute taille à l'autre bout du mur, comme si elle attendait un signal de sa part. Mais l'homme gardait la même posture figée, son front touchant presque le mur. Soit il n'avait pas remarqué la vieille, soit il était résolu à l'ignorer.

« Chère dame, dit Axl, tuez le lapin si vous le devez. Mais brisez-lui le cou carrément. Ou bien prenez une pierre et donnez-lui un bon coup.

— Si j'en avais la force, monsieur, mais je suis trop faible. J'ai un couteau à la lame tranchante et c'est tout.

— Alors je vous aiderai avec joie. Nous n'avons pas besoin de votre couteau. » Axl se leva, tendant la main, mais la vieille ne fit pas un geste pour renoncer au lapin. Elle resta exactement dans la même position, le couteau contre la gorge de l'animal, le regard fixé sur l'homme à l'autre bout de la pièce.

Enfin l'homme de haute taille se tourna pour leur faire face. « Mes amis, dit-il, j'ai été surpris de vous voir entrer tout à l'heure, mais maintenant j'en suis heureux. Car je vois que vous êtes de braves gens, et je vous prie, pendant que vous attendez la fin de cet orage, d'entendre ma détresse. Je suis un humble batelier qui transporte des passagers sur des flots agités. Je ne me plains pas de mon travail bien que les heures soient longues, et lorsque beaucoup de gens attendent de traverser, je manque de sommeil et mes membres souffrent à chaque coup de rame. Je travaille sous la pluie, le vent et le soleil brûlant. Mais je garde le moral à la perspective de mes jours de repos. Car je ne suis qu'un batelier parmi d'autres et chacun de nous peut se reposer à son tour, ne serait-ce qu'après de longues semaines de labeur. Pour nos jours de repos, chacun de nous a un endroit spécial où aller, et celui-ci, mes amis, est le mien. Cette maison où j'ai été autrefois un enfant insouciant. Elle n'est plus comme autrefois, mais pour moi elle est remplie de souvenirs précieux, et je viens ici chercher le silence pour en profiter. Maintenant écoutez bien.

Chaque fois que je viens ici, une heure après mon arrivée, cette vieille femme franchit cette voûte. Elle s'assied et me harcèle heure après heure, nuit et jour. Elle lance des accusations cruelles et injustes. Sous le couvert de la nuit, elle me frappe des malédictions les plus horribles. Elle ne m'accorde pas un instant de répit. Quelquefois, ainsi que vous le voyez, elle apporte un lapin avec elle, ou une petite créature du même genre, afin de l'égorger et de polluer cet endroit précieux avec son sang. J'ai fait tout ce que j'ai pu pour la persuader de me laisser tranquille, mais la pitié que Dieu a mise dans son cœur, elle a appris à l'ignorer. Elle refuse de partir, et de cesser ses moqueries. Même aujourd'hui, c'est seulement votre entrée inattendue qui l'a forcée à interrompre sa persécution. Ce sera bientôt l'heure d'entamer mon voyage de retour, et de reprendre de longues semaines de travail sur l'eau. Mes amis, je vous en supplie, faites ce que vous pouvez pour l'obliger à partir. Persuadez-la que son attitude est impie. Vous aurez peut-être de l'influence sur elle, car vous venez de l'extérieur. »

Il y eut un silence une fois que le batelier eut cessé de parler. Axl se souvint plus tard d'avoir eu un vague désir de répondre, mais en même temps l'impression que l'homme lui avait parlé dans un rêve et qu'il n'avait aucune réelle obligation de le faire. Beatrice ne parut pas non plus éprouver l'envie de réagir, car ses yeux restèrent posés sur la vieille femme, qui avait maintenant écarté le couteau de la gorge du lapin, et caressait sa fourrure, presque affectueusement, avec le plat de la lame. Beatrice dit enfin :

« Madame, je vous en prie, autorisez mon mari à vous seconder avec votre lapin. Il n'y a aucune raison de verser le sang dans un endroit comme celui-ci, sans bassine pour le recueillir. Vous allez porter malheur non seulement à cet honnête batelier, mais à vous-même et à tous les autres voyageurs qui s'aventurent ici pour y chercher refuge. Posez ce couteau et tuez cet animal avec douceur, dans un autre lieu. À quoi bon harceler cet homme comme vous le faites, un batelier qui travaille dur ?

— Ne nous empressons pas d'adresser de dures paroles à cette dame, princesse, dit Axl avec gentillesse. Nous ne savons pas ce qui s'est passé entre ces gens. Le batelier paraît honnête, mais cependant, cette dame a peut-être une raison de venir ici et de passer son temps de cette façon.

— Vous ne pourriez pas mieux dire, répliqua la vieille femme. Est-ce que je m'imagine que c'est une manière agréable d'occuper ma vie qui s'achève ? Je préférerais être loin d'ici, en compagnie de mon mari, et c'est à cause de ce batelier que je suis aujourd'hui séparée de lui. Mon mari était un homme sage et prudent, monsieur, et nous avions prévu notre voyage de longue date, nous en avions parlé et rêvé de nombreuses années. Lorsque, enfin, nous avons été prêts, ayant réuni tout ce dont nous avions besoin, nous sommes partis sur la route et, au bout de plusieurs jours, nous avons trouvé la crique d'où partait le bateau pour l'île. Nous avons attendu le passeur et, le moment venu, nous avons vu sa barque approcher. Par le plus grand des hasards, c'est ce même homme qui s'est approché. Voyez sa haute taille. Debout sur son embarcation, se détachant contre le ciel avec sa longue rame, il paraissait aussi grand et mince que les joueurs qui boitillent sur leurs échasses. Il est venu jusqu'aux rochers où nous étions et il a attaché sa barque. Jusqu'à ce jour j'ignore comment il s'y est pris, mais il a fait en sorte de nous duper. Nous étions trop confiants. Si près de l'île, le batelier a emmené mon époux et m'a laissée attendre sur le rivage, après quarante ans et plus de vie commune et rarement un jour de séparation. Je ne comprends pas comment il a fait. Sa voix a dû nous plonger dans un rêve, car en moins de deux il ramait déjà avec mon mari à bord et j'étais encore sur la rive. Même alors, je n'y ai pas cru. Qui aurait soupçonné une telle cruauté de la part d'un batelier ? J'ai donc attendu. Je me suis dit, c'est parce que l'embarcation ne peut pas transporter plus d'un passager à la fois, car l'eau était agitée ce jour-là, et le ciel presque aussi sombre qu'aujourd'hui. Je suis restée sur le rocher, j'ai regardé la barque devenir plus petite, puis se réduire à un point. J'ai encore attendu, et au bout d'un moment le point a grossi et j'ai eu l'impression que le batelier revenait me chercher. Bientôt j'ai vu sa tête aussi lisse qu'un galet, et plus de passager à son bord. J'ai imaginé que c'était mon tour et que je rejoindrais mon bien-aimé sans tarder. Mais quand il est revenu, il a attaché sa corde au piquet, secoué la tête et refusé de m'emmener de l'autre côté. J'ai discuté, pleuré, je l'ai appelé, mais il n'a rien voulu entendre. Au lieu de cela il m'a offert – quelle cruauté! – un lapin qui, a-t-il dit, avait été pris dans un piège sur le rivage de l'île. Il me l'avait rapporté en pensant que ce serait un souper approprié pour ma première soirée de solitude. Puis, voyant que personne d'autre n'attendait d'être transporté, il est reparti, me laissant en larmes sur la rive, son maudit lapin dans les mains. Je l'ai lâché dans la bruyère un instant plus tard, car je vous assure que je n'avais guère d'appétit ce soir-là, et les soirs suivants non plus. C'est pourquoi j'apporte ma petite offrande à moi chaque fois que je viens ici. Un lapin pour son ragoût en échange de sa gentillesse.

— Le lapin était destiné à mon propre dîner, interrompit la voix du batelier à l'autre bout de la pièce. Éprouvant de la pitié, je le lui ai donné. C'était par simple bonté d'âme.

— Nous ne savons rien de vos affaires, monsieur, dit Beatrice. Mais laisser ainsi cette dame seule sur le rivage semble être une cruelle tromperie. Qu'est-ce qui vous a poussé à faire une telle chose?

— Madame, l'île dont parle cette vieille femme n'est pas ordinaire. Nous autres bateliers y avons conduit beaucoup de gens au cours des années, et à présent ils doivent être des centaines à habiter ses champs et ses bois. Mais c'est un lieu aux étranges qualités, et celui qui y arrive se promène parmi la verdure et les arbres dans la solitude, sans jamais voir âme qui vive. Parfois, un soir de clair de lune ou quand un orage est sur le point d'éclater, il peut sentir la présence des autres habitants. Mais le plus souvent, chaque voyageur a l'impression d'être le seul résident de l'île. J'aurais transporté cette femme avec joie, mais lorsqu'elle a compris qu'elle ne resterait pas avec son mari, elle a déclaré qu'elle ne voulait pas de cette solitude et a refusé de venir. Je me suis incliné devant sa décision, ainsi que je suis tenu de le faire, et je l'ai laissée partir de son côté. Je lui ai donné le lapin par pure gentillesse, je vous l'ai dit. Vous voyez comment elle me remercie.

— Le batelier est un homme sournois, reprit la vieille femme. Il osera vous tromper, bien que vous veniez d'ailleurs. Il vous fera croire que chacun erre solitaire sur cette île, mais ce n'est pas vrai. Sinon, mon mari et moi aurions-nous rêvé de longues années de nous rendre dans un tel lieu ? La vérité, c'est que beaucoup de voyageurs sont autorisés à faire la traversée en tant que mari et femme pour demeurer ensemble sur l'île. Ils sont nombreux à se promener bras dessus, bras dessous dans ces mêmes forêts et sur ces mêmes plages. Mon époux et moi le savions. Nous le savions enfants. Mes bons cousins, si vous fouillez dans votre mémoire, vous vous souviendrez que c'est la vérité alors même que je vous en parle. Nous ne nous doutions pas, en attendant dans cette crique, qu'un batelier cruel viendrait sur l'eau à notre rencontre.

— Il y a du vrai dans ce qu'elle dit, reprit le batelier. Parfois un couple peut être autorisé à faire ensemble la traversée jusqu'à l'île, mais c'est rare. Cela exige un lien d'amour inhabituellement puissant entre eux. Cela se produit à l'occasion, je ne le nie pas, et c'est pourquoi lorsque nous trouvons un homme et son épouse, ou même des amants non mariés, qui attendent d'être transportés, il est de notre devoir de les interroger avec soin. Car c'est à nous de sentir si leur lien est assez fort pour traverser ensemble. Cette dame répugne à l'accepter, mais son lien avec son mari était trop ténu. Qu'elle regarde dans son cœur, et qu'elle ose ensuite affirmer que mon jugement, ce jour-là, était une erreur.

— Madame, dit Beatrice. Que dites-vous ? »

La vieille femme resta silencieuse. Elle gardait les yeux baissés, et continua de passer la lame sur la fourrure du lapin, l'air maussade.

« Madame, déclara Axl, lorsque la pluie aura cessé, nous retournerons sur la route. Pourquoi ne pas quitter cet endroit avec nous ? Nous serons heureux de vous accompagner pour un bout de chemin. Nous pourrons parler à loisir de ce qu'il vous plaira. Laissez en paix ce bon batelier pour qu'il profite de cette maison en ruine tant qu'elle tient encore debout. Que gagnerez-vous à rester ici ? Et si vous le désirez, je tuerai le lapin proprement avant que nos chemins se séparent. Qu'en dites-vous ? »

La vieille femme ne répondit pas, et ne laissa paraître aucun signe indiquant qu'elle avait entendu les paroles d'Axl. Au bout d'un moment, elle se mit lentement debout, tenant le lapin contre sa poitrine. Elle était de très petite taille et sa cape traînait sur le sol quand elle se dirigea vers la partie effondrée de la pièce. L'eau d'une section du plafond se déversa sur elle mais elle ne parut pas s'en soucier. Lorsqu'elle eut atteint l'autre extrémité du sol, elle regarda la pluie dehors et la verdure envahissante. Puis, se courbant avec difficulté, elle posa le lapin à ses pieds. L'animal, peut-être pétrifié par la peur, ne bougea pas tout de suite. Puis il disparut dans l'herbe.

La vieille femme se redressa avec précaution. Lorsqu'elle se retourna, elle parut regarder le batelier – à cause de ses yeux curieusement enfoncés il était difficile d'en être sûr – puis elle dit : « Ces étrangers m'ont coupé l'appétit. Mais il reviendra, j'en suis certaine. »

Sur ces mots elle souleva les ourlets de sa cape et s'avança au milieu des herbes comme si elle pénétrait dans un étang. La pluie tombait sans discontinuer et elle rabattit son capuchon sur sa tête avant de reprendre sa marche à travers les hautes broussailles.

« Attendez quelques instants, nous allons vous accompagner », l'appela Axl. Mais il sentit la main de Beatrice sur son bras et l'entendit chuchoter : « Il vaut mieux ne pas nous en mêler, Axl. Laisse-la partir. »

Lorsque, quelques instants après, Axl marcha jusqu'à l'endroit où la vieille femme était descendue, il s'attendait un peu à la voir quelque part, retenue par les feuillages et incapable de poursuivre. Mais il n'y avait plus aucun signe d'elle.

« Merci, mes amis, dit le batelier derrière lui. Peut-être qu'aujourd'hui au moins j'aurai le loisir de me souvenir de mon enfance.

— Nous allons nous aussi vous laisser, batelier, dit Axl. Dès que la pluie se sera calmée.

— Ce n'est pas pressé, mes amis. Vous avez parlé avec pertinence et je vous en remercie. »

Axl continua de regarder la pluie. Il entendit sa femme dire derrière lui : « Cette maison a dû être magnifique autrefois, monsieur.

— Oh oui, chère dame. Quand j'étais petit, je ne savais pas à quel point, car je ne connaissais rien d'autre. Il y avait de beaux tableaux et des trésors, des domestiques sages et serviables. Juste là, se trouvait la salle de banquet.

— Cela doit vous attrister de la voir ainsi, monsieur.

— Je suis reconnaissant, chère dame, qu'elle tienne encore debout. Car cette maison a connu un temps de guerre pendant lequel beaucoup d'autres demeures semblables ont été incendiées et ne sont plus aujourd'hui qu'un monticule ou deux sous l'herbe et la bruyère. »

Axl entendit alors les pas de Beatrice venir vers lui et sentit sa main sur son épaule. « Qu'y a-t-il, Axl ? demanda-t-elle en baissant la voix. Tu es troublé. Je le vois.

— Ce n'est rien, princesse. C'est juste cette ruine. Un instant j'ai eu l'impression que c'était à moi qu'elle rappelait quelque chose.

— Quelle sorte de souvenirs, Axl ?

— Je ne sais pas, princesse. Quand l'homme parle de guerres et de maisons incendiées, il me semble que cela m'évoque des scènes du passé. Avant que je te connaisse, sans doute.

— A-t-il existé une période avant notre rencontre, Axl ? Parfois il me semble que nous sommes ensemble depuis la petite enfance.

— C'est aussi ce que je ressens, princesse. C'est juste une idée stupide que m'a inspirée cet étrange endroit. »

Elle le fixait d'un air pensif. Ensuite elle lui étreignit la main et dit tout bas : « En effet c'est un lieu bizarre et il peut nous apporter plus de mal que la pluie. Je suis impatiente de le quitter, Axl. Avant que cette femme revienne ou pire encore. »

Axl acquiesça. Puis, se tournant, il lança à travers la pièce : « Eh bien, batelier, le ciel a l'air de se dégager et nous allons nous remettre en route. Merci beaucoup de nous avoir permis de nous abriter. »

Le batelier ne répondit rien à cela, mais comme ils reprenaient leurs ballots, il vint les aider, leur tendant leurs bâtons. « Bon voyage, mes amis, dit-il. Puissiez-vous trouver votre fils en bonne santé. »

Ils le remercièrent encore, et s'avançaient sous la voûte lorsque Beatrice s'arrêta soudain et regarda derrière elle.

« Puisque nous prenons congé, monsieur, dit-elle, et que nous ne nous reverrons peut-être pas, je me demande si vous me permettrez de vous poser une petite question. »

Le batelier, debout à la même place près du mur, l'observait avec attention.

« Vous avez évoqué plus tôt, monsieur, poursuivit Beatrice, le devoir qui vous incombe d'interroger un couple attendant de faire la traversée. Vous avez parlé de la nécessité de découvrir si leur lien d'amour est assez fort pour leur permettre de résider ensemble sur l'île. Eh bien, monsieur, voici ce que je me demandais. Comment les questionnez-vous pour découvrir ce que vous devez savoir ? »

Le batelier parut hésiter un instant. Puis il dit : « Franchement, madame, ce n'est pas à moi de parler de ces sujets. En principe, nous n'aurions pas dû nous rencontrer aujourd'hui, mais un curieux hasard nous a réunis et je ne le regrette pas. Vous avez été généreux tous les deux, vous avez pris mon parti, et je vous en suis reconnaissant. Je vais donc vous répondre du mieux que je peux. J'ai, comme vous le dites, le devoir d'interroger tous ceux qui désirent se rendre sur l'île. Si c'est un couple tel que vous le décrivez, qui affirme avoir un lien aussi fort, alors je dois lui demander de m'exposer ses souvenirs les plus chers. Je demande à l'un, puis à l'autre, de le faire. Chacun doit s'exprimer séparément. De cette façon la véritable nature de leur lien est aussitôt révélée.

— Mais n'est-il pas difficile, monsieur, demanda Beatrice, de voir ce que recèle le cœur des gens ? Les apparences sont si trompeuses.

— C'est juste, chère dame, mais nous autres bateliers avons vu tant de gens au cours des années qu'il ne nous faut pas longtemps avant de percer les mensonges. D'ailleurs, lorsque les voyageurs évoquent leurs souvenirs les plus chers, il leur est impossible de déguiser la vérité. Un couple peut prétendre être lié par l'amour, mais nous autres bateliers voyons, au lieu de cela, du ressentiment, de la colère, de la haine même. Ou une grande aridité. Parfois une peur de la solitude et rien de plus. Un amour constant, qui a résisté aux années, nous en voyons rarement. Dans ce cas, nous ne sommes que trop heureux de transporter ce couple ensemble. Madame, j'en ai déjà dit plus que je n'aurais dû.

— Je vous en remercie, batelier. C'est juste pour satisfaire la curiosité d'une vieille femme. Maintenant nous allons vous laisser en paix.

— Je vous souhaite un bon voyage. »

*

Ils revinrent en arrière, sur le chemin qu'ils avaient emprunté plus tôt à travers les fougères et les orties. Le sol était devenu dangereux après l'orage et, malgré leur désir de s'éloigner de la villa, ils s'avancèrent à pas prudents. Lorsqu'ils atteignirent enfin la voie affaissée, la pluie n'avait pas encore cessé, et ils s'abritèrent sous le premier gros arbre qu'ils purent trouver.

« Est-ce que tu es trempée, princesse ?

— Ne t'inquiète pas, Axl. Ce manteau a rempli son office. Et toi, comment es-tu ?

— Il suffira d'un instant pour me sécher une fois le soleil revenu. »

Ils posèrent leurs ballots et s'appuyèrent au tronc, reprenant leur souffle. Au bout d'un moment, Beatrice dit doucement :

« Axl, j'ai peur.

— Pourquoi, qu'y a-t-il, princesse ? Il ne peut t'arriver aucun mal à présent.

— Te souviens-tu de l'étrange femme en guenilles noires que tu as vue en train de me parler près
du vieux buisson d'épines ce jour-là ? Elle ressemblait peut-être à une vagabonde folle, mais l'histoire
qu'elle a racontée avait beaucoup en commun avec
celle de cette vieille femme. Son mari avait, lui aussi,
été emmené par un batelier et elle était restée seule
sur le rivage. Alors qu'elle revenait de la crique, pleu-
rant de solitude, elle avait franchi le bord d'une
haute vallée, d'où elle pouvait voir le chemin très
loin devant et derrière elle, et tout le long, des gens
qui pleuraient comme elle. Lorsque j'ai entendu ces
mots j'ai été juste un peu effrayée, pensant que cela
n'avait aucun rapport avec nous, Axl. Mais elle a
continué de parler, disant qu'une brume de l'oubli
avait frappé le pays, ce que nous avons nous-mêmes
remarqué assez souvent. Puis elle m'a demandé :
"Comment vous et votre mari ferez-vous pour prouver votre amour si vous ne pouvez pas vous souvenir
du passé que vous avez partagé ?" Et je n'ai pas arrêté
d'y réfléchir depuis. J'y pense quelquefois et cela me
fait tellement peur.

— Mais qu'y a-t-il à craindre, princesse ? Nous
n'avons pas le projet de nous rendre sur une île de
cette sorte, ni le désir de le faire.

— Même dans ce cas, Axl. Et si notre amour
s'étiole avant que nous ayons seulement une chance
de nous rendre dans un tel endroit ?

— Que dis-tu, princesse ? Comment notre amour
peut-il s'étioler ? N'est-il pas maintenant plus fort que
lorsque nous étions de jeunes amants imprudents ?

« — Mais Axl, nous ne pouvons même pas nous rappeler cette époque. Ni aucune des années écoulées depuis. Nous ne nous souvenons pas de nos violentes querelles, ni des petits moments que nous avons appréciés et chéris. Nous ne nous rappelons pas notre fils, ni la raison pour laquelle il est loin de nous.

— Nous pouvons faire resurgir tous ces souvenirs, princesse. D'ailleurs, peu importe ce que je me rappelle ou ce que j'ai oublié, le sentiment que je nourris pour toi restera le même. Ce n'est pas ce que tu ressens aussi, princesse ?

— Si, Axl. Mais, là encore, je me demande si ce que nous éprouvons aujourd'hui au fond de notre cœur ne ressemble pas à ces gouttes qui dégringolent des feuillages gorgés d'eau au-dessus de nos têtes, alors que la pluie a cessé depuis longtemps. Je me demande si, sans nos souvenirs, notre amour est destiné à s'estomper et à mourir.

— Dieu ne permettrait pas une chose pareille, princesse. » Axl prononça ces mots doucement, presque à voix basse, car il sentait lui-même monter en lui une peur sans nom.

« Le jour où j'ai parlé avec elle près du vieux buisson d'épines, continua Beatrice, l'étrange femme m'a recommandé de ne plus perdre de temps. Elle a dit que nous devions faire tout ce qui était en notre pouvoir pour nous souvenir de ce que nous avions partagé, le bon et le mauvais. Et maintenant ce batelier, à l'instant où nous partions, nous a donné la réponse même que je prévoyais et que je redoutais.

Quelle chance avons-nous, Axl, dans l'état où nous sommes à présent ? Si quelqu'un comme lui nous demandait d'évoquer nos souvenirs les plus précieux ? Axl, j'ai tellement peur.

— Allons, princesse, il n'y a rien à craindre. Nos souvenirs ne se sont pas envolés pour toujours, ils se sont juste égarés à cause de cette maudite brume. Nous allons les retrouver un par un s'il le faut. N'est-ce pas pour cela que nous faisons ce voyage ? Une fois que notre fils sera devant nous, je suis sûr que beaucoup de choses nous reviendront.

— Je l'espère. Les paroles de ce batelier m'ont effrayée encore plus.

— Oublie-le, princesse. Nous n'avons pas besoin de sa barque, et encore moins de son île ! Tu as raison, la pluie a cessé dehors et nous serons plus au sec si nous quittons l'abri de cet arbre. Mettons-nous en route, et oublions ces préoccupations. »

CHAPITRE 3

Le village saxon, aperçu de loin et d'une certaine hauteur, vous aurait paru plus familier que le labyrinthe d'Axl et Beatrice. D'abord – peut-être parce que les Saxons avaient un sens plus aigu de la claustrophobie –, il n'avait pas été creusé dans le flanc de la colline. En descendant le versant escarpé, comme Axl et Beatrice ce soir-là, vous auriez vu une quarantaine de maisons individuelles, disposées au fond de la vallée en deux cercles irréguliers, le premier à l'intérieur du second. Trop éloignés pour remarquer les disparités de taille et de splendeur, vous auriez discerné les toits de chaume, et la présence de nombreuses « cabanes en rondins », guère différentes de celles où ont grandi certains d'entre vous, ou peut-être vos parents. Et si les Saxons étaient heureux de sacrifier un peu de sécurité pour profiter du grand air, ils prenaient soin de compenser cet avantage : une haute clôture de pieux en bois enchaînés, aux pointes aiguisées comme des crayons géants, encerclait totalement le village. À n'importe quel endroit, la barrière avait au moins le double de la hauteur d'un homme, et pour rendre moins attrayante encore la perspective d'une escalade, une tranchée profonde longeait tout son côté extérieur.

Ce fut sans doute le spectacle qu'Axl et Beatrice découvrirent lorsqu'ils s'arrêtèrent pour reprendre leur souffle pendant leur descente de la colline. Le soleil se couchait sur la vallée à présent, et Beatrice, qui avait la meilleure vue, se penchait en avant, un pas ou deux devant Axl, au milieu de l'herbe et des pissenlits qui lui arrivaient à la taille.

« Je vois quatre, non, cinq hommes qui gardent le portail, disait-elle. Et je crois qu'ils ont des lances à la main. La dernière fois que je suis venue avec les femmes, il n'y avait qu'un gardien avec deux chiens.

— Tu es sûre que nous serons bien accueillis ici, princesse ?

— Ne t'inquiète pas, Axl, ils me connaissent assez maintenant. D'ailleurs, l'un de leurs anciens est breton, considéré par tous comme un chef avisé bien qu'il ne soit pas du même sang. Il veillera à nous trouver un lieu sûr où passer la nuit. Toutefois, même dans ces conditions, Axl, je pense qu'il est arrivé quelque chose et je suis inquiète. Voici un autre homme armé d'une lance qui vient avec une meute de chiens féroces.

— Qui sait ce qui se passe chez les Saxons, dit Axl. Nous ferions peut-être mieux de chercher refuge ailleurs ce soir.

— La nuit va bientôt tomber, Axl, et ces lances ne nous sont pas destinées. D'ailleurs, il y a dans ce village une femme que je voulais voir, elle connaît les plantes médicinales mieux que quiconque dans le nôtre. »

Axl attendit qu'elle poursuive et, comme elle continuait de scruter le lointain, il demanda : « Et pourquoi aurais-tu besoin de médicaments, princesse ?

— Un léger désagrément que je ressens de temps à autre. Cette femme pourrait m'indiquer quelque chose pour le dissiper.

— Quel genre de désagrément ? À quel endroit te fait-il souffrir ?

— Ce n'est rien. C'est seulement parce que nous avons besoin de nous abriter ici que j'y pense.

— Mais où se situe-t-elle, princesse ? Cette douleur ?

— Oh… » Sans se tourner vers lui, elle appuya une main sur son flanc, juste au-dessous de la cage thoracique, puis elle rit. « Ce n'est pas la peine d'en parler. Tu vois bien, ça ne m'a pas retardée dans ma marche aujourd'hui.

— Ça ne t'a pas du tout ralentie, et c'est moi qui ai dû te supplier de faire une pause pour souffler.

— C'est ce que je dis, Axl. Donc il n'y a aucune raison de s'inquiéter.

— Ça ne t'a absolument pas ralentie. En fait, princesse, tu dois être aussi forte qu'une femme qui a la moitié de ton âge. Mais s'il y a ici quelqu'un qui peut te soulager, quel mal y a-t-il à aller la voir ?

— C'est exactement ce que je dis, Axl. Et j'ai apporté un peu d'étain pour l'échanger contre des médicaments.

« — Qui veut de ces petites douleurs ? Nous en avons tous, et nous aimerions bien nous en débarrasser si c'était possible. Bien sûr, allons voir cette femme si elle est ici, et ces gardes nous laisseront passer. »

Il faisait presque nuit lorsqu'ils franchirent la passerelle au-dessus de la tranchée, et des torches avaient été allumées de chaque côté du portail. Les gardes étaient robustes et massifs mais semblèrent paniqués à leur approche.

« Attends un moment, dit Beatrice tout bas. Je vais leur parler seule.

— Ne t'approche pas de leurs lances, princesse. Les chiens paraissent calmes mais ces Saxons ont l'air fous de terreur.

— Si c'est de toi qu'ils ont peur, Axl, vieux comme tu es, je vais leur prouver tout de suite leur grossière erreur. »

Elle s'avança vers eux avec audace. Les hommes se rassemblèrent autour d'elle et lorsqu'elle s'adressa à eux, ils lancèrent des regards soupçonneux à Axl. Puis l'un d'eux l'appela en saxon, lui demandant de venir plus près des torches, sans doute pour s'assurer que ce n'était pas un jeune homme déguisé. Enfin, après quelques échanges avec Beatrice, ils les laissèrent passer.

Axl fut intrigué qu'un village qui, de loin, avait paru se composer de deux cercles de maisons ordonnés, se révélât aussi chaotique alors qu'ils marchaient dans le labyrinthe de ses étroites ruelles. Certes, la lumière déclinait mais, tout en suivant Beatrice, il ne put discerner là ni logique ni plan du lieu. Des bâtiments se dressaient devant eux de manière inattendue, leur bloquant le passage, les forçant à prendre des allées latérales déroutantes. En outre, ils étaient obligés de se déplacer avec une prudence encore plus grande que sur les routes : non seulement le sol était criblé d'ornières, plein de flaques de l'orage récent, mais les Saxons semblaient juger acceptable de laisser des objets disparates, et même des tas de gravats, au milieu du chemin. Ce qui dérangea le plus Axl fut la puanteur qui s'intensifiait puis diminuait pendant qu'ils marchaient, sans jamais s'estomper. Comme ses contemporains, il était résigné à l'odeur des excréments, humains ou animaux, mais il s'agissait de quelque chose de beaucoup plus répugnant. Il n'avait pas mis longtemps à en déterminer l'origine : dans tout le village, les habitants avaient déposé, devant les maisons ou au bord de la rue, des tas de viande en putréfaction en guise d'offrandes à leurs différents dieux. À un moment donné, saisi par une agression particulièrement puissante, Axl se retourna pour voir, suspendu à l'auvent d'une hutte, un objet sombre dont la forme changea sous ses yeux quand la colonie de mouches perchées dessus se dispersa. Un peu plus tard, ils croisèrent un cochon qu'un groupe d'enfants tirait par les oreilles ; chiens, vaches, ânes laissés sans surveillance. Les rares personnes qu'ils rencontraient les fixaient en silence, ou bien se hâtaient de disparaître derrière une porte ou un volet.

« Il se passe quelque chose d'étrange ici ce soir, chuchota Beatrice tandis qu'ils marchaient. D'habitude ils sont assis devant leurs maisons ou bien réunis en cercle, en train de rire et de bavarder. Et les enfants seraient en train de nous suivre, de nous poser cent questions, et de se demander s'ils doivent nous insulter ou devenir nos amis. Tout est bizarrement silencieux et ça me met mal à l'aise.

— Sommes-nous perdus, princesse, ou bien nous dirigeons-nous vers l'endroit où nous serons accueillis ?

— Je pensais que nous rendrions d'abord visite à la femme, pour les médicaments. Mais étant donné la situation, nous ferions peut-être mieux d'aller directement à la vieille maison communale et de rester à l'abri du danger.

— Sommes-nous loin de l'endroit où habite la guérisseuse ?

— D'après mes souvenirs, pas loin du tout à présent.

— Alors voyons si elle est là. Même si ta douleur est insignifiante, comme nous le savons, il n'y a aucune raison pour que tu en souffres si on peut la faire disparaître.

— Cela peut attendre demain matin, Axl. Je ne la remarque pas si nous n'en parlons pas.

— Même ainsi, princesse, maintenant que nous sommes là, pourquoi ne pas aller voir cette femme avisée ?

— Nous le ferons si tu le souhaites vraiment, Axl. Mais je serais heureuse de reporter cette visite à demain matin ou à mon prochain passage ici. »

Tout en bavardant, ils contournèrent un angle de

ruelle et arrivèrent sur la place du village. Un feu de joie brûlait au milieu, et une foule se rassemblait autour, illuminée par la clarté des flammes. Il y avait des Saxons de tous les âges, même de tout petits enfants dans les bras de leurs parents, et la première pensée d'Axl fut qu'ils étaient tombés dans une cérémonie païenne. Mais lorsqu'ils s'arrêtèrent pour considérer la scène, il vit que l'attention de la foule n'était pas concentrée sur un point précis. Les visages qu'il put distinguer étaient solennels, effrayés peut-être. Les voix étaient assourdies, et s'élevaient en un murmure collectif où perçait l'inquiétude. Un chien aboya après Axl et Beatrice et fut aussitôt chassé par des formes obscures. Ceux qui remarquèrent les visiteurs les fixèrent sans expression avant de s'en désintéresser.

« Qui sait ce qui les préoccupe, Axl, dit Beatrice. Je m'en irais volontiers, mais la guérisseuse habite tout près d'ici. Je vais voir si je peux encore la retrouver. »

Tandis qu'ils se dirigeaient vers une rangée de huttes sur la droite, ils se rendirent compte de la présence de beaucoup d'autres gens dans l'ombre, qui observaient en silence la foule autour du feu. Beatrice s'arrêta pour parler à quelqu'un, une femme debout devant sa porte, et, au bout d'un moment, Axl comprit que c'était la guérisseuse. Il la voyait mal dans la semi-obscurité, mais distingua la silhouette d'une grande femme au dos droit, sans doute d'une quarantaine d'années, un châle drapé sur les bras et les épaules. Beatrice et elle conférèrent à voix basse, jetant parfois un coup d'œil à la foule, ou vers Axl. Enfin la femme leur fit signe d'entrer chez elle, mais Beatrice, s'approchant de son mari, dit avec douceur :

« Laisse-moi lui parler seule, Axl. Aide-moi à me décharger de mon fardeau et attends-moi ici.

— Est-ce que je ne peux pas t'accompagner, princesse, même si je comprends à peine la langue saxonne ?

— Ce sont des affaires de femmes, époux. Laisse-moi lui parler seule, elle dit qu'elle va examiner mon vieux corps avec soin.

— Excuse-moi, princesse, mes idées n'étaient pas claires. Je vais te décharger de ton fardeau et je t'attendrai ici le temps qu'il faudra. »

Une fois que les deux femmes furent entrées, Axl se sentit gagné par une immense fatigue, surtout dans les épaules et dans les jambes. Posant son propre ballot, il s'appuya contre le mur en terre derrière lui et regarda la foule. Une agitation grandissante animait les gens à présent : certains sortaient à grands pas de l'obscurité qui l'environnait pour se joindre à l'assemblée tandis que d'autres se détournaient du feu pour y revenir un instant après. Le flamboiement illuminait vivement certains visages, en laissant d'autres dans l'ombre, mais au bout d'un temps Axl en arriva à la conclusion que ces gens attendaient tous, avec une anxiété certaine, que quelqu'un ou quelque chose émergeât de la construction en bois à gauche du feu. Cette construction, sans doute un lieu de réunion pour les Saxons, devait avoir son propre feu à l'intérieur, car ses fenêtres vacillaient entre nuit et lumière.

Il était sur le point de s'assoupir, le dos contre le mur, les voix étouffées de Beatrice et de la guérisseuse résonnant derrière lui, lorsque la foule se mit à pousser et changea de place, laissant échapper un léger grognement. Plusieurs hommes étaient sortis du bâtiment en bois et se dirigeaient vers le feu. La foule s'écarta et se tut à leur approche, dans l'attente d'une annonce, mais il n'y en eut aucune, et bientôt les gens se pressèrent autour des nouveaux venus, dans un brouhaha de voix. Axl remarqua que l'attention était concentrée presque entièrement sur l'homme qui était sorti le dernier de la salle de réunion. Il n'avait sans doute pas plus de trente ans mais possédait une autorité naturelle. Bien qu'il fût vêtu simplement, comme aurait pu l'être un fermier, il ne ressemblait à personne d'autre dans le village. Ce n'était pas seulement la façon dont il avait rejeté sa cape sur son épaule, révélant sa ceinture et la poignée de son épée. Ni le simple fait que ses cheveux étaient plus longs que ceux de la plupart des villageois – ils touchaient presque ses épaules et il en avait attaché une partie avec une lanière afin de les empêcher de tomber dans ses yeux *pendant le combat*. Cette pensée était venue très naturellement à Axl, et ne le surprit qu'après coup, car elle avait impliqué un élément de reconnaissance. De plus, lorsque l'inconnu, s'avançant à grands pas dans la foule, avait laissé retomber sa main sur la poignée de l'épée, Axl avait ressenti, de manière presque tangible, le mélange particulier de réconfort, d'excitation et de peur qu'un tel mouvement pouvait inspirer. Se disant qu'il reviendrait plus tard à ces étranges sensations, il les chassa de son esprit et se concentra sur la scène qui se déroulait devant lui.

C'était le maintien de l'homme, la façon dont il se déplaçait et se tenait, qui le différenciaient de ceux qui l'entouraient. « Peu importe qu'il veuille se faire passer pour un Saxon ordinaire, pensa Axl, cet homme est un *guerrier*. Peut-être capable de causer des ravages considérables s'il le souhaite. »

Deux des hommes qui étaient sortis de la salle en bois hésitaient derrière lui, l'air nerveux, et chaque fois que le guerrier s'enfonçait un peu plus dans la foule ils faisaient de leur mieux pour rester près de lui, comme des enfants désireux de ne pas être oubliés par un parent. Jeunes tous les deux, ils portaient aussi des épées, et chacun tenait une lance, mais il était évident qu'ils n'avaient pas l'habitude de ces armes. En outre, ils étaient figés par la peur et incapables de répondre aux paroles d'encouragement que les habitants de leur village leur prodiguaient. Leurs regards fuyaient, paniqués, alors même que les mains leur tapotaient le dos ou pétrissaient leurs épaules.

« L'homme aux longs cheveux est un étranger arrivé à peine une heure ou deux avant nous, chuchota la voix de Beatrice tout près. Un Saxon, venu d'un pays lointain. Les marais à l'est, dit-il, où il a combattu récemment les pirates des mers. »

Axl s'était rendu compte depuis un moment que les voix des femmes étaient devenues plus distinctes et, se retournant, il vit que Beatrice et son hôtesse étaient sorties de la maison et se tenaient sur le seuil juste derrière lui. La guérisseuse parla tout bas pendant un moment, en saxon, après quoi Beatrice lui murmura à l'oreille :

« Plus tôt dans la journée, semble-t-il, un des villageois est revenu hors d'haleine, une épaule blessée, et une fois qu'on l'a persuadé de se calmer il a raconté qu'en compagnie de son frère et de son neveu, un garçon de douze ans, il était en train de pêcher à leur endroit habituel au bord de la rivière, quand deux ogres les ont attaqués. Sauf que, d'après cet homme blessé, ce n'étaient pas des ogres ordinaires. Monstrueux, capables de se déplacer plus vite et avec une plus grande ruse que les ogres qu'il avait déjà vus. Les monstres – car c'est ainsi que les villageois les appellent –, les monstres ont tué son frère sur-le-champ et emporté le garçon, qui était en vie et se débattait. Le blessé n'a réussi à s'échapper qu'après une longue poursuite sur le sentier de la rivière, les odieux grognements se rapprochant sans cesse de lui, mais, à la fin, il les a semés. C'est sûrement lui là-bas, Axl, avec une attelle au bras, en train de parler à l'étranger. Malgré sa blessure, il a tenu à ce que son neveu ramène un groupe des hommes les plus forts du village à cet endroit, ils ont vu la fumée d'un feu de camp près de la rive, et alors qu'ils se rapprochaient tout doucement, leurs armes à la main, les buissons se sont ouverts et il semble que les deux mêmes démons leur avaient tendu un piège. La guérisseuse dit que trois hommes ont été tués avant même que les autres aient pensé à s'enfuir et, bien qu'ils soient revenus sains et saufs, la plupart d'entre eux frissonnent et marmonnent tout seuls dans leur lit, trop ébranlés pour venir souhaiter bonne chance aux courageux disposés à partir maintenant, malgré l'approche de la nuit et la brume qui s'installe, pour accomplir ce que douze hommes forts n'ont pas été capables de faire en plein jour.

— Ils savent si le garçon est encore en vie ?

— Ils ne savent rien, mais ils vont tout de même aller jusqu'à la rivière. Après que le premier groupe est revenu terrorisé, aucun homme n'a eu le cran de se joindre à une autre expédition, malgré l'insistance des anciens. Par chance, cet étranger est arrivé dans le village, cherchant un abri pour la nuit car son cheval s'était blessé le pied. Et bien qu'il ait tout ignoré de ce garçon et de sa famille avant aujourd'hui, il a déclaré qu'il était prêt à venir en aide au village. Les hommes qui viennent de sortir avec lui sont deux des oncles du garçon, et, d'après leur figure, je dirais qu'ils sont plus susceptibles de gêner le guerrier que de l'assister. Regarde, Axl, ils sont malades de peur.

— Je le vois très bien, princesse. Ils sont tout de même courageux de l'accompagner malgré leur frayeur. Nous avons choisi un mauvais jour pour demander l'hospitalité à ce village. On y pleure en ce moment, et cela risque d'empirer encore avant la fin de la soirée. »

La guérisseuse parut comprendre une partie de la réponse d'Axl, car elle se mit à parler dans sa propre langue, et Beatrice traduisit : « Elle nous conseille d'aller directement à l'ancienne maison communale et de ne pas en ressortir avant le matin. Si nous choisissons de nous promener dans le village, il est impossible de savoir quel accueil nous sera réservé un soir comme celui-ci.

— C'est exactement ce que je pense, princesse. Suivons donc le conseil de cette aimable dame, si tu te souviens encore du chemin. »

Mais, à ce moment, la foule émit un bruit soudain, qui se transforma en applaudissements, et elle se déplaça encore, comme si elle s'efforçait de changer de forme. Puis elle commença à bouger, avec en son centre le guerrier et ses deux compagnons. Un chant sourd résonna, et les spectateurs dans l'ombre – y compris la guérisseuse – s'y joignirent bientôt. La procession s'avança vers eux, laissant derrière elle la clarté du feu, mais plusieurs torches dansaient ici et là, et Axl put entrevoir des visages, tantôt effrayés, tantôt excités. Chaque fois qu'un flambeau illuminait le guerrier, son expression était calme, son regard se tournait vers la gauche et la droite en réponse aux paroles d'encouragement, sa main se posait sur la poignée de son épée. Ils dépassèrent Axl et Beatrice, poursuivirent leur marche entre les huttes avant de disparaître, mais leur chant assourdi resta audible quelque temps.

Peut-être impressionnés par l'atmosphère, Axl et Beatrice restèrent figés un moment. Puis Beatrice se mit à questionner la guérisseuse sur le meilleur chemin pour la maison communale, mais Axl eut l'impression que les deux femmes discutaient ensuite de l'itinéraire à suivre pour une tout autre destination, car elles désignèrent les collines au-dessus du village.

Ils partirent enfin en quête de leur logement lorsque le calme fut revenu dans le village. Il était très difficile de s'orienter dans l'obscurité, les torches occasionnelles brûlant au coin des ruelles brouillaient leurs ombres et les égaraient encore plus. Ils avançaient dans le sens opposé à la direction prise par la foule, et les maisons qu'ils dépassaient étaient sombres, sans signe de vie apparent.

« Marche moins vite, princesse, dit Axl tout bas. Si l'un de nous fait une mauvaise chute, je ne suis pas certain qu'on vienne à notre secours.

— Axl, je pense que nous sommes encore perdus. Retournons à la dernière bifurcation, et cette fois je suis sûre de me repérer. »

Au bout d'un moment, le chemin devint moins sinueux et ils se retrouvèrent près de la clôture d'enceinte qu'ils avaient vue depuis la colline. Ses piquets aiguisés se dressaient au-dessus d'eux, plus foncés d'un ton que le ciel nocturne et, tandis qu'ils progressaient, Axl entendit des murmures au-dessus d'eux. Puis il s'aperçut qu'ils n'étaient plus seuls : le long de la palissade, à intervalles réguliers, des formes scrutaient le paysage obscur de l'autre côté de la barrière. À peine avait-il fait part à Beatrice de cette observation que des pas retentirent derrière eux. Ils accélérèrent leur allure, mais une torche se rapprochait et des ombres surgirent devant eux. Au début Axl crut qu'il s'agissait d'un groupe de villageois venant dans l'autre sens, mais il s'aperçut alors que Beatrice et lui étaient encerclés. Des Saxons d'âges et de carrures variés, certains avec des épées, d'autres brandissant des houes, des faux et d'autres outils, se bousculaient autour d'eux. Plusieurs voix s'adressèrent à eux en même temps, et Axl eut l'impression que d'autres gens continuaient d'arriver. Il sentit la chaleur des torches braquées sur leurs visages et, serrant Beatrice contre lui, il essaya d'identifier le chef de ce groupe, mais n'en discerna aucun. De plus, chaque visage était empreint de panique, et il se rendit compte qu'un geste imprudent pourrait provoquer une catastrophe. Il tira Beatrice hors de la portée d'un jeune homme au regard fou qui, d'une main tremblante, brandissait un couteau en l'air, et fouilla sa mémoire en quête de phrases en saxon. Rien ne lui revint, aussi, il se contenta de quelques sons apaisants, qu'il aurait pu émettre à l'intention d'un cheval rebelle.

« Arrête ça, Axl, chuchota Beatrice. Ils ne vont pas te remercier de leur chanter des berceuses. » Elle s'adressa en saxon à l'un d'eux, puis à un autre, mais l'état d'esprit ne s'améliora pas. Des disputes bruyantes éclatèrent et un chien, tirant sur sa corde, se fraya un chemin entre les gens pour leur montrer les crocs.

Puis les silhouettes crispées autour d'eux parurent se détendre d'un coup. Les querelles se calmèrent et une seule voix, pleine de colère, continua de crier, un peu en retrait. Elle se rapprocha et la foule s'écarta pour laisser passer un homme trapu, informe, qui s'avança d'un pas traînant dans la mare de lumière, appuyé sur un gros bâton.

Il était très âgé, et bien que son dos fût relativement droit son cou et sa tête sortaient de ses épaules selon un angle grotesque. Cependant, toutes les personnes présentes semblèrent se plier à son autorité – le chien cessa d'aboyer et disparut dans l'ombre. Même avec son saxon limité, Axl vit que la fureur de l'homme difforme n'était causée qu'en partie par le traitement réservé aux étrangers par les villageois : ils étaient réprimandés pour l'abandon de leurs postes de sentinelles, et les visages surpris dans la clarté de la torche, quoique désorientés, furent gagnés par le découragement. Puis, lorsque la voix de l'ancien s'éleva avec une colère encore plus forte, la mémoire revint peu à peu aux hommes, et l'un après l'autre ils se glissèrent dans la nuit. Même lorsque le dernier d'entre eux fut parti, et que retentit l'écho de leurs pieds escaladant les échelles, l'homme difforme continua de leur hurler des insultes.

Il se tourna enfin vers Axl et Beatrice, et, s'exprimant dans leur langue, dit sans la moindre trace d'accent : « Comment est-il possible qu'ils l'aient oublié, si peu de temps après avoir vu le guerrier partir avec deux de leurs cousins pour accomplir ce qu'aucun d'entre eux n'a eu le courage de faire ? Est-ce la honte qui affaiblit leur mémoire à ce point, ou seulement la peur ?

— Ils ont peur en effet, Ivor, répondit Beatrice. Une araignée tombant près d'eux suffirait à déclencher une bagarre. Une pitoyable équipe que vous avez envoyée pour nous souhaiter la bienvenue.

« — Toutes mes excuses, dame Beatrice. À vous aussi, monsieur. Ce n'est pas l'accueil que vous receviez d'habitude ici, mais comme vous le voyez, vous êtes arrivés un soir où règne la terreur.

— Nous avons perdu le chemin de la maison communale, Ivor, reprit Beatrice. Si vous vouliez bien nous l'indiquer nous vous en serions très redevables. Surtout après cet accueil, mon mari et moi sommes impatients de nous retrouver à l'intérieur et de nous reposer.

— Je voudrais vous assurer que vous serez les bienvenus dans la maison communale, mes amis, mais ce soir on ne peut pas prédire ce que mes voisins jugeront bon de faire. Je serais plus à l'aise si vous et votre aimable époux étiez d'accord pour passer la nuit sous mon toit, où je sais que vous ne serez pas dérangés.

— Nous acceptons avec joie votre offre généreuse, monsieur, s'écria Axl. Ma femme et moi avons grand besoin de repos.

— Alors venez, mes amis. Restez près de moi et parlez à voix basse jusqu'à ce que nous soyons arrivés. »

Ils suivirent Ivor dans l'obscurité jusqu'à une maison très semblable aux autres par sa structure, mais qui était plus vaste et située à l'écart. Lorsqu'ils pénétrèrent sous la voûte basse, l'air était empli d'une fumée de feu de bois qui parut chaude et accueillante, même si Axl se sentit oppressé. Le feu couvait au centre de la pièce agrémentée de tapis tissés, de peaux de bêtes et de meubles artisanaux en chêne et en frêne. Tandis qu'Axl sortait des couvertures de leurs ballots, Beatrice se laissa glisser avec grâce sur un fauteuil à bascule. Mais Ivor resta debout près de la porte, le visage soucieux.

« La façon dont vous avez été traités à l'instant, dit-il, je frémis de honte quand j'y pense.

— Je vous en prie, n'y songez plus, répondit Axl. Vous nous avez témoigné plus de gentillesse que nous n'en méritions. Et nous sommes arrivés ce soir à temps pour voir les hommes courageux se mettre en route pour leur dangereuse mission. Nous ne comprenons donc que trop bien la terreur qui plane dans l'air, et il n'est pas surprenant que certains se comportent sottement.

— Si vous, qui êtes des étrangers, vous souvenez assez bien de nos problèmes, comment se fait-il que ces idiots les aient déjà oubliés ? On leur a demandé, dans des termes qu'un enfant aurait compris, de rester coûte que coûte à leurs postes sur la clôture, car la sécurité de toute la communauté en dépend, sans parler de la nécessité d'aider nos héros s'ils devaient surgir à nos portes poursuivis par des monstres. Et que font-ils ? Deux inconnus passent, ils ne se rappellent rien des ordres reçus, ni même des raisons qui les ont motivés, et se jettent sur vous comme les loups pris de folie. Je douterais de ma propre raison si une perte de mémoire aussi étrange ne se produisait pas aussi souvent dans cet endroit.

— C'est la même chose dans notre pays, dit Axl. Ma femme et moi avons assisté à de nombreux incidents de cette sorte chez nos propres voisins.

— C'est intéressant de l'apprendre. Je craignais que ce soit un fléau qui n'affecte que notre région. Est-ce parce que je suis vieux, ou que je suis un Breton vivant parmi les Saxons, que je suis souvent seul à retenir un souvenir alors que tous ceux qui m'entourent l'ont laissé échapper ?

— Nous avons constaté exactement la même chose. Certes, nous souffrons assez souvent de la brume – c'est ainsi que ma femme et moi sommes convenus de l'appeler –, mais nous semblons moins atteints que les plus jeunes. Voyez-vous une explication, monsieur ?

— J'ai entendu dire beaucoup de choses à ce sujet, surtout la superstition saxonne. Mais, l'hiver dernier, un étranger venu par ici a fait un commentaire à ce sujet, et plus j'y réfléchis, plus j'y crois. Qu'est-ce que j'entends ? » Ivor, qui était resté près de la porte, son bâton à la main, se retourna avec une agilité surprenante pour un homme aussi difforme. « Veuillez excuser votre hôte, mes amis. Ce sont peut-être nos courageux hommes qui reviennent déjà. Il vaut mieux que vous restiez ici pour le moment, et ne pas vous montrer. »

Une fois qu'il fut parti, Axl et Beatrice restèrent silencieux quelque temps, les yeux fermés, reconnaissants de l'occasion de se reposer sur leurs sièges respectifs. Puis Beatrice dit doucement :

« À ton avis, Axl, qu'allait nous dire Ivor ?

— À quel propos, princesse ?

— Il parlait de la brume et de sa cause.

— Juste une rumeur qu'il a entendue un jour.

Demandons-lui sans faute de nous en dire plus. Un homme admirable. A-t-il toujours vécu parmi les Saxons ?

— Depuis qu'il a épousé une femme saxonne, à ce qu'on m'a raconté. Ce qu'elle est devenue, je ne l'ai jamais su. Axl, ce serait vraiment bien de connaître la cause de la brume, tu ne penses pas ?

— En effet, mais ce que cela apportera de bon, je l'ignore.

— Comment peux-tu déclarer une chose pareille, Axl ? Comment peux-tu prononcer une phrase aussi cruelle ?

— Qu'y a-t-il, princesse ? Quel est le problème ? » Axl se rassit sur sa chaise et tourna le regard vers sa femme. « Je voulais seulement dire que connaître sa cause ne la dissipera pas, ni ici ni dans notre propre pays.

— S'il existe une seule chance de comprendre l'origine de la brume, cela ferait toute la différence. Comment peux-tu en parler avec cette légèreté, Axl ?

— Je suis désolé, ce n'était pas mon intention. J'avais d'autres préoccupations en tête.

— Comment peux-tu penser à d'autres choses, alors qu'aujourd'hui nous avons entendu ce que ce batelier nous a raconté ?

— D'autres préoccupations, par exemple la question de savoir si ces hommes courageux sont revenus, avec l'enfant sain et sauf. Ou si ce village, avec ses gardes terrorisés et son portail précaire, va être envahi cette nuit par d'horribles démons souhaitant se venger de l'attention grossière qu'on leur porte.

L'esprit ne manque pas de sujets de réflexion, qu'importe la brume ou la conversation superstitieuse de bateliers inconnus.

— Nul besoin de prononcer des paroles dures, Axl. Je n'ai jamais souhaité me quereller.

— Pardonne-moi, princesse. Ce doit être cette atmosphère qui m'affecte. »

Mais Beatrice était au bord des larmes. « Nul besoin de parler durement », marmonna-t-elle dans sa barbe.

Se levant, Axl s'approcha du fauteuil à bascule et se baissa un peu pour la serrer contre sa poitrine. « Je regrette, dit-il. Nous ne manquerons pas de parler de la brume à Ivor avant de quitter cet endroit. » Ils s'étreignirent un instant, puis, au bout d'un moment, il reprit : « Pour être franc, il y a un sujet particulier qui me préoccupe.

— De quoi s'agit-il, Axl ?

— Je me demandais ce que la guérisseuse t'avait dit à propos de ta douleur.

— Elle a affirmé que ce n'était rien que de très normal quand on prend de l'âge.

— C'est ce que j'ai toujours dit, princesse. Ne t'ai-je pas assuré que tu n'avais pas de raison de t'en inquiéter ?

— Ce n'est pas moi qui me suis inquiétée, époux. C'est toi qui as insisté pour que nous allions voir cette femme dès ce soir.

— Nous avons bien fait, car à présent nous n'avons plus besoin de nous soucier de ta douleur, à supposer que nous l'ayons fait avant. »

Elle se libéra doucement de son étreinte et laissa son fauteuil basculer légèrement vers l'arrière. « Axl, dit-elle. La guérisseuse a mentionné un vieux moine qui est encore plus sage qu'elle. Il a aidé beaucoup de gens de ce village, il s'appelle Jonus. Son monastère est à une journée d'ici, en haut de la route de montagne vers l'est.

— La route de montagne vers l'est. » Axl s'approcha de la porte, qu'Ivor avait laissée entrebâillée, et regarda dehors dans la nuit. « Je pense que demain nous pourrions aussi facilement prendre la route haute que la route basse à travers les bois.

— C'est une voie difficile, Axl. Très escarpée. Cela ajoutera au moins un jour à notre voyage, et notre fils est impatient de nous voir arriver.

— Tout cela est vrai. Mais c'est dommage d'être venus aussi loin et de ne pas rendre visite à ce sage moine.

— C'est ce que m'a dit la guérisseuse, pensant que nous nous dirigions de ce côté. Je lui ai répondu que le village de notre fils était plus facile à atteindre par la route basse, et elle a reconnu que ça n'en valait pas vraiment la peine, étant donné que je ne souffre de rien, si l'on excepte les douleurs habituelles qui viennent avec l'âge. »

Axl continuait de scruter la nuit depuis le seuil. « Même ainsi, nous pourrions y réfléchir encore. Mais voici Ivor qui revient, et il n'a pas l'air content. »

Ivor entra à grands pas, respirant fort et, s'asseyant sur une large chaise garnie de peaux empilées, il laissa son bâton tomber bruyamment à ses pieds.

«Un jeune imbécile jure qu'il a vu un démon escalader le côté extérieur de notre clôture et qu'il nous observe en ce moment par-dessus la barrière. Un énorme tumulte, je n'ai pas besoin de vous le préciser, et je suis bien obligé de réunir une équipe et d'aller voir si c'est vrai. Bien sûr il n'y a que le ciel à l'endroit qu'il indique, mais il continue d'affirmer que le démon est là-haut, en train de nous regarder, et les hommes se serrent derrière moi comme des enfants avec leurs houes et leurs lances. Puis l'idiot avoue qu'il s'est endormi pendant sa veille et qu'il a vu le démon dans son rêve, et est-ce qu'ils se hâtent alors de rejoindre leurs postes? Ils sont si terrifiés que je dois jurer de les battre si fort que leur famille les prendra pour un gigot de mouton.» Il regarda autour de lui, encore essoufflé. «Veuillez excuser votre hôte, mes amis. Je vais dormir dans la chambre si je peux fermer l'œil cette nuit, donc installez-vous ici le plus confortablement que vous pourrez, bien que l'endroit soit assez rustique.

— Au contraire, monsieur, dit Axl, vous nous avez offert un logement d'un confort admirable et nous vous en sommes reconnaissants. Je regrette que la nouvelle qui vous a obligé à sortir n'ait pas été meilleure.

— Nous devons attendre, peut-être tard dans la nuit et demain matin aussi. Quelle est votre destination, mes amis?

— Nous partirons demain vers l'est, rejoindre le village de notre fils, où il nous attend avec impatience. Mais vous pourriez nous aider à ce sujet, car ma femme et moi étions juste en train de discuter du meilleur chemin à prendre. Nous avons entendu parler d'un moine sage du nom de Jonus, dans un monastère au sommet de la route de montagne, que nous pourrions consulter pour un petit problème.

— Jonus est un homme très respecté, bien que je ne l'aie jamais rencontré en personne. Allez le voir absolument, mais prenez garde, le trajet jusqu'au monastère n'est pas aisé. La route sera très raide pendant la plus grande partie de votre journée. Et lorsqu'elle deviendra enfin plate, vous devrez faire attention à ne pas vous perdre, car vous serez dans le pays de Querig.

— Querig, la dragonne ? Je n'ai pas entendu parler d'elle depuis longtemps. On la redoute encore dans ce pays ?

— Elle quitte rarement les montagnes à présent, répondit Ivor. Bien qu'elle soit capable d'attaquer un voyageur de passage sur un caprice, il est probable qu'on l'accuse souvent des méfaits d'animaux sauvages ou de bandits. Selon moi, la menace de Querig ne vient pas de ses actes mais du fait de sa présence permanente. Tant qu'elle est laissée en liberté, toutes sortes de maux se répandent à travers notre pays comme une épidémie. Prenez ces démons qui nous tourmentent ce soir. D'où sont-ils venus ? Ce ne sont pas de simples ogres. Personne n'en avait vu de semblables avant. Pourquoi ont-ils fait le trajet jusqu'ici, et installé leur camp au bord de notre rivière ? Querig se montre rarement, mais plus d'une force obscure émane de sa présence, et c'est une honte qu'elle ait été épargnée toutes ces années.

— Mais Ivor, dit Beatrice, qui voudrait défier un tel animal ? De toute évidence, Querig est une dragonne d'une grande férocité, et elle se cache sur un terrain difficile.

— Vous avez raison, dame Beatrice, c'est une tâche redoutable. Il se trouve qu'un vieux chevalier de l'époque d'Arthur a été chargé, il y a des années, par ce grand roi, de tuer Querig. Vous le rencontrerez peut-être si vous devez prendre la route de montagne. Il ne passe pas inaperçu, vêtu d'une cotte de mailles rouillée et monté sur un coursier fatigué, toujours disposé à révéler sa mission sacrée, bien que le vieil imbécile ne se soit jamais préoccupé un seul instant de la dragonne, j'imagine. Nous atteindrons un âge avancé à force d'attendre qu'il accomplisse son devoir. Bien sûr, mes amis, allez au monastère, mais soyez prudents et veillez à vous trouver en lieu sûr à la tombée de la nuit. »

Ivor se dirigea vers la chambre, mais Beatrice se redressa aussitôt et dit :

« Ivor, vous avez évoqué la brume tout à l'heure, disant que vous aviez appris quelle pourrait en être la cause. Mais vous avez été appelé au-dehors avant de continuer. Nous sommes désireux de vous écouter à ce sujet.

— Ah, la brume. Un nom bien choisi pour cela. Qui sait quelle vérité recèle ce que nous entendons, dame Beatrice ? Je suppose que je parlais de l'étranger qui a traversé notre pays à cheval l'an dernier et qui a logé ici. Il venait des marais, exactement comme notre courageux visiteur de ce soir, mais parlait un

dialecte souvent difficile à comprendre. Je lui ai proposé de l'héberger – comme vous – dans cette pauvre
demeure, et au cours de la soirée nous avons abordé
beaucoup de sujets, dont celui de cette brume, ainsi
que vous l'avez appelée si justement. Notre curieuse
affliction l'a beaucoup intéressé, et il m'a questionné
encore et encore à ce propos. Puis il a risqué une
hypothèse que j'ai rejetée sur le moment, mais que
j'ai souvent méditée depuis. L'étranger a pensé que
c'était peut-être Dieu Lui-même qui avait oublié une
grande partie de nos passés, des événements lointains, ou du jour même. Et si une chose ne se trouve
plus dans l'esprit de Dieu, quelle chance a-t-elle de
demeurer dans celui des mortels ? »

Beatrice le dévisagea. « Une telle chose est-elle
possible, Ivor ? Chacun de nous est son enfant chéri.
Dieu oublierait-Il vraiment ce que nous avons fait et
ce qui nous est arrivé ?

— C'est exactement ma question, dame Beatrice,
et l'étranger n'a pu m'offrir aucune réponse. Mais
depuis ce moment-là, je me suis surpris à repenser
de plus en plus à ses paroles. Cette explication de ce
que vous appelez la brume en vaut bien une autre.
Maintenant, pardonnez-moi, mes amis, je dois me
reposer pendant que je le peux. »

*

Axl se rendit compte que Beatrice lui secouait
l'épaule. Il ne savait absolument pas combien de
temps il avait dormi : il faisait encore nuit, mais il y

avait des bruits dehors, et il entendit Ivor dire, quelque part au-dessus de lui : « Prions que ce soit une bonne nouvelle, pas notre fin. » Cependant, lorsque Axl s'assit, leur hôte était déjà parti, et Beatrice dit : « Dépêche-toi, nous allons voir ce qui se passe. »

Les yeux brouillés par le sommeil, il prit le bras de sa femme et ils trébuchèrent ensemble dans la nuit. Il y avait beaucoup plus de torches allumées à présent, certaines flamboyant en haut des palissades, ce qui permettait de voir son chemin beaucoup mieux qu'avant. Les gens bougeaient de tous côtés, les chiens aboyaient, les enfants pleuraient. Puis un certain ordre parut s'imposer, et Axl et Beatrice se retrouvèrent dans une procession qui se hâtait dans une seule direction. Soudain ils s'immobilisèrent, et Axl fut surpris de voir qu'ils étaient déjà sur la place centrale – il devait y avoir une voie plus directe depuis la maison d'Ivor que celle qu'ils avaient empruntée plus tôt. Le feu de joie flambait plus fort que jamais, et Axl crut un instant que c'était sa chaleur qui avait contraint les villageois à s'arrêter. Mais, regardant par-dessus les rangées de têtes, il vit que le guerrier était revenu. Il se tenait là, très calme, à gauche du feu, une joue illuminée, l'autre dans l'ombre. La partie visible de son visage était couverte, s'aperçut Axl, de minuscules taches de sang, comme s'il venait de traverser une fine brume sanglante. Ses longs cheveux, encore attachés, s'étaient défaits et semblaient mouillés. Ses vêtements étaient maculés de boue et peut-être de sang, et la cape qu'il avait négligemment jetée sur son épaule en partant était à présent déchirée en plusieurs endroits. Mais l'homme lui-même paraissait sain et sauf, et parlait calmement à trois des anciens du village, dont Ivor. Axl vit aussi que l'homme tenait un objet dans le creux de son bras.

Pendant ce temps, un chant avait retenti, tout bas au début, puis s'amplifiant, et le guerrier se tourna enfin pour témoigner sa gratitude. Ses manières étaient dénuées de toute arrogance grossière. Lorsqu'il commença à s'adresser à la foule, la tonalité de sa voix, assez forte pour être entendue de tous, était sourde, intime, appropriée à un sujet solennel.

Ses auditeurs se turent pour saisir chaque mot, et il leur arracha bientôt des cris d'approbation ou d'horreur. À un moment donné, il indiqua un endroit derrière lui et Axl remarqua pour la première fois, assis par terre juste à l'intérieur du cercle de lumière, les deux hommes qui avaient accompagné le guerrier. Trop étourdis pour se relever, ils avaient l'air d'être tombés de haut. La foule entonna un chant en leur honneur, mais ils ne parurent pas s'en apercevoir, continuant de regarder fixement devant eux.

Le guerrier se retourna alors vers la foule et dit quelque chose qui interrompit le chant. Il s'approcha du feu et, empoignant d'une main l'objet qu'il portait, il le brandit en l'air.

Axl vit ce qui lui parut être la tête d'une créature au cou épais, tranchée juste au-dessous de la gorge. Des boucles de cheveux noirs pendaient du sommet du crâne pour encadrer un visage étrangement informe : là où les yeux, le nez et la bouche auraient dû être, il n'y avait qu'une chair piquetée comme celle d'une oie, avec quelques touffes de poils duveteux sur les joues. Un grognement échappa à la foule qui eut un mouvement de recul. Axl se rendit compte alors que ce qu'ils regardaient n'était pas une tête, mais un fragment de l'épaule et du bras d'une créature d'apparence humaine, anormalement massive. Le guerrier, en fait, tenait son trophée par le moignon proche du biceps avec le morceau d'épaule supérieur, et à ce moment Axl vit que ce qu'il avait pris pour des mèches de cheveux étaient des entrailles dégoulinant de la plaie à l'endroit où le membre avait été séparé du corps.

Après un bref instant, le guerrier baissa son trophée et le laissa tomber à ses pieds, comme s'il ne parvenait pas à exprimer tout le mépris que lui inspiraient les restes de la créature. Pour la seconde fois, la foule eut un mouvement de recul, avant de s'avancer à nouveau, puis les chants reprirent. Mais cette fois ils se turent presque instantanément car le guerrier recommençait à parler, et bien qu'Axl ne comprît pas un mot, il sentait l'excitation palpable autour de lui. Beatrice lui chuchota à l'oreille :

« Notre héros a tué les deux monstres. L'un est parti dans la forêt avec sa blessure mortelle, et ne passera pas la nuit. L'autre a tenu bon et s'est battu, et pour ses péchés le guerrier a rapporté ce que tu vois là sur le sol. Le reste du monstre a rampé jusqu'au lac pour engourdir sa douleur et a sombré sous les eaux noires. L'enfant, Axl, tu as vu l'enfant ? »

Un peu en retrait de la lumière du feu, un petit groupe de femmes s'était rassemblé autour d'un garçon mince aux cheveux bruns, assis sur une pierre. Il avait presque la taille d'un homme, mais on sentait que sous la couverture drapée sur lui il avait encore le gabarit longiligne d'un enfant. Une femme avait apporté un seau et était en train de lui nettoyer le visage et le cou, pourtant il ne semblait pas s'en rendre compte. Ses yeux étaient fixés sur le dos du guerrier, mais de temps à autre il inclinait la tête d'un côté, comme s'il essayait de voir la chose sur le sol derrière les jambes de l'homme.

Axl fut surpris que la vue de l'enfant sauvé, en vie et sans blessure grave, au lieu de provoquer en lui un sentiment de soulagement ou de joie, lui inspirât un vague malaise. Il supposa d'abord que cela avait un rapport avec l'attitude étrange du garçon lui-même, mais ensuite il comprit ce qui l'intriguait : il y avait quelque chose de bizarre dans l'accueil réservé au garçon, dont la sécurité avait été encore très récemment au centre des préoccupations de la communauté. Il perçut une retenue, presque une froideur, qui lui rappela l'incident au sujet de la petite Marta dans son propre village, et il se demanda si ce garçon, comme elle, était sur le point d'être oublié. Mais cela ne pouvait pas être le cas ici. Les gens le désignaient du doigt, et les femmes qui s'occupaient de lui soutenaient leurs regards, sur la défensive.

« Je n'arrive pas à comprendre ce qu'ils disent, Axl, lui chuchota Beatrice à l'oreille. Une querelle à propos de l'enfant, bien que son retour, sain et sauf, soit une bénédiction et que lui-même fasse preuve d'un calme surprenant après ce que ses jeunes yeux ont vu. »

Le guerrier s'adressait toujours à la foule, et un ton suppliant s'était glissé dans sa voix. Il donnait presque l'impression de formuler une accusation, et Axl sentit que l'humeur de la foule changeait. Le sentiment de stupeur et de gratitude cédait la place à une autre émotion, et la confusion, la peur même perçaient dans le grondement des voix qui montait autour de lui. Le guerrier parla de nouveau, la voix sévère, gesticulant en direction du garçon derrière lui. Puis Ivor s'avança à la lumière du feu et, debout près du guerrier, dit quelque chose qui provoqua un grognement de protestation moins inhibé dans certaines parties de l'assemblée. Derrière Axl, une voix cria quelque chose, puis des discussions éclatèrent de tous côtés. Ivor éleva la voix et un court instant ce fut le silence, mais presque aussitôt les cris recommencèrent, et maintenant on se bousculait dans l'ombre.

« Axl, je t'en prie, allons-nous en vite ! lui hurla Beatrice à l'oreille. Ce n'est pas un endroit pour nous. »

Axl lui entoura les épaules de son bras et entreprit de leur frayer un chemin, mais quelque chose le poussa à jeter encore un coup d'œil derrière lui. Le garçon n'avait pas changé de position, et fixait toujours le dos du guerrier, apparemment inconscient du tumulte. Mais la femme qui avait pris soin de lui s'était écartée, et son regard hésitant allait de l'enfant à la foule. Beatrice tira son mari par le bras. « Axl, éloignons-nous d'ici. J'ai peur qu'on nous fasse du mal. »

Le village tout entier devait se trouver sur la place, car ils ne rencontrèrent personne sur le chemin qui les ramenait chez Ivor. Lorsque la maison fut visible, et seulement alors, Axl demanda : « De quoi s'agissait-il tout à l'heure, princesse ?

— Je n'en suis pas sûre, Axl. Trop de choses en même temps pour ma compréhension limitée. Une querelle au sujet du garçon qui a été sauvé, et des accès de colère. C'est bien que nous soyons loin et nous apprendrons en temps voulu ce qui s'est passé. »

*

Quand Axl se réveilla le lendemain matin, des rayons de soleil traversaient la pièce. Il était sur le sol, mais avait dormi sur un matelas de tapis moelleux, sous de chaudes couvertures – une couche plus luxueuse que ce à quoi il était habitué – et il se sentait bien reposé. De plus, il était de bonne humeur, car un souvenir agréable flottait dans son esprit lorsqu'il avait ouvert les yeux.

Beatrice remua près de lui mais ses paupières restèrent closes et sa respiration régulière. Axl l'observa, ce qu'il faisait souvent à ces moments-là, dans l'attente de la tendre joie qui emplirait sa poitrine. Elle vint aussitôt, ainsi qu'il l'avait souhaité, mais aujourd'hui elle se mêlait d'un soupçon de tristesse. Ce sentiment le surprit, et il glissa une main légère sur l'épaule de sa femme, comme si ce geste pouvait chasser l'ombre.

Il entendait du mouvement dehors mais, au contraire du vacarme qui les avait tirés de leur sommeil dans la nuit, il reconnut les bruits familiers que font les gens quand ils vaquent à leurs occupations un matin ordinaire. Il songea que Beatrice et lui avaient eu tort de dormir aussi tard, mais il se retint de la réveiller et continua de la contempler. Il se leva enfin avec précaution, s'approcha de la porte en bois et l'entrebâilla. Cette porte – une porte « convenable » avec des charnières en bois – émit un grincement, le soleil s'engouffra dans l'espace, mais Beatrice resta endormie. Un peu préoccupé à présent, Axl retourna vers sa couche et s'accroupit près d'elle, ralenti par la raideur de ses genoux. Sa femme ouvrit enfin les yeux et le regarda.

« Il est temps de se lever, princesse, annonça-t-il, cachant son soulagement. Le village s'est animé et notre hôte est parti depuis un bon moment.

— Alors tu aurais dû me réveiller plus tôt, Axl.

— Tu semblais si paisible, et après cette longue journée j'ai supposé que le sommeil te serait bénéfique. J'avais raison, car tu es aussi fraîche qu'une jeune fille.

— Tu es déjà en train de dire des bêtises et nous ne savons même pas ce qui s'est passé cette nuit. D'après les bruits du dehors, ils ne se sont pas battus sauvagement. Ce sont des enfants que j'entends et les chiens semblent nourris et joyeux. Axl, y a-t-il de l'eau pour se laver ici ? »

Un peu plus tard, s'étant rendus le plus présentables possible – Ivor n'était pas encore revenu –, ils se promenèrent dans l'air vif et lumineux en quête de quelque nourriture. Le village apparut à Axl comme un lieu beaucoup plus accueillant à présent. Les huttes rondes, qui, dans l'obscurité, avaient semblé disposées au petit bonheur, se dressaient devant eux en rangées ordonnées, leurs ombres assorties formant une avenue bien droite à travers le village. Il y avait un tourbillon de gens qui s'affairaient avec des outils ou des baquets, des groupes d'enfants dans leur sillage. Les innombrables chiens paraissaient néanmoins dociles. Seul un âne déféquant à son aise au soleil, devant un puits, rappela à Axl le lieu incontrôlé où il avait pénétré la veille au soir. Il y eut même des hochements de tête et des salutations discrètes des villageois à leur passage, mais personne ne se risqua à leur adresser la parole.

Ils n'avaient pas fait beaucoup de chemin quand ils repérèrent, debout devant eux dans la rue, les silhouettes contrastées d'Ivor et du guerrier, rapprochant leurs têtes dans le feu d'une discussion. Lorsqu'Axl et Beatrice vinrent vers eux, Ivor recula d'un pas avec un sourire gêné.

« Je n'ai pas voulu vous réveiller trop tôt, leur dit-il. Mais je suis un mauvais hôte et vous devez être tous les deux affamés. Suivez-moi jusqu'à la maison communale et je vais m'assurer que vous mangiez tout votre soûl. Mais d'abord, mes amis, saluez notre héros d'hier soir. Vous vous apercevrez que maître Wistan comprend notre langue sans difficulté. »

Axl se tourna vers le guerrier et inclina la tête. « Mon épouse et moi sommes honorés de rencontrer un homme aussi doué de courage, de générosité et de talent. Vos exploits d'hier soir étaient remarquables.

— Mes actes n'avaient rien d'extraordinaire, pas plus que mes talents. » La voix du guerrier, comme auparavant, était douce, et un sourire flottait dans ses yeux. « J'ai eu de la chance hier soir, et d'ailleurs j'ai été aidé par la compétence de courageux camarades.

— Les camarades dont il parle, intervint Ivor, étaient trop occupés à se souiller pour se joindre au combat. C'est cet homme seul qui a détruit les monstres.

— Sincèrement, monsieur, n'en parlons plus. » Le guerrier s'était adressé à Ivor, mais regardait intensément Axl à présent, comme si une marque sur le visage de ce dernier le fascinait énormément.

« Vous parlez bien notre langue, monsieur », observa Axl, dérouté par cet examen approfondi.

Le guerrier continua de fixer Axl, puis se reprit et éclata de rire. « Pardonnez-moi, monsieur. J'ai cru un instant… Pardonnez-moi. Nous sommes saxons depuis des générations mais j'ai été élevé dans un pays proche de celui-ci et je me suis souvent trouvé parmi des Bretons. J'ai donc appris à parler votre langue en même temps que la mienne. Aujourd'hui j'en ai perdu l'habitude, car je vis au fin fond des marais, où on entend beaucoup de langues étranges, mais pas la vôtre. Vous devez donc excuser mes fautes.

— Loin s'en faut, monsieur, répondit Axl. On se rend à peine compte que ce n'est pas votre langue maternelle. En fait, je n'ai pas pu m'empêcher de remarquer hier soir votre manière de porter votre épée, plus près et plus haut sur la taille que les Saxons n'ont coutume de le faire, votre main retombant aisément sur la poignée quand vous marchez. J'espère que vous ne serez pas offensé si j'observe que c'est une attitude très semblable à celle d'un Breton. »

Wistan rit encore. « Mes camarades saxons s'amusent souvent non seulement du port de mon épée, mais aussi de ma façon de la manier. Mais vous voyez, ce sont les Bretons qui m'ont appris mon savoir-faire, et je n'ai jamais rêvé d'un meilleur enseignement. Il m'a préservé de nombreux dangers, et l'a fait une fois de plus hier soir. Excusez mon impertinence, monsieur, mais je vois que vous ne venez pas d'ici vous-même. Votre pays natal se situerait-il à l'ouest ?

— Nous venons du pays voisin, monsieur. Un jour de marche, pas plus.

— Alors peut-être avez-vous vécu plus à l'ouest autrefois ?

— Comme je vous l'ai dit, monsieur, je viens du pays voisin.

— Excusez mon impolitesse, monsieur. En voyageant aussi loin à l'ouest je deviens nostalgique du pays de mon enfance, bien que je sache qu'il est encore assez éloigné. Je me surprends à voir partout les ombres de visages à demi oubliés. Votre aimable épouse et vous-même allez-vous retourner chez vous ce matin ?

— Non, monsieur, nous allons à l'est, dans le village de notre fils, que nous espérons atteindre d'ici deux jours.

— Ah. La route par la forêt donc.

— En réalité, monsieur, nous avons l'intention de prendre la route du haut par les montagnes, il y a là un homme sage dans le monastère qui, nous l'espérons, nous accordera un entretien.

— Vraiment ? » Wistan hocha la tête d'un air pensif, et une fois de plus, regarda Axl attentivement. « On m'a dit que la pente était très raide.

— Mes invités n'ont pas encore pris leur petit déjeuner, déclara Ivor, l'interrompant. Excusez-nous, maître Wistan, le temps que je les accompagne à la maison communale. Ensuite, si c'est possible, j'aimerais reprendre notre présente discussion. » Il baissa la voix et continua en saxon, puis Wistan acquiesça en guise de réponse. Se tournant vers Axl et Beatrice, Ivor secoua la tête et dit gravement : « Malgré les remarquables efforts de cet homme hier soir, nos problèmes sont loin d'être terminés. Mais suivez-moi, mes amis, vous devez être affamés. »

Ivor se mit en route avec sa démarche titubante, plantant son bâton dans la terre à chaque pas. Il semblait trop préoccupé pour remarquer que ses invités prenaient du retard dans les ruelles encombrées. À un moment donné, alors qu'Ivor se trouvait à quelques pas devant eux, Axl dit à Beatrice : « Ce guerrier est un homme admirable, tu ne penses pas, princesse ?

— Sans aucun doute, répondit-elle doucement. Mais il t'a regardé d'une étrange manière, Axl. »

Ils n'eurent pas le temps de poursuivre, car Ivor, remarquant enfin qu'il risquait de les perdre, s'était arrêté au coin d'une ruelle.

Bientôt ils arrivèrent dans une cour ensoleillée. Il y avait des oies en liberté, et la cour elle-même était traversée par un ruisseau artificiel – un étroit canal creusé dans la terre – dans lequel l'eau coulait précipitamment. L'endroit le plus large de la rigole était surmonté d'un simple petit pont de deux dalles plates et, à cet instant, un enfant, accroupi sur l'un des rochers, lavait des vêtements. Une scène qui parut presque idyllique à Axl, et il se serait volontiers arrêté pour la contempler encore si Ivor n'avait pas continué d'avancer résolument en direction du bâtiment bas à toit de chaume qui s'étendait sur toute la longueur de la cour.

Une fois à l'intérieur, vous n'auriez pas cru que cette maison communale était si différente de la sorte de cantine rustique que la plupart d'entre vous ont expérimentée dans une institution ou une autre. Il y avait des rangées de tables et de bancs, et, à une extrémité, une cuisine et aire de service. La principale différence avec une installation moderne aurait été la présence dominante du foin : il y avait du foin au-dessus de votre tête, sous vos pieds, et bien que ce ne fût pas volontaire, sur la surface des tables, soulevé par les bourrasques qui balayaient fréquemment la pièce. Un matin comme celui-là, lorsque nos voyageurs s'assirent pour manger, le soleil pénétrant par les fenêtres semblables à des hublots révélait une multitude de particules de foin suspendues dans l'air.

L'ancienne maison communale était déserte à leur arrivée, mais Ivor se rendit dans la cuisine et, un instant plus tard, deux vieilles femmes apparurent avec du pain, du miel, des biscuits, des cruchons de lait et d'eau. Puis Ivor lui-même revint avec un plateau de morceaux de volailles qu'Axl et Beatrice se mirent à dévorer avec gratitude.

Au début ils mangèrent sans parler, se rendant compte alors seulement à quel point ils étaient affamés. Ivor, leur faisant face de l'autre côté de la table, continuait de broyer du noir, le regard ailleurs, perdu dans ses pensées, et au bout d'un certain temps Beatrice dit :

« Ces Saxons sont un lourd fardeau pour vous, Ivor. Peut-être désirez-vous retourner auprès de vos semblables, même maintenant que le garçon est revenu sain et sauf, et que les ogres ont été tués ?

— Madame, ce n'étaient ni des ogres ni des créatures qu'on eût déjà vues dans cette région. C'est un grand soulagement de savoir qu'ils ne rôdent plus à nos portes. Le garçon, cependant, est une autre affaire. Il est certes revenu, mais loin d'être en sécurité. » Ivor se pencha vers eux et baissa la voix, bien qu'ils fussent seuls. « Vous avez raison, dame Beatrice, je m'étonne moi-même de vivre parmi de pareils sauvages. Mieux vaut habiter dans une fosse aux rats. Que peut penser de nous ce courageux étranger, après tout ce qu'il a fait la nuit dernière ?

— Eh bien, monsieur, que s'est-il passé ? demanda Axl. Nous étions près du feu hier soir, mais sentant venir une querelle nous sommes repartis et nous ignorons ce qui est arrivé ensuite.

— Vous avez eu raison de vous cacher, mes amis. Ces païens étaient suffisamment excités hier pour s'arracher les yeux. Le traitement qu'ils auraient pu infliger à un couple de Bretons inconnus égarés parmi eux, je préfère ne pas l'imaginer. Le jeune Edwin était revenu sain et sauf, mais alors que le village commençait à se réjouir les femmes ont découvert une petite blessure sur lui. Je l'ai inspectée moi-même ainsi que les autres anciens. Une marque juste au-dessous de sa poitrine, pas plus grave que celle d'un enfant qui a fait une chute. Mais les femmes, en l'occurrence ses propres parentes, ont déclaré que c'était une morsure, et c'est le nom que lui donnent les villageois ce matin. J'ai dû enfermer le garçon à clé dans un hangar pour le sauver, et malgré cela ses compagnons, les membres de sa propre famille jettent des pierres contre la porte et exigent qu'on le traîne dehors pour le tuer.

— Mais comment est-ce possible, Ivor ? demanda Beatrice. Est-ce encore la brume qui leur a fait oublier le récit des horreurs que l'enfant a subies il y a si peu de temps ?

— Si seulement c'était vrai, madame. Mais cette fois ils semblent ne s'en souvenir que trop. Les païens ne voient pas plus loin que leurs superstitions. Ils ont la conviction qu'une fois mordu par un monstre le garçon en deviendra un bientôt et fera des ravages dans nos murs. Ils le redoutent et, s'il devait rester ici, il subirait un sort aussi terrible que ceux à qui Wistan l'a arraché la nuit dernière.

— Mais monsieur, dit Axl, il y a sûrement ici des

personnes assez avisées pour raisonner avec plus de bon sens.

— Si c'est le cas, nous sommes en nombre insuffisant, et même si nous parvenons à imposer la retenue un jour ou deux, les ignorants ne tarderont pas à arriver à leurs fins.

— Alors que faut-il faire, monsieur ?

— Le guerrier est aussi horrifié que vous, et nous en avons discuté ensemble toute la matinée. Je lui ai proposé d'emmener le garçon avec lui quand il partira, bien que ce soit un fardeau, et de le laisser dans un village assez éloigné où il puisse avoir une chance de commencer une vie nouvelle. J'ai eu honte au fond de mon cœur de demander une telle chose à un homme si peu de temps après qu'il a risqué sa vie pour nous, mais je ne voyais guère d'autre solution. Wistan réfléchit en ce moment à ma proposition, bien qu'il soit chargé d'une mission pour son roi et déjà retardé à cause de son cheval et des problèmes de la nuit dernière. En fait, je dois aller m'assurer maintenant que l'enfant est toujours sain et sauf, et voir ensuite si le guerrier a pris sa décision. » Ivor se leva et ramassa son bâton. « Venez me dire adieu avant de partir, mes amis. Mais après ce que vous avez entendu je comprendrai votre désir de quitter ce lieu sans vous retourner. »

*

Par l'embrasure de la porte, Axl regarda la silhouette d'Ivor franchir à grandes enjambées la cour ensoleillée. « De sombres nouvelles, princesse, dit-il.

« — En effet, Axl, mais cela n'a rien à voir avec nous. Ne nous éternisons pas dans cet endroit. Notre chemin d'aujourd'hui est raide. »

La nourriture et le lait étaient très frais, et ils continuèrent de manger un moment en silence ; puis Beatrice demanda :

« Tu crois qu'il y a du vrai là-dedans, Axl ? Ce qu'Ivor a dit hier soir sur la brume, à savoir que c'est Dieu Lui-même qui nous fait oublier.

— Je ne sais pas quoi en penser, princesse.

— Axl, une idée m'est venue ce matin à ce sujet, à l'instant où je me suis réveillée.

— Quelle sorte d'idée, princesse ?

— Juste une idée. Que Dieu est peut-être en colère à cause de quelque chose que nous avons fait. Ou que peut-être Il n'est pas en colère, mais qu'Il a honte.

— Une curieuse pensée, princesse. Mais s'il en est ainsi, pourquoi ne nous punit-Il pas ? Pourquoi nous faire oublier comme des idiots ce qui s'est passé même une heure avant ?

— Peut-être Dieu a-t-Il si profondément honte de nous, de quelque chose que nous avons fait, qu'Il souhaite Lui-même oublier. Et comme l'a dit l'étranger à Ivor, quand Dieu ne se souvient pas, il n'est pas surprenant que nous soyons nous-mêmes incapables de retrouver la mémoire.

— Qu'aurions-nous pu faire sur cette terre pour inspirer une telle honte à Dieu ?

— Je n'en sais rien, Axl. Mais ce ne peut être une faute que nous avons commise, car Il nous a toujours aimés. Si nous devions Le prier, et Lui demander de Se rappeler au moins quelques-unes des choses qui nous sont les plus précieuses, qui sait, Il nous entendrait peut-être et exaucerait notre souhait. »

Il y eut des éclats de rire au-dehors. Penchant un peu la tête, Axl put apercevoir dans la cour un groupe d'enfants en équilibre sur les dalles plates au-dessus du petit ruisseau. Alors qu'il les observait, l'un d'eux tomba dans l'eau avec un cri aigu.

« Qui peut le dire, princesse, répondit-il. Peut-être que le moine sage dans les montagnes nous l'expliquera. Mais à présent que nous parlons de notre réveil, quelque chose m'est revenu, au moment précis, peut-être, où tu formulais ces pensées. C'était un souvenir simple, mais il m'a rendu assez heureux.

— Oh, Axl. De quoi s'agissait-il ?

— Je me suis rappelé une fois où nous traversions un marché ou une fête. Nous étions dans un village qui n'était pas le nôtre, et tu portais cette cape vert clair avec un capuchon.

— Ce doit être un rêve ou bien c'était autrefois, époux. Je n'ai pas de capuchon vert.

— Il y a longtemps, en effet. Une journée d'été, mais il y avait un vent froid à l'endroit où nous étions, et tu t'étais enveloppée dans la cape verte, mais tu n'avais pas mis le capuchon. Un marché ou peut-être une fête. C'était un village en pente avec des chèvres dans un enclos, où tu venais pour la première fois.

— Et que faisions-nous là, Axl ?

— Nous marchions main dans la main, puis un étranger, un homme du village, s'est brusquement trouvé sur notre chemin. Et te jetant un coup d'œil, il t'a regardée comme s'il contemplait une déesse. Tu t'en souviens, princesse ? Un jeune homme, mais je suppose que nous étions jeunes nous aussi. Il s'est exclamé, disant qu'il n'avait jamais posé les yeux sur une femme si belle. Ensuite il a tendu la main et a touché ton bras. Cela te rappelle quelque chose, princesse ?

— Oui, confusément. Je pense que l'homme dont tu parles était ivre.

— Un peu ivre peut-être, je n'en sais rien, princesse. C'était une journée de réjouissances, comme je l'ai dit. Quand même, il t'a vue et a été émerveillé. Il a déclaré qu'il n'avait jamais vu de femme aussi magnifique.

— Alors ce devait être il y a des années ! N'était-ce pas le jour où tu es devenu jaloux et où tu t'es querellé avec l'homme, au point que nous avons presque été chassés du village ?

— Cela ne m'évoque rien de ce genre, princesse. La fois à laquelle je pense, tu portais la cape verte, c'était un jour de fête, et ce même étranger, voyant que j'étais ton protecteur, s'est tourné vers moi et a dit : « C'est la vision la plus ravissante que j'aie jamais vue, alors faites en sorte de prendre bien soin d'elle, mon ami. » C'est ce qu'il a dit.

— Ça me revient un peu, mais je suis certaine que tu t'es querellé avec lui par jalousie.

— Comment aurais-je pu me quereller alors que je ressens aujourd'hui une bouffée de fierté au souvenir des paroles de l'étranger ? La vision la plus

116

magnifique qu'il ait vue. Et il me disait de prendre grand soin de toi.

— Si tu éprouvais de l'orgueil, Axl, tu étais aussi jaloux. N'as-tu pas défié cet homme alors qu'il était ivre ?

— Ce n'est pas ce que j'ai gardé en mémoire, princesse. Peut-être que j'ai fait semblant d'être jaloux en manière de plaisanterie ? Mais je savais sûrement que ce garçon ne pensait pas à mal. C'est avec cette scène que je me suis réveillé ce matin, bien que cela soit arrivé il y a très longtemps.

— Si c'est ainsi que tu l'as retenu, Axl, conserve-le sous cette forme. Avec cette brume qui plane sur nous, n'importe quel souvenir est une chose précieuse et nous ferions mieux de nous y raccrocher.

— Je me demande ce qu'est devenue cette cape. Tu en prenais toujours bien soin.

— C'était une cape, Axl, et comme n'importe quelle cape elle a dû s'user avec les années.

— Nous l'avons perdue quelque part ? Laissée sur un rocher ensoleillé peut-être ?

— Maintenant je m'en souviens. Et je t'ai reproché amèrement sa perte.

— Je crois que oui, princesse, bien que je ne voie pas à présent le bien-fondé de ce grief.

— Oh, Axl, c'est un soulagement que nous puissions encore nous rappeler deux ou trois choses, brume ou pas. Peut-être que Dieu nous a déjà entendus et se hâte de nous aider.

— Et la mémoire nous reviendra encore mieux, princesse, lorsque nous serons concentrés. Aucun batelier sournois ne pourra nous berner, même si nous prêtons attention un jour à son bavardage stupide. Mais terminons notre repas à présent. Le soleil est haut et il est déjà tard pour entamer cette ascension difficile. »

*

Ils rebroussaient chemin en direction de la maison d'Ivor, et venaient de dépasser l'endroit où ils avaient failli être agressés le soir précédent, quand ils entendirent une voix les appeler. Cherchant d'où elle venait, ils repérèrent Wistan perché sur une plate-forme de guet en haut de l'enceinte.

« Heureux de voir que vous êtes encore là, mes amis, lança le guerrier.

— Oui, cria Axl en réponse, faisant quelques pas vers la clôture. Mais nous sommes sur le départ. Et vous, monsieur ? Allez-vous prendre une journée de repos ici ?

— Je dois, moi aussi, partir bientôt. Mais si je puis abuser de votre gentillesse, et avoir avec vous une petite conversation, je vous en serais très reconnaissant. Je promets de ne pas vous retenir longtemps. »

Axl et Beatrice échangèrent un regard, et elle dit tout bas : « Parle avec lui s'il le faut, Axl. Je vais retourner chez Ivor et préparer des provisions pour notre voyage. »

Axl acquiesça, puis, se tournant vers Wistan, cria : « Très bien, monsieur. Souhaitez-vous que je monte ?

— Comme vous voudrez. Je descendrais volontiers, mais c'est une matinée splendide et une aussi belle vue vous élève l'esprit. Si l'échelle ne vous pose pas de problème, je vous encourage à me rejoindre ici.

— Va voir ce qu'il veut, Axl, dit tout bas Beatrice. Mais sois prudent, et je ne parle pas seulement de l'échelle. »

Il gravit chaque barreau avec précaution, et parvint au sommet où le guerrier l'attendait, une main tendue. Axl reprit son équilibre sur l'étroite plate-forme, puis vit Beatrice qui l'observait d'en bas. Une fois qu'il l'eut saluée gaiement de la main, elle s'éloigna un peu à contrecœur en direction de la maison d'Ivor – très visible depuis son poste d'observation. Il la suivit des yeux encore un instant, puis se tourna vers la vue de l'autre côté de la clôture.

« Vous voyez que je ne vous ai pas menti, dit Wistan à côté de lui, le vent soufflant sur leurs visages. C'est vraiment magnifique, aussi loin que porte le regard. »

La vue n'était peut-être pas très différente ce matin-là de celle qu'on aurait aujourd'hui depuis les hautes fenêtres d'un manoir anglais. Les deux hommes contemplaient, à leur droite, le versant de la vallée déployant des ondulations vertes régulières, tandis que, sur leur gauche, la pente opposée, couverte de pins, plus brumeuse, car plus lointaine, se confondait avec les contours des montagnes sur l'horizon. Devant eux, la vue plongeante sur le fond de la vallée ; la rivière serpentant doucement le long du couloir avant de disparaître ; les étendues de marécages entrecoupées de taches d'étangs et de lacs. Des ormes et des saules poussaient près de l'eau, et il y avait d'épaisses forêts qui, à cette époque, suscitaient l'appréhension. À l'endroit précis où le soleil se noyait dans l'ombre à gauche de la rivière, on apercevait les vestiges d'un village depuis longtemps abandonné.

« Hier j'ai descendu ce versant, dit Wistan, et ma jument, sans aucune incitation de ma part, s'est élancée au galop, animée d'une joie pure. Nous avons couru à travers champs, après le lac et la rivière, et mon esprit s'est envolé. Est-il possible que j'aie pris ce chemin dans mon enfance, alors que j'étais trop jeune pour me repérer, mais assez vieux pour graver ces paysages dans ma mémoire ? Les arbres, la lande et le ciel réveillent en moi un souvenir perdu.

— C'est possible, dit Axl, cette région et le pays plus à l'ouest où vous êtes né ont beaucoup de ressemblances.

— C'est sans doute cela, monsieur. Dans les marais nous n'avons pas de vraies collines, les arbres et l'herbe n'ont pas la couleur que nous voyons ici. Mais c'est pendant ce joyeux galop que ma jument a brisé son fer, et même si les gens d'ici ont été assez aimables pour le remplacer, je vais être obligé d'aller au pas car son sabot est meurtri. En vérité, monsieur, je ne vous ai pas prié de venir ici seulement pour admirer la vue, mais aussi pour être à l'abri des oreilles indiscrètes. Je suppose que vous savez ce qui est arrivé au jeune Edwin ?

— Maître Ivor nous l'a dit, et nous avons jugé cette nouvelle affligeante après votre courageuse intervention.

— Vous savez peut-être aussi que les anciens, désespérés à l'idée du sort qui attendait le garçon, m'ont supplié de l'emmener avec moi aujourd'hui. Ils me demandent de le laisser dans un village lointain, en prétendant que je l'ai trouvé perdu et affamé sur la route. Je serais heureux de le faire, mais je crains qu'un plan de cette sorte ne puisse guère le sauver. Les nouvelles se répandent aisément dans le pays et dans un mois, dans un an, le garçon pourrait se retrouver dans une situation aussi critique qu'aujourd'hui, aggravée par son arrivée récente et ses origines inconnues. Vous comprenez, monsieur ?

— Vous avez raison de redouter un tel dénouement, maître Wistan. »

Le guerrier, qui avait parlé tout en contemplant le paysage, repoussa une mèche de cheveux emmêlés que le vent ramenait sur son front. Alors qu'il faisait ce geste, il parut soudain déceler un détail dans les traits d'Axl et, un court instant, oublier ses paroles. Il posa sur lui un regard intense, la tête penchée. Puis il eut un petit rire, disant :

« Pardonnez-moi, monsieur. Je viens juste de me rappeler quelque chose. Revenons à mon sujet. Je ne savais rien de ce garçon avant hier soir, mais j'ai été impressionné par le flegme avec lequel il a affronté chaque nouvel acte abominable. Hier soir, mes camarades, si courageux qu'ils aient été au moment de partir, étaient transis de peur quand nous nous sommes approchés du camp des démons. Mais le garçon, qui avait été à la merci des brutes pendant des heures et des heures, s'est comporté avec un calme qui m'a stupéfié. J'ai donc envisagé une solution, et si vous et votre aimable épouse consentiez à me donner un coup de main, tout peut encore s'arranger.

— Nous sommes prêts à faire tout notre possible, monsieur. Dites-moi ce que vous proposez.

— Lorsque les anciens m'ont demandé de conduire le garçon dans un village éloigné, ils pensaient sans doute à un village *saxon*. Mais c'est précisément dans un village saxon que le garçon ne sera jamais en sécurité, car ce sont les Saxons superstitieux qui interprètent sa morsure comme un signe néfaste. Si on le laissait chez des Bretons, pour qui ce ne sont que des bêtises, il ne courrait aucun danger, même si cette histoire devait le poursuivre. Il est fort, et comme je l'ai dit il a un courage remarquable, bien qu'il parle peu. Dès le jour de son arrivée dans une communauté, ce sera une paire de mains utile. Alors, monsieur, vous avez dit plus tôt que vous étiez en route pour le village de votre fils, à l'est. Je suppose qu'il s'agit d'un village chrétien, exactement comme celui que nous recherchons. Si vous et votre épouse plaidiez sa cause, avec peut-être le soutien de votre fils, cela garantirait à coup sûr une issue satisfaisante. Certes, il est possible que les mêmes gens acceptent le garçon de ma part, mais pour eux, je resterai un étranger, éveillant la crainte et les soupçons. En outre, la mission qui m'amène dans ce pays m'empêche de voyager aussi loin vers l'est.

— Vous suggérez donc, dit Axl, que ma femme et moi nous chargions d'emmener ce garçon.

— C'est en effet ce que je propose. Cependant, ma mission me permettra de faire au moins une partie du trajet avec vous. Vous avez dit que vous vouliez passer par les montagnes. Je vous accompagnerais volontiers, vous et le garçon, au moins jusqu'à l'autre versant. Ma compagnie sera fastidieuse, mais la montagne, on le sait, recèle des dangers, et mon épée peut encore se révéler utile. De plus, la jument pourrait porter vos sacs, car même si son pied est sensible, elle ne s'en plaindra pas. Qu'en dites-vous, monsieur ?

— Je pense que c'est un excellent plan. Ma femme et moi avons été bouleversés d'apprendre le sort du garçon et nous serons heureux d'aider à résoudre le problème. Ce que vous dites est sage, monsieur. C'est sans aucun doute chez les Bretons qu'il sera le plus en sécurité. Je suis certain qu'il recevra un accueil chaleureux dans le village de mon fils, qui est lui-même un personnage respecté, presque un ancien bien qu'il n'en ait pas l'âge. Il plaidera la cause du garçon, je le sais, et fera en sorte qu'il soit bien accepté.

— Je suis très soulagé. Je vais informer maître Ivor de notre plan et chercher un moyen de faire sortir discrètement le garçon de la grange. Vous et votre épouse êtes-vous prêts à partir ?

— Mon épouse est en ce moment même en train d'emballer des provisions pour le voyage.

— Alors, je vous en prie, attendez près du portail sud. Je viendrai sans tarder avec la jument et le jeune Edwin. Je vous suis reconnaissant, monsieur, de partager ces difficultés. Et je suis heureux d'être votre compagnon pendant un jour ou deux. »

CHAPITRE 4

De toute sa vie, il n'avait jamais vu son village de si haut, à une telle distance, et cela le stupéfia. C'était comme un objet qu'il aurait pu prendre dans sa main, et à titre d'expérience il replia les doigts sur la vue dans la brume de l'après-midi. La vieille femme, qui l'avait regardé escalader l'orme avec inquiétude, se trouvait encore en bas, lui criant de s'arrêter. Mais Edwin l'ignora, car il connaissait les arbres mieux que quiconque. Lorsque le guerrier lui avait ordonné de monter la garde, il avait choisi l'orme avec soin, sachant que, malgré son apparence maladive, il possédait une force subtile, et l'accueillerait. De plus, il procurait le meilleur point de vue du pont et de la route de montagne qui y menait, et il distinguait très bien les trois soldats parlant au cavalier. Ce dernier avait mis pied à terre et, retenant son cheval impatient par la bride, discutait âprement avec eux.

Il connaissait ses arbres – et cet orme ressemblait en tout point à Steffa. « Qu'on l'emporte pour le laisser pourrir dans la forêt. » C'était ce que disaient toujours les garçons plus âgés sur Steffa. « N'est-ce pas ce qui arrive aux vieillards infirmes incapables de travailler ? » Mais Edwin avait vu Steffa pour ce qu'il était : un vieux guerrier, doté d'une force secrète, avec une intelligence supérieure à celle des anciens. Dans le village, seul Steffa avait connu autrefois les champs de bataille – où il avait laissé ses jambes – et il avait donc été capable à son tour de reconnaître Edwin pour ce qu'il était. Il y avait d'autres garçons plus forts, qui s'amusaient à plaquer Edwin sur le sol pour le frapper. Mais c'était Edwin, et pas eux, qui possédait une âme de guerrier.

« Je t'ai observé, petit, lui avait dit un jour le vieux Steffa. Sous une tempête de poings, tes yeux toujours calmes, comme si tu mémorisais chaque coup. Des yeux que j'ai vus seulement chez les meilleurs guerriers, impavides sous le feu des combats. Un jour tu seras craint. »

Ce moment était arrivé. Cela devenait réel, ainsi que Steffa l'avait prédit.

Une forte brise fit osciller l'arbre, Edwin s'agrippa à une autre branche, et tenta à nouveau de se remémorer les événements de la matinée. Le visage de sa tante s'était déformé au point d'être méconnaissable. Elle lui avait hurlé une malédiction, mais Ivor ne l'avait pas laissée terminer, l'écartant du seuil de la grange, empêchant ainsi Edwin de la voir. Sa tante avait toujours été bonne pour lui, mais si elle avait envie de le maudire aujourd'hui, Edwin s'en moquait. Peu de temps auparavant elle avait essayé d'obliger le garçon à l'appeler « mère », mais il ne l'avait jamais fait. Car il savait que sa vraie mère était en voyage. Sa vraie mère n'aurait pas hurlé après lui de la sorte, et Ivor n'aurait pas eu besoin de l'emmener de force. Ce matin, dans la grange, il avait entendu la voix de sa vraie mère.

Ivor l'avait poussé à l'intérieur, dans l'obscurité, et la porte s'était refermée, faisant disparaître le visage contorsionné de sa tante, et tous ces autres visages. Au début, la charrette lui était apparue seulement comme une forme noire menaçante au milieu de la grange. Peu à peu, il avait distingué ses contours, et, lorsqu'il avait tendu la main pour la toucher, le bois était humide, pourrissant. Dehors, les voix criaient de nouveau, ensuite il y avait eu des craquements. Ils avaient commencé de manière sporadique, puis plusieurs avaient retenti en même temps, accompagnés d'une explosion d'éclats de bois, après quoi la grange avait paru un peu moins sombre.

Il savait que c'étaient des pierres qui heurtaient les murs branlants, mais il les ignora pour se concentrer sur la charrette. Quand avait-elle été utilisée pour la dernière fois ? Pourquoi était-elle posée de travers ? Si elle ne servait plus maintenant, pourquoi la garder dans la grange ?

Ce fut alors qu'il entendit sa voix : difficile à distinguer au début, compte tenu du vacarme dehors et du bruit des pierres, mais elle avait gagné peu à peu en clarté. « Ce n'est rien, Edwin, disait-elle. Rien du tout. Tu peux le supporter très aisément.

— Les anciens ne parviendront peut-être pas à les retenir éternellement, avait-il répondu dans le noir, mais tout bas, effleurant le côté de la charrette.

— Ce n'est rien, Edwin. Rien du tout.

« — Les pierres peuvent briser ces frêles parois.

— Ne t'inquiète pas, Edwin. Tu n'en savais rien ? Ces pierres sont sous ton contrôle. Regarde, qu'y a-t-il devant toi ?

— Une vieille charrette cassée.

— Eh bien, voilà. Tourne encore et encore autour de la charrette, Edwin, parce que tu es le mulet enchaîné à la grande roue. Tourne et tourne, Edwin. La grande roue ne peut tourner que si tu la tournes, et seulement si tu la tournes, elle peut empêcher les pierres de continuer sur leur lancée. Tourne et tourne autour de la charrette, Edwin. Tourne et tourne et tourne autour de la charrette.

— Pourquoi dois-je tourner la roue, mère ? » Tandis qu'il parlait, ses pieds avaient commencé à décrire un cercle autour de la charrette.

« Parce que tu es le mulet, Edwin. Tourne et tourne. Ces craquements perçants que tu entends. Ils ne peuvent pas continuer sauf si tu tournes la roue. Tourne-la, Edwin, encore et encore. Tourne autour de la charrette. »

Il avait donc exécuté ses ordres, gardant les mains posées sur les bords supérieurs des planches de la charrette, passant une main sur l'autre pour maintenir son élan. Combien de fois avait-il décrit ce cercle ? Cent ? Deux cents ? Il voyait, dans un angle, un mystérieux monticule de terre ; dans un autre, à l'endroit ou un mince rayon de soleil tombait sur le sol, un corbeau mort couché sur le côté, les plumes encore intactes. Dans la semi-obscurité, ces deux visions – le monticule de terre et le corbeau – étaient

128

réapparues encore et encore. Une fois il avait dit à voix haute : « Ma tante m'a vraiment maudit ? », mais aucune réponse n'était venue, et il s'était demandé si sa mère était partie. Mais sa voix avait résonné à nouveau, déclarant : « Fais ton devoir, Edwin. Tu es le mulet. Ne t'arrête pas tout de suite. Tu contrôles tout. Si tu t'interromps, les bruits cesseront aussi. Alors pourquoi les redouter ? »

Quelquefois il faisait trois ou quatre tours autour de la charrette sans entendre un seul grincement perçant. Mais ensuite, comme par compensation, plusieurs craquements survenaient d'un coup, et au-dehors les cris montaient encore.

« Où es-tu, mère ? avait-il questionné une fois. Tu es toujours en voyage ? »

Aucune réponse n'était venue, mais plusieurs tours après, elle avait dit : « Je t'ai donné de nombreux frères et sœurs, Edwin. Mais tu es seul. Alors trouve la force pour moi. Tu as douze ans, tu es presque adulte à présent. À toi tout seul, tu représentes quatre, cinq fils puissants. Trouve la force de venir me sauver. »

Une nouvelle brise secoua l'orme, et Edwin se demanda si la grange où il avait été enfermé était celle où les gens s'étaient cachés le jour de l'irruption des loups dans le village. Le vieux Steffa lui avait raconté l'histoire assez souvent.

« Tu étais très jeune alors, petit, peut-être trop pour t'en souvenir. Des loups en plein jour, ils étaient trois, pénétrant calmement dans le village. » Puis la voix de Steffa s'emplissait de mépris. « Et le village s'est caché, terrifié. Certains hommes, c'est vrai, se trouvaient dans les champs. Mais il y avait encore beaucoup de monde ici. Ils se sont cachés dans la grange de battage. Pas seulement les femmes et les enfants, mais aussi les hommes. Les loups avaient des yeux étranges, disaient-ils. Mieux valait ne pas les défier. Les loups ont donc pris tout ce qu'ils voulaient. Ils ont massacré les poules. Dévoré les chèvres avec délice. Pendant ce temps, les villageois se cachaient. Certains dans leurs maisons. La plupart dans la grange de battage. Et moi, l'infirme, ils m'ont abandonné sur place, assis dans la brouette avec ces jambes brisées qui dépassaient, à côté du fossé devant la porte de dame Mindred. Les loups sont arrivés au trot. Venez me manger, je leur ai dit, je ne me cacherai pas dans une grange à cause d'un loup. Mais ils ne se sont pas intéressés à moi et je les ai regardés passer, frôlant ces pieds inutiles de leur fourrure. Ils ont pris tout ce qu'ils voulaient, et bien après leur départ ces courageux ont enfin rampé hors de leur trou. Trois loups en plein jour, et pas un homme capable ici de leur tenir tête. »

Il avait pensé à l'histoire de Steffa en tournant autour de la charrette. « Tu es encore en voyage, mère ? » avait-il demandé de nouveau, et cette fois encore, il n'avait reçu aucune réponse. La lassitude gagnait ses jambes, et il était dégoûté par la vue du monticule de terre et du corbeau mort, lorsqu'elle avait enfin répondu :

« Ça suffit, Edwin. Tu as travaillé dur. Maintenant appelle ton guerrier si tu veux. Arrête ça. »

130

Edwin avait entendu ces mots avec soulagement, mais avait continué de tourner autour de la charrette. Faire venir Wistan, savait-il, exigeait un immense effort. Comme la nuit dernière, il devrait souhaiter sa présence au plus profond de son être pour le voir arriver.

Mais il avait réussi à puiser cette énergie, et quand il fut certain que le guerrier était en route, Edwin ralentit sa cadence – même les mulets ralentissaient le pas en fin de journée – et il remarqua avec satisfaction que les craquements s'espaçaient. Après un long moment de silence, il s'arrêta enfin, et, s'appuyant contre le côté de la charrette, il reprit son souffle. Puis la porte de la grange s'ouvrit et le guerrier apparut, illuminé par le soleil.

Wistan était entré en laissant la porte grande ouverte derrière lui comme pour montrer son mépris à l'égard des forces hostiles qui s'étaient rassemblées au-dehors. Un large rectangle de soleil s'était alors engouffré dans la grange, et quand Edwin avait regardé autour de lui, la charrette, si écrasante dans l'obscurité, avait paru délabrée à un point pathétique. Wistan l'avait-il appelé « jeune camarade » d'emblée ? Edwin n'en était pas sûr, mais il revit le guerrier l'entraînant dans cette flaque de lumière, soulevant sa chemise pour examiner sa plaie. Wistan s'était alors redressé, avait lancé un coup d'œil prudent par-dessus son épaule, et dit à voix basse :

« Alors, mon jeune ami, as-tu tenu ta promesse d'hier soir ? À propos de cette blessure ?

— Oui monsieur. J'ai fait exactement ce que vous avez demandé.

— Tu ne l'as dit à personne, pas même à ta brave tante ?

— À personne, monsieur. Bien qu'ils soient persuadés que c'est une morsure d'ogre et me haïssent pour cela.

— Qu'ils continuent de le croire, jeune camarade. Ce sera dix fois pire s'ils apprennent la vérité sur la façon dont elle t'a été infligée.

— Et mes deux oncles qui sont venus avec vous, monsieur ? Ne savent-ils pas la vérité ?

— Tes oncles, malgré le courage dont ils ont fait preuve, étaient trop malades pour entrer dans le camp. C'est donc à nous deux seuls de garder le secret et, une fois que la plaie sera cicatrisée, il sera inutile que quiconque se pose des questions à son sujet. Garde-la aussi propre que possible, ne la gratte jamais, ni la nuit ni le jour. Tu comprends ?

— Je comprends, monsieur. »

Plus tôt, alors qu'ils gravissaient la pente, Edwin, s'arrêtant pour attendre le vieux couple de Bretons, avait tenté de se rappeler les circonstances de la blessure. À ce moment-là, alors qu'il tirait sur les rênes de la jument de Wistan au milieu des bruyères desséchées, aucune image distincte n'était apparue dans son esprit. Mais à présent qu'il était perché dans les branches de l'orme, surveillant les minuscules silhouettes sur la passerelle, le souvenir de l'air froid, humide, obscur, resurgit dans son esprit ; l'odeur puissante de la peau d'ours recouvrant la petite cage

132

en bois. La sensation des minuscules scarabées tombant sur sa tête lorsqu'on secouait la cage. Il se rappela avoir rectifié sa position et agrippé le grillage branlant pour éviter d'être ballotté quand la cage traînait sur le sol. Ensuite tout était redevenu immobile, et il avait attendu que la peau d'ours soit retirée, que l'air froid l'enveloppe, pour entrevoir la nuit à la lueur du feu. Cela s'était produit à deux reprises cette nuit-là, et la répétition avait atténué l'acuité de sa peur. Il se souvint encore d'autre chose : de la puanteur des ogres, et de la petite créature méchante se jetant contre les barreaux branlants de la cage, l'obligeant à reculer le plus loin possible.

La créature se déplaçait si vite qu'il avait été difficile de la voir distinctement. Il avait eu l'impression que l'animal avait la taille et la forme d'un jeune coq, mais sans bec ni plumes. Il attaquait avec ses dents et ses griffes, poussant un cri strident, continu. Edwin était sûr que les barreaux en bois résisteraient aux crocs et aux griffes, mais de temps à autre, la queue de la petite créature frappait la cage par accident et tout paraissait soudain plus vulnérable. Heureusement, l'animal – encore très jeune, supposa Edwin – n'était pas conscient de la puissance de sa queue.

Sur le moment les attaques parurent interminables, mais Edwin supposa qu'en fait elles n'avaient pas duré très longtemps avant que la bête eût été éloignée de la cage avec sa laisse. La peau d'ours était alors retombée sur lui, tout était redevenu noir, et il avait dû se cramponner aux barreaux pendant que la cage était traînée jusqu'à un autre endroit.

Combien de fois avait-il dû endurer cette séquence? Deux ou trois fois seulement? Ou bien jusqu'à dix, douze fois? Peut-être s'était-il endormi après la première fois, même dans ces conditions, et avait-il rêvé le reste des attaques.

La dernière fois, la peau d'ours était restée en place pendant une longue période. Il avait attendu, écoutant les cris rauques de la créature, parfois lointains, ou beaucoup plus proches, et les bougonnements émis par les ogres quand ils se parlaient, et il avait compris que quelque chose de différent allait se produire. Pendant ces terribles moments d'anticipation, il avait demandé à être sauvé. Il avait présenté cette requête du plus profond de son être, presque comme s'il formulait une prière, et dès qu'elle s'était précisée dans son esprit, il avait été sûr qu'elle serait acceptée.

À cet instant précis la cage avait commencé à trembler, et Edwin s'était rendu compte que toute la section antérieure, avec sa grille protectrice, était tirée sur le côté. Alors même qu'il reculait à cette perspective, la peau d'ours disparut et la créature féroce se jeta sur lui. Dans sa position assise, il eut le réflexe de lever les pieds pour la repousser, mais elle était agile, et Edwin se mit à la frapper avec ses poings et ses bras. Quand il pensa que l'animal l'avait emporté sur lui, il ferma les yeux un instant, mais les rouvrit aussitôt pour voir son adversaire battre l'air de ses griffes pendant que la laisse le tirait en arrière. Ce fut l'une des rares fois où il eut le droit d'entrevoir l'animal, et il constata que sa première impression n'avait pas été inexacte : la créature ressemblait à un poulet plumé, mais avec une tête de serpent. Elle se jeta à nouveau sur lui, et Edwin s'employa une fois encore à la combattre du mieux qu'il pouvait. Tout à coup, la paroi de la cage fut remise en place, et la peau d'ours le replongea dans la nuit. Ensuite, recroquevillé dans la petite cage, il avait senti un picotement sur le flanc gauche, juste au-dessous des côtes, et une moiteur gluante à cet endroit.

Edwin cala son pied dans l'orme et, baissant la main droite, effleura sa plaie. La douleur s'était atténuée. Pendant la montée du versant de la colline, le tissu grossier de sa chemise l'avait parfois fait grimacer, mais lorsqu'il était immobile, comme en ce moment, il ne sentait presque rien. Même ce matin dans la grange, lorsque le guerrier l'avait examinée sur le seuil, la blessure avait paru n'être qu'une grappe de piqûres minuscules. Elle était superficielle – moins grave que toutes celles qu'il avait déjà subies. Et parce que les gens croyaient qu'il s'agissait d'une morsure d'ogre, tout le village s'était déchaîné. S'il avait affronté la créature avec plus de détermination encore, il aurait peut-être pu éviter d'être blessé.

Mais il savait qu'il n'avait pas à rougir de la façon dont il avait surmonté son épreuve. Il n'avait pas hurlé de terreur, ni imploré la grâce des ogres. Après les premiers coups portés par la petite créature – qui l'avaient pris par surprise –, Edwin l'avait affrontée la tête haute. Il avait eu la présence d'esprit de se rendre compte qu'il s'agissait d'un bébé et qu'on pouvait sans doute l'effrayer, comme un chien rebelle. Il avait

135

donc gardé les yeux ouverts et tenté de l'impressionner. Sa vraie mère, savait-il, aurait été très fière de lui pour cela. En fait, à présent qu'il y réfléchissait, le venin avait été lâché lors des premières incursions de la créature, mais c'était lui qui avait progressivement pris le contrôle du combat. Il revit encore la créature battant l'air de ses griffes, et il en conclut que, saisie de panique à cause de la laisse qui l'étranglait, elle n'avait pas fait preuve de beaucoup d'ardeur à poursuivre la lutte. Sans doute les ogres avaient-ils considéré qu'Edwin était le vainqueur de la rencontre, ce qui expliquait pourquoi ils avaient mis fin à leurs agissements.

« Je t'ai observé, petit, avait dit le vieux Steffa. Tu as quelque chose de rare. Un jour tu trouveras quelqu'un pour t'enseigner les talents qui correspondent à ton âme de guerrier. Ensuite tu seras vraiment craint. Tu ne seras pas homme à te cacher dans une grange pendant que des loups se promènent librement dans le village. »

Maintenant c'était sur le point de se réaliser. Le guerrier l'avait choisi, et ils devaient accomplir une mission ensemble. Mais quelle serait leur tâche ? Wistan ne l'avait pas précisé, disant seulement que son roi, dans les lointains marais, attendait en ce moment même d'en connaître le dénouement. Et pourquoi voyager avec ce vieux couple de Bretons qui avaient besoin de se reposer à chaque détour du chemin ?

Edwin les regarda en bas. L'air sérieux, ils discutaient avec le guerrier. La vieille femme avait renoncé à le persuader de redescendre, et tous les trois, postés derrière deux pins géants, surveillaient à présent les soldats sur le pont. De son poste d'observation, Edwin vit que le cavalier était remonté en selle et gesticulait. Puis les trois soldats semblèrent s'écarter, le cavalier fit tourner son cheval et s'éloigna de la passerelle au galop, en direction de la vallée.

Edwin s'était demandé pourquoi le guerrier s'était montré si réticent à prendre la route de montagne habituelle, insistant pour emprunter le raccourci en pente raide ; il était clair à présent qu'il avait souhaité éviter des cavaliers comme celui qu'ils venaient de voir. Mais comment poursuivre leur voyage sans rejoindre la route et franchir le pont sur la cascade ? Or les soldats étaient toujours là. Wistan avait-il pu voir, de l'endroit où il se trouvait, que le cavalier était parti ? Edwin voulut l'alerter sur ce fait nouveau, mais il sentit qu'il ne devait pas crier du haut de l'arbre, au cas où le son parviendrait aux soldats. Il lui faudrait quitter son perchoir pour en informer Wistan. Lorsqu'il y avait eu quatre adversaires potentiels, peut-être le guerrier avait-il hésité à les affronter, mais maintenant qu'il n'en restait plus que trois sur le pont, il jugerait que les chances étaient de son côté. Si Edwin et Wistan avaient été seuls, ils auraient à coup sûr bravé les soldats depuis longtemps, mais la présence du vieux couple avait incité le guerrier à la prudence. Il les avait sans doute amenés pour une bonne raison, et jusqu'à présent ils avaient traité Edwin avec gentillesse, mais c'étaient quand même des compagnons de voyage frustrants.

Il se souvint à nouveau des traits déformés de sa tante. Elle avait commencé à lui hurler une malédiction, mais rien de tout cela ne comptait aujourd'hui. Car il était avec le guerrier désormais, il voyageait, comme sa vraie mère. Qui oserait dire qu'ils n'auraient pas l'occasion de la croiser ? Elle serait fière de le voir se dresser là, aux côtés du guerrier. Et les hommes autour d'elle trembleraient.

CHAPITRE 5

Après une montée éprouvante la plus grande partie de la matinée, le groupe avait été empêché de poursuivre sa route par une rivière au cours rapide. Ils étaient donc redescendus à travers les bois chargés de mystère en quête de la route de montagne le long de laquelle, raisonnaient-ils, il y aurait sûrement un pont au-dessus de l'eau.

Ils avaient vu juste pour le pont, mais en repérant les soldats ils avaient décidé de se reposer au milieu des pins jusqu'au départ des hommes. Car, de prime abord, les soldats n'avaient pas paru être stationnés là, mais simplement se rafraîchir dans la cascade avec leurs chevaux. Le temps avait passé, mais les hommes n'avaient pas fait mine de partir. Tour à tour ils s'allongeaient à plat ventre sur le pont, se penchant pour s'asperger ; ou bien, assis le dos appuyé contre la balustrade, ils jouaient aux dés. Puis, à l'arrivée d'un quatrième homme à cheval, ils s'étaient levés, et il leur avait donné des instructions.

Axl, Beatrice et le guerrier n'avaient pas un point de vue aussi étendu qu'Edwin en haut de son arbre, mais derrière leur écran de verdure ils avaient assez bien observé tout ce qui se passait et, une fois le cavalier reparti, ils échangèrent des regards interrogateurs.

« Il se peut qu'ils restent encore longtemps, dit Wistan. Et vous êtes tous les deux impatients d'atteindre le monastère.

— Il est souhaitable que nous y parvenions avant la tombée du jour, monsieur, répondit Axl. Nous savons que la dragonne Querig rôde dans ce pays, et seuls des idiots resteraient dehors dans le noir. Quel genre de soldats sont-ils, à votre avis ?

— Difficile à dire à cette distance, monsieur, et je ne sais pas grand-chose sur l'habillement local. Je suppose que ce sont des Bretons, loyaux envers le seigneur Brennus. Peut-être dame Beatrice me corrigera-t-elle.

— C'est loin pour mes yeux usés, dit Beatrice, mais je pense que vous avez raison, maître Wistan. Ils portent les uniformes sombres que j'ai souvent vus sur les hommes du seigneur Brennus.

— Nous n'avons rien à leur cacher, intervint Axl. Si nous nous expliquons, ils nous laisseront passer en paix.

— Je suis sûr que oui », répondit le guerrier, puis il se tut un moment, observant le pont. Les soldats s'étaient rassis et semblaient avoir repris leur partie. « Même ainsi, poursuivit-il, si nous devons franchir le pont sous leurs regards, voici ce que je vous propose. Maître Axl, vous ouvrirez la voie avec dame Beatrice, et vous parlerez aux hommes avec sagesse. Le garçon peut conduire la jument derrière vous, et je marcherai à côté de lui, la mâchoire tombante comme un demeuré, l'œil hagard. Vous devez raconter aux soldats que je suis muet et idiot, que le garçon et moi sommes des frères qu'on vous a prêtés en échange des dettes qu'on vous doit. Je cacherai cette épée et ce ceinturon au fond de la charge du cheval. S'ils les trouvent, vous devez prétendre qu'ils vous appartiennent.

— Une telle comédie est-elle vraiment nécessaire, maître Wistan ? demanda Beatrice. Ces soldats peuvent souvent avoir des manières grossières, mais nous en avons déjà beaucoup rencontré sans incident.

— Sûrement, madame. Mais il n'est pas facile de se fier à des hommes en armes, éloignés de leurs commandants. Et me voici, un étranger qu'ils peuvent se sentir en droit de ridiculiser et de défier. Alors demandons au garçon de descendre de son arbre et faisons ce que je propose. »

*

Ils ressortirent des bois encore assez loin du pont, mais les soldats les virent immédiatement et se mirent debout.

« Maître Wistan, dit doucement Beatrice, je crains que cela ne se passe pas bien. Il reste chez vous quelque chose qui révèle votre condition de guerrier, même avec cet air idiot que vous avez pris.

— Je ne suis pas un comédien talentueux, madame. S'il vous est possible d'améliorer mon déguisement, je serai heureux de savoir comment !

« — C'est votre démarche, monsieur, répondit Beatrice. Vous avez un pas de guerrier. Faites plutôt des petits pas suivis d'une grande enjambée, comme si vous alliez trébucher d'un instant à l'autre.

— C'est un bon conseil, madame, je vous en remercie. Maintenant je ne devrais plus dire un seul mot, sinon ils verront que je ne suis pas muet. Maître Axl, plaidez sagement notre cause auprès de ces hommes. »

Comme ils s'approchaient du pont, le bruit de l'eau bondissant sur les rochers et sous les pieds des trois soldats qui attendaient devint plus intense, et Axl y perçut une sorte de menace. Il ouvrit la voie, guettant derrière lui les pas du cheval sur le terrain moussu, et leur fit signe de s'arrêter lorsqu'ils furent à portée de voix des hommes.

Ils ne portaient ni casque ni cotte de mailles, mais leurs tuniques sombres identiques avec, en diagonale, des sangles tendues entre l'épaule droite et la hanche gauche ne laissaient planer aucun doute sur leur métier. Leurs épées étaient engainées pour l'instant, mais deux d'entre eux avaient une main sur la garde. L'un était trapu et musclé ; l'autre, un jeune garçon à peine plus vieux qu'Edwin, était lui aussi de petite taille. Tous les deux avaient les cheveux coupés court. Par contraste, le troisième soldat était grand, avec de longs cheveux gris, coiffés avec soin, qui touchaient ses épaules et étaient maintenus en arrière par un lien noir encerclant son crâne. Non seulement son apparence, mais ses manières étaient sensiblement différentes de celles de ses compagnons ; car tandis que ces deux derniers se tenaient avec raideur sur le pont pour barrer le passage, il était resté quelques pas en arrière, s'appuyant d'un air languissant contre l'un des poteaux du pont, les bras croisés devant lui comme s'il écoutait un récit le soir près du feu.

Le soldat trapu fit un pas vers eux, aussi, ce fut à lui qu'Axl adressa ces mots : « Bonjour, messieurs. Nous n'avons pas de mauvaises intentions et nous souhaitons seulement poursuivre notre route en paix. »

Le soldat trapu ne fournit pas de réponse. L'incertitude traversa son visage, et il foudroya Axl du regard avec un mélange de panique et de mépris. Il lança un coup d'œil au jeune soldat derrière lui puis, ne trouvant rien qui pût l'éclairer, posa de nouveau les yeux sur Axl.

Il vint à l'esprit du vieil homme qu'il y avait eu confusion : les soldats s'étaient préparés à l'arrivée d'un tout autre groupe, et n'avaient pas encore compris leur erreur. Il ajouta donc : « Nous sommes de simples fermiers, monsieur, en route pour le village de notre fils. »

Le soldat trapu, se ressaisissant, répondit à Axl d'une voix inutilement forte. « Qui sont ces gens avec qui tu voyages, fermier ? Des Saxons, d'après leur apparence.

— Deux frères qu'on vient de nous confier, que nous devons éduquer de notre mieux. Mais comme vous le voyez, l'un est encore un enfant, l'autre un muet faible d'esprit, et l'aide qu'ils nous procureront sera sans doute négligeable. »

Alors qu'Axl disait ces mots, le soldat de haute taille aux cheveux gris, paraissant se souvenir soudain de quelque chose, soulagea le poteau de son poids, la tête penchée, en pleine concentration. Pendant ce temps, le soldat trapu regardait derrière Axl et Beatrice, l'air furieux. Puis, la main toujours posée sur la poignée de son épée, il s'avança à grands pas pour examiner leurs compagnons. Edwin tenait la jument, et observa le soldat qui s'approchait d'un œil dénué d'expression. Wistan, cependant, riait bruyamment tout seul, roulant les yeux, la bouche grande ouverte.

Le regard du soldat trapu allait de l'un à l'autre, en quête d'un indice. Puis sa frustration sembla prendre le dessus. Empoignant la chevelure de Wistan, il la tira avec fureur. « Personne ne te l'a coupée, Saxon ? » hurla-t-il à l'oreille du guerrier, puis il tira encore comme pour le forcer à se mettre à genoux. Wistan chancela, mais parvint à rester debout, poussant de pitoyables gémissements.

« Il ne parle pas, monsieur, intervint Beatrice. Comme vous le voyez, il est simple d'esprit. Peu lui importe d'être traité avec brutalité, mais il est connu pour son tempérament coléreux, que nous devons encore maîtriser. »

Tandis que sa femme parlait, un léger mouvement fit se retourner Axl vers les soldats encore sur le pont. Il vit alors que l'homme grisonnant de haute taille avait levé un bras ; ses doigts firent mine de se joindre avant de se recourber et de se relâcher en un geste vain. Enfin, il laissa retomber son bras, mais ses yeux continuèrent d'observer d'un air désapprobateur. Le remarquant, Axl eut le sentiment qu'il comprenait, reconnaissait même, ce que le soldat aux cheveux gris venait de vivre : une réprimande inspirée par la colère venait de se formuler sur ses lèvres, mais il s'était souvenu à temps qu'il ne disposait d'aucune autorité officielle sur son collègue trapu. Axl était certain d'avoir autrefois eu quelque part une expérience presque identique, mais il chassa cette pensée, et dit d'un ton conciliant :

« Vous devez être absorbés par vos obligations, messieurs, et nous sommes désolés de vous avoir distraits. Si vous nous laissez passer, vous serez bientôt libérés de notre présence. »

Mais le soldat trapu était encore en train de tourmenter Wistan. « Il serait malavisé de se mettre en colère contre *moi* ! tonna-t-il. Qu'il ose le faire et il le sentira passer ! »

Il lâcha enfin le guerrier et retourna à grands pas se poster de nouveau sur le pont. Il se tut, avec l'air d'un homme furieux qui a totalement oublié la raison de sa colère.

Le bruit de l'eau bondissante parut accroître encore la tension de l'atmosphère, et Axl se demanda comment réagiraient les soldats s'il tournait les talons et ramenait le groupe vers les bois. Mais à ce moment précis, le soldat aux cheveux gris s'avança jusqu'à la hauteur des deux autres et parla pour la première fois.

« Deux des planches de ce pont sont cassées, oncle. C'est peut-être pour cela que nous sommes ici, pour recommander aux braves gens comme vous de traverser avec prudence de crainte de se retrouver emportés au bas de la montagne dans le tourbillon du courant.

— C'est aimable à vous, monsieur. Nous allons donc faire attention.

— Votre cheval, oncle. J'ai cru le voir boiter en venant vers nous.

— Elle a un pied blessé, monsieur, mais nous espérons que ce n'est pas grave, pourtant nous ne la montons pas, comme vous voyez.

— Ces planches sont pourries à cause de l'écume, et c'est la raison de notre présence, bien que mes camarades soient persuadés qu'une autre mission nous a conduits ici. Je vous demande donc si vous et votre épouse avez vu des étrangers pendant vos voyages.

— Nous sommes nous-mêmes des étrangers, monsieur, répondit Beatrice, et il nous serait donc difficile d'en repérer d'autres. Mais en deux jours nous n'avons rien vu qui sorte de l'ordinaire. »

Remarquant Beatrice, les yeux du soldat aux cheveux gris parurent s'adoucir et sourire. « Une longue marche à faire jusqu'au village de son fils pour une femme de votre âge, madame. Ne préféreriez-vous pas y vivre avec lui afin qu'il veille à votre confort quotidien, au lieu d'être obligée de marcher ainsi, exposée aux dangers de la route ?

— Je le souhaite de tout mon cœur, monsieur, et quand nous le verrons, mon mari et moi lui en parlerons. Mais il y a longtemps que nous ne l'avons pas vu et nous ne pouvons nous empêcher de nous demander comment il nous recevra. »

Le soldat aux cheveux gris continua de la considérer avec douceur. « Il se peut, madame, dit-il, que vous n'ayez aucune raison de vous inquiéter. Je vis moi-même loin de mon père et de ma mère, et je ne les ai pas vus depuis un long moment. Peut-être des paroles dures ont-elles été prononcées autrefois, qui sait ? Mais s'ils venaient me trouver demain, ayant franchi à pied des distances pénibles comme vous le faites à présent, je les accueillerais le cœur débordant de joie, n'en doutez pas ! Je ne sais pas quel sorte d'homme est votre fils, madame, mais je parie qu'il n'est pas si différent de moi, et qu'il versera des larmes de bonheur dès l'instant où il vous aura vus.

— C'est gentil à vous de le dire, monsieur, répondit Beatrice. Je suppose que vous avez raison, et mon mari et moi l'avons souvent évoqué en ces termes, mais il est réconfortant de l'entendre, qui plus est dans la bouche d'un fils éloigné de sa famille.

— Continuez votre route en paix, madame. Et si par hasard vous croisez sur la route mon père et ma mère venant dans l'autre sens, parlez-leur avec douceur et dites-leur de se hâter, car ils n'auront pas voyagé en vain. » Le soldat aux cheveux gris s'écarta pour leur laisser le passage. « Et prenez garde aux planches branlantes. Oncle, vous feriez mieux de conduire vous-même cette jument. Ce n'est pas une tâche pour les enfants ou les idiots. »

Le soldat trapu, qui observait la scène d'un air mécontent, parut néanmoins céder à l'autorité naturelle de son collègue. Leur tournant le dos à tous, il se pencha sur la balustrade pour regarder l'eau, la mine renfrognée. Le jeune soldat hésita, puis vint près de l'homme aux cheveux gris, et ils hochèrent tous les deux poliment la tête quand Axl, les remerciant une dernière fois, conduisit la jument sur le pont, lui abritant les yeux pour lui cacher le vide.

*

Une fois que les soldats et le pont eurent disparu de leur vue, Wistan s'arrêta et suggéra de quitter la voie principale pour suivre un étroit chemin montant dans les bois.

« J'ai toujours su d'instinct m'orienter dans une forêt, dit-il. Et je suis certain que ce sentier nous permettra de couper un large tournant. D'ailleurs, nous serons beaucoup plus en sécurité loin de la route, qui est très fréquentée par les soldats et les bandits. »

Un moment après, ce fut le guerrier qui guida le groupe, repoussant les ronces et les arbustes avec un bâton qu'il avait ramassé. Edwin, tenant la jument par la bride, lui parlant souvent à l'oreille, le suivait de près, de telle sorte que, lorsque Axl et Beatrice arrivaient dans leur sillage, le passage était beaucoup plus facile. Même ainsi, le raccourci – si c'en était un – devint de plus en plus malaisé : les arbres se resserrèrent autour d'eux, les racines et les chardons enchevêtrés les obligeant à prêter attention au moindre pas. Selon leur habitude, ils conversèrent peu en chemin, mais à un moment donné, alors qu'Axl et Beatrice avaient pris du retard, la vieille femme appela : « Tu es toujours là, Axl ?

— Toujours là, princesse. » En effet, il était juste quelques pas en arrière. « Ne t'inquiète pas, ces bois ne recèlent pas de dangers particuliers, à ce qu'on raconte, et sont très éloignés de la Grande Plaine.

— Je réfléchissais, Axl. Notre guerrier n'est pas un mauvais comédien après tout. Son manège aurait pu me tromper, et il a tenu bon jusqu'au bout, même avec cette brute qui lui tirait les cheveux.

— Il a été convaincant, c'est certain.

— Je me demandais, Axl. Nous allons être long-temps éloignés de notre village. Tu ne trouves pas surprenant qu'ils nous aient laissés partir alors qu'il y a encore beaucoup à planter, et des clôtures, des portails à réparer ? Tu crois qu'ils vont se plaindre de notre absence tandis qu'il y a tant de travail ?

— Nous allons leur manquer, princesse, ça ne fait aucun doute. Mais nous serons bientôt de retour et le pasteur comprend notre désir de voir notre fils.

— J'espère que c'est vrai, Axl. Je ne voudrais pas qu'ils disent que nous ne sommes pas là juste quand on a le plus besoin de nous.

— Il y aura toujours des gens pour s'en plaindre, mais les plus généreux approuvent notre souhait, et feraient la même chose à notre place. »

Ils continuèrent un moment sans parler. Puis Beatrice dit encore : « Tu es toujours là, Axl ?

— Toujours là, princesse.

— Ce n'était pas bien de leur part. De nous prendre notre bougie.

— Qui s'en soucie aujourd'hui, princesse ? Et l'été approche.

— J'y repensais, Axl. Et je me disais que c'est peut-être pour cette raison que la douleur dont je souffre aujourd'hui est apparue.

— Qu'est-ce que tu racontes, princesse ? Comment est-ce possible ?

— Je me disais que l'obscurité en était peut-être responsable.

— Sois prudente en passant sous ce prunellier, princesse. Ce n'est pas un endroit où tomber.

— Je le serai, Axl, et fais attention toi aussi.

— Comment l'obscurité a-t-elle pu causer cette douleur, princesse ?

— Te souviens-tu, Axl, qu'il a été question, l'hiver dernier, d'un lutin aperçu près de notre village ? Nous ne l'avons jamais vu nous-mêmes, mais on a raconté qu'il aimait beaucoup la nuit. Durant toutes les heures où nous étions plongés dans le noir, j'ai pensé qu'il était peut-être avec nous sans que nous le sachions, dans notre propre chambre, et que ce mal venait de lui.

— S'il avait été là nous nous en serions rendu compte, princesse, qu'il fasse noir ou pas. Même dans l'obscurité la plus dense, nous l'aurions entendu bouger ou pousser un soupir.

— Maintenant que j'y songe, Axl, je pense que certaines fois, l'hiver dernier, je me suis réveillée dans la nuit, toi profondément endormi près de moi, et j'étais sûre d'avoir été tirée de mon sommeil par un bruit étrange dans la pièce.

— Sans doute une souris ou quelque animal, princesse.

— Ce n'était pas ce genre de bruit, et plus d'une fois j'ai cru l'entendre. Maintenant que j'y songe, c'est à peu près à la même période que la douleur est apparue.

— Eh bien, si c'était le lutin, quelle importance, princesse ? Tu ne souffres que d'un mal infime, c'est l'œuvre d'une créature plus joueuse qu'hostile, comme cet enfant espiègle qui, une fois, a déposé une tête de rat dans la corbeille en vannerie de dame Enid juste pour la voir courir partout épouvantée.

— Ce que tu dis est juste, Axl. Plus joueur qu'hostile. Je suppose que tu as raison. Même ainsi, époux… » Elle se tut tout en se frayant un passage entre deux vieux troncs d'arbres appuyés l'un contre l'autre. Puis elle dit : « Même ainsi, quand nous rentrerons, j'exige une bougie pour nos soirées. Je ne veux pas que ce lutin, ou un autre, nous apporte quelque chose de pire.

— Nous y veillerons, ne t'inquiète pas, princesse. Nous parlerons au pasteur dès notre retour. Mais les moines du monastère te donneront de sages conseils pour ta douleur, et aucune espièglerie ne sera commise.

— Je le sais, Axl. Cela ne m'inquiète pas vraiment. »

*

Il était difficile de dire si Wistan avait vu juste au sujet du virage évité grâce à son raccourci, mais en tout cas, peu après midi, ils ressortirent des bois, et rejoignirent la route principale. Ici, elle était défoncée par le passage des roues de charrettes, et marécageuse par endroits, mais maintenant ils pouvaient marcher plus librement, et bientôt le terrain devint plus sec et plus régulier. Un agréable soleil filtrait à travers les branchages surplombants, et ils progressaient avec bonne humeur.

Puis Wistan les pria de s'arrêter et indiqua le sol devant eux. « Un cavalier solitaire nous précède de peu », annonça-t-il. Ils n'eurent pas besoin d'aller beaucoup plus loin avant de voir devant eux une clairière au bord de la route, et des traces fraîches qui y pénétraient. Échangeant des regards, ils s'avancèrent avec précaution.

Lorsque la clairière devint plus visible, ils s'aperçurent qu'elle était assez étendue : peut-être qu'autrefois, en des temps plus prospères, quelqu'un avait espéré y construire une maison environnée par un verger. Le sentier partant de la route, quoique envahi par la végétation, avait été tracé avec soin, s'achevant dans une large zone circulaire, ouverte sur le ciel à l'exception d'un énorme chêne qui se déployait au centre. De là où ils se tenaient, ils distinguaient une forme assise à l'ombre de l'arbre, le dos appuyé au tronc. Pour l'instant, l'homme leur apparaissait de profil, et semblait porter une armure : deux jambes métalliques dépassaient sur l'herbe, toutes raides, en un geste enfantin. Le visage lui-même était caché par les feuillages jaillissant de l'écorce, mais ils virent qu'il n'avait pas de casque. Un cheval sellé broutait non loin, l'air satisfait.

« Dites qui vous êtes ! lança l'homme depuis l'arbre. Les bandits et les voleurs, je les accueille debout, l'épée à la main !

— Répondez-lui, maître Axl, chuchota Wistan. Découvrons ce qu'il cherche.

— Nous sommes de simples voyageurs, monsieur, répondit Axl. Nous souhaitons seulement passer en paix.

— Combien êtes-vous? C'est un cheval que j'entends?

— Il boite, monsieur. Autrement nous sommes quatre. Ma femme et moi, des Bretons âgés, et avec nous un garçon imberbe et un simple d'esprit remis entre nos mains par leurs parents saxons.

— Alors approchez-vous, mes amis! J'ai du pain à partager, et vous devez avoir autant envie de repos que moi de compagnie.

— Devons-nous y aller, Axl? demanda Beatrice.

— Je pense que oui, intervint Wistan, avant qu'Axl ait pu répondre. Il ne présente pas de danger pour nous et semble être un homme d'un âge raisonnable. Jouons notre comédie comme tout à l'heure. Je vais une fois encore faire semblant d'avoir les yeux fous et la mâchoire molle.

— Mais cet homme est armé et porte une armure, dit Beatrice. Vous êtes sûr que votre épée, empaquetée sur le dos du cheval au milieu des couvertures et des pots de miel, est à votre portée?

— Il vaut mieux que mon arme soit dissimulée aux yeux soupçonneux, madame. Et je la trouverai assez vite lorsque j'en aurai besoin. Le jeune Edwin va tenir les rênes et s'assurer que la jument ne s'écarte pas trop de moi.

— Venez, mes amis! cria l'inconnu, sans rectifier

sa posture rigide. Ne craignez rien ! Je suis un chevalier et aussi un Breton. Armé, il est vrai, mais approchez, et vous verrez que je ne suis qu'un vieil idiot échevelé. Cette épée et cette armure, je les porte seulement par devoir envers mon roi, le grand et bien-aimé Arthur, maintenant au ciel depuis des années, et cela fait presque aussi longtemps que je n'ai tiré mon épée de colère. Mon propre cheval de bataille, Horace, vous pouvez le voir là-bas. Il a dû endurer le fardeau de tout ce métal. Regardez-le, les jambes arquées, le dos affaissé. Ah, je sais combien il souffre chaque fois que je le monte. Mais mon Horace a un grand cœur, et je sais qu'il ne souhaite pas autre chose. Nous voyagerons ainsi, armés de pied en cap, au nom de notre grand roi, et nous le ferons jusqu'au jour où ni l'un ni l'autre, nous ne pourrons faire un pas de plus. Venez mes amis, n'ayez crainte ! »

Ils tournèrent dans la clairière et, lorsqu'ils s'approchèrent du chêne, Axl vit qu'en effet le chevalier n'était pas un personnage menaçant. Il semblait très grand, mais sous son armure Axl supposa qu'il était maigre, quoique nerveux. Son armure était fissurée et rouillée, bien qu'il eût sans doute fait tout son possible pour la préserver. Sa tunique, blanche autrefois, avait été raccommodée maintes fois. Le visage qui dépassait de l'armure était bienveillant et fripé ; au-dessus, de longues mèches de cheveux blancs comme neige voltigeaient autour d'un crâne chauve. Il aurait pu offrir un spectacle pitoyable, ainsi cloué au sol, les jambes étendues devant lui, à ceci près que le soleil filtrant à travers les branches le tachetait de motifs d'ombre et de lumière, qui lui donnaient l'air d'un personnage sacré.

« Le pauvre Horace a sauté son petit déjeuner ce matin, car nous étions sur un sol rocheux quand nous avons ouvert les yeux. Ensuite j'étais si désireux de poursuivre mon chemin toute la matinée, et je le reconnais, de fort méchante humeur. Je ne l'ai pas laissé s'arrêter. Ses pas ont ralenti mais je connais très bien ses ruses à présent, et je n'ai pas cédé. Je sais que tu n'es pas fatigué, ai-je dit, et je l'ai un peu piqué des éperons. Les ruses qu'il emploie avec moi, mes amis, je ne les supporte pas ! Mais il va de plus en plus lentement, et comme je suis un idiot au cœur tendre, même si je sais qu'il se rit de moi, je cède et je dis, parfait, Horace, arrête-toi et mange. Et me voici donc, pris pour un benêt une fois de plus. Venez vous joindre à moi, mes amis. » Il tendit le bras, faisant geindre son armure, et prit une miche de pain dans un sac posé sur l'herbe devant lui. « Elle est toute fraîche, on me l'a donnée il y a une heure à peine alors que je passais près d'un moulin. Venez, mes amis, asseyez-vous près de moi pour la partager. »

Axl tint le bras de Beatrice tandis qu'elle s'asseyait sur les racines noueuses du chêne, puis il prit place entre sa femme et le vieux chevalier. Il fut aussitôt reconnaissant de sentir l'écorce noueuse dans son dos, les oiseaux chanteurs se bousculant au-dessus de lui, et quand on fit passer le pain, il était frais et moelleux. Beatrice appuya la tête contre son épaule et respira profondément quelques minutes avant de commencer, elle aussi, à manger avec délice.

Wistan ne s'était pas assis. Après avoir ri, et exhibé son imbécillité à l'intention du vieux chevalier, il s'était dirigé vers l'endroit où se tenait Edwin, dans les hautes herbes, tenant sa jument. Puis Beatrice, terminant son pain, se pencha en avant pour s'adresser à l'inconnu.

« Vous devez me pardonner de ne pas vous avoir salué plus tôt, monsieur, dit-elle. Mais nous n'avons pas souvent l'occasion de voir un chevalier et j'ai été paralysée d'admiration à cette idée. J'espère ne pas vous avoir offensé.

— Pas offensé le moins du monde, madame, et ravi de votre compagnie. Avez-vous encore une longue route ?

— Le village de notre fils est encore à une journée de voyage maintenant que nous sommes sur la route de montagne, car nous souhaitons rendre visite à un moine dans le monastère sur ces collines.

— Ah, les saints pères. Je suis sûr qu'ils vous feront bon accueil. Ils ont été d'un grand secours pour Horace au printemps dernier quand il a eu un sabot empoisonné et que j'ai craint de ne pas le sauver. Et moi-même, me remettant d'une chute il y a quelques années, j'ai puisé un grand soulagement dans leurs baumes. Mais si vous cherchez un traitement pour votre muet, je crains que Dieu soit le seul en mesure de faire jaillir la parole de ses lèvres. »

Le chevalier avait prononcé ces mots en lançant un coup d'œil à Wistan, qu'il découvrit marchant vers lui, l'expression débile disparue de son visage.

« Permettez-moi de vous surprendre, monsieur, dit-il. Je suis guéri de mon mutisme. »

Le vieux chevalier sursauta puis, dans un grincement d'armure, se retourna pour fixer Axl, l'air interrogateur.

« Ne blâmez pas mes amis, monsieur le chevalier, reprit Wistan. Ils n'ont fait que ce dont je les ai priés. Mais maintenant qu'il n'y a aucune raison de vous craindre, je quitte mon déguisement. Pardonnez-moi je vous prie.

— Cela ne me dérange pas, monsieur, répondit le vieux chevalier, car il vaut mieux se montrer prudent dans ce monde. Mais dites-moi à présent qui vous êtes, afin qu'à mon tour je n'aie aucune raison de vous redouter.

— Mon nom est Wistan, monsieur, je viens des marais à l'est, et je voyage dans ces contrées chargé d'une mission pour mon roi.

— Ah. Vous êtes loin de chez vous en effet.

— Loin de chez moi, monsieur, et ces routes devraient m'être inconnues. Pourtant à chaque tournant j'ai l'impression qu'un lointain souvenir de plus me revient en mémoire.

— Dans ce cas, monsieur, vous êtes sûrement déjà venu par ici.

— Il doit en être ainsi, et j'ai appris que j'étais né, non dans les marais, mais dans une région encore plus à l'ouest d'ici. Je suis d'autant plus chanceux d'être tombé sur vous, monsieur, à supposer que vous soyez sire Gauvain, originaire de ces mêmes régions occidentales, qui comme chacun sait parcourt ces régions à cheval.

— Je suis Gauvain en effet, neveu du grand Arthur, qui a autrefois régné sur ces terres avec tant de sagesse et de justice. J'ai vécu de nombreuses années à l'ouest, mais à présent Horace et moi voyageons là où nous le pouvons.

— Si mon temps m'appartenait, je partirais à l'ouest aujourd'hui même pour respirer l'air du pays. Mais je suis obligé de remplir ma mission et de rentrer au plus vite avec les informations requises. C'est vraiment un honneur de rencontrer un chevalier du grand Arthur – qui plus est son neveu. J'ai beau être saxon, c'est un nom que je tiens en haute estime.

— J'ai du plaisir à vous l'entendre dire, mon ami.

— Sire Gauvain, grâce au retour miraculeux de ma parole, je souhaiterais vous poser une petite question.

— Exprimez-vous librement.

— Ce gentleman assis à côté de vous, c'est le bon maître Axl, un fermier d'un village chrétien à deux jours d'ici. Un homme d'un âge proche du vôtre. Sire Gauvain, je vous prie maintenant de vous tourner et de l'examiner avec attention. Est-ce un visage que vous avez déjà vu, même il y a très longtemps ?

— Bonté divine, maître Wistan ! » Beatrice, qu'Axl avait cru endormie, se pencha de nouveau en avant. « Que demandez-vous donc ?

— Je n'ai aucune intention mauvaise, madame. Sire Gauvain venant du pays de l'ouest, j'imagine qu'il a peut-être aperçu votre mari en un temps ancien. Quel mal y a-t-il à cela ?

158

— Maître Wistan, intervint Axl, je vous ai vu me regarder étrangement de temps à autre lors de notre première rencontre, et j'attendais une explication de ce comportement. Qui croyez-vous que je sois ? »

Wistan, qui était resté debout face à eux trois assis de front sous le grand chêne, s'accroupit sur ses talons. Peut-être était-ce pour paraître moins belliqueux, mais Axl pressentit que le guerrier souhaitait étudier leurs visages de plus près.

« Pour l'instant, sire Gauvain va faire ce que je lui demande, dit Wistan, et il lui suffit de tourner un peu la tête. Imaginez qu'il s'agit d'un jeu puéril, si vous voulez. Je vous en prie, sire, jetez un coup d'œil à l'homme à côté de vous et dites si vous l'avez déjà vu dans le passé. »

Le chevalier eut un petit rire, et pencha son torse en avant. Il semblait impatient de s'amuser, comme si on venait de l'inviter à participer à un jeu. Mais quand il fixa Axl, son expression fit place à la surprise – et même à la stupeur. D'instinct, Axl se détourna, alors que le vieux chevalier s'appuyait contre le tronc de l'arbre au risque de s'y enfoncer.

« Eh bien, sire ? demanda Wistan, l'observant avec intérêt.

— Je ne crois pas avoir rencontré ce gentleman avant aujourd'hui, répondit sire Gauvain.

— Vous en êtes sûr ? Les années peuvent masquer bien des choses.

— Maître Wistan ! l'interrompit Beatrice, que cherchez-vous sur les traits de mon mari ? Pourquoi demander une telle chose à cet aimable chevalier, un parfait étranger pour nous tous jusqu'à cet instant ?

— Pardonnez-moi, madame. Cette région éveille tant de souvenirs, bien que chacun ressemble à un moineau sautillant prêt à s'envoler d'une seconde à l'autre dans la brise. Le visage de votre mari m'a donné l'espoir d'une réminiscence appréciable, et à dire vrai, c'était une raison de mon offre de voyager avec vous, même si je souhaite sincèrement veiller à votre sécurité sur ces routes sauvages.

— Mais pourquoi auriez-vous connu mon mari dans l'ouest étant donné qu'il a toujours habité dans cette région ?

— Ce n'est rien, princesse. Maître Wistan m'a pris pour quelqu'un qu'il a connu autrefois.

— Ça ne fait aucun doute, mes amis ! s'exclama sire Gauvain. Il nous arrive souvent, à Horace et à moi, de confondre un visage avec celui d'une vieille connaissance. Regarde, Horace, je lui dis. Voici notre vieil ami Tudur devant nous sur la route, et nous pensions qu'il était tombé sur le mont Badon. Nous avançons un peu et Horace renifle comme pour répondre, quel idiot tu fais, Gauvain, ce garçon est assez jeune pour être son petit-fils, et il ne lui ressemble même pas de loin !

— Maître Wistan, reprit Beatrice, répondez-moi. Mon mari vous rappelle-t-il quelqu'un que vous avez aimé enfant ? Ou bien est-ce quelqu'un que vous redoutiez ?

— Il vaut mieux oublier tout cela, princesse… »
Mais Wistan, se balançant un peu sur ses talons,

continuait de fixer Axl. « Je crois que ce doit être un homme que j'aimais, madame. Et pourtant avant long… » Il ne quittait pas Axl du regard, les yeux presque rêveurs. Puis son visage s'assombrit et, se relevant, le guerrier se détourna. « Je ne peux pas vous répondre, dame Beatrice, car je n'en sais rien moi-même. J'ai supposé qu'en voyageant avec vous mes souvenirs me reviendraient, mais ce n'est pas encore le cas. Sire Gauvain, vous vous sentez bien ? »

En effet, Gauvain s'était affaissé. Il se redressa et poussa un soupir. « Assez bien, merci de vous en préoccuper. Mais Horace et moi avons passé beaucoup de nuits sans lit moelleux ni abri convenable, et nous sommes fatigués tous les deux. C'est tout. » Il leva une main et caressa un point de son front, alors que sa véritable intention, comprit Axl, aurait pu être de cacher la vue du visage proche de lui.

« Maître Wistan, reprit Axl, puisque nous parlons à présent en toute franchise, je voudrais à mon tour vous poser une question. Vous dites être venu dans ce pays chargé d'une mission pour votre roi. Mais pourquoi ce désir de vous dissimuler sous un déguisement dans une région où règne la paix depuis longtemps ? Si ma femme et ce malheureux garçon doivent voyager à vos côtés, nous souhaiterions connaître la vraie nature de notre compagnon, et savoir qui sont ses amis et ses ennemis.

— C'est bien dit, monsieur. Ce pays, en effet, est stable et en paix. Mais je suis saxon, les terres que je traverse sont régies par des Bretons, et cette région, par le seigneur Brennus, dont les gardes intrépides sillonnent le pays pour récolter les impôts du blé et du bétail. Je souhaite qu'aucune querelle de la sorte ne soit causée par un malentendu. D'où mon déguisement, monsieur, et grâce à lui, nous voyagerons tous plus en sécurité.

— Vous avez peut-être raison, maître Wistan, répondit Axl. Pourtant j'ai vu sur le pont que les gardes du seigneur Brennus n'avaient pas l'air de se tourner les pouces mais étaient postés là dans un but précis, et que si la brume n'avait pas envahi leurs esprits, ils auraient pu vous interroger de plus près. Est-il possible, monsieur, que vous soyez un ennemi du seigneur Brennus ? »

Un moment, Wistan parut perdu dans ses pensées, suivant des yeux l'une des racines noueuses qui partait du tronc du chêne et passait près de lui avant de s'enfoncer dans la terre. Puis il se rapprocha de nouveau et, cette fois, s'assit sur l'herbe sèche.

« Très bien monsieur, je vais vous parler franchement. Ça ne me dérange pas de le faire devant vous et ce bon chevalier. Nous avons entendu dire que des Saxons auraient été maltraités à l'est par des Bretons. Mon roi, inquiet pour son peuple, m'a envoyé en mission pour observer ce qu'il en est. C'est tout ce que je fais, monsieur, et je me consacrais paisiblement à cette tâche lorsque mon cheval s'est blessé le pied.

— Je comprends votre position, monsieur, dit Gauvain. Avec Horace, je traverse souvent des terres gouvernées par les Saxons et je ressens le même besoin de prudence. Je souhaite alors me débarrasser

162

de cette armure et être pris pour un humble fermier. Mais si nous déposions ce métal quelque part, comment le retrouver ensuite ? Et bien qu'Arthur soit mort depuis des années, n'est-ce pas notre devoir de porter son blason hardiment pour que tous le voient ? Nous poursuivons donc notre route et lorsque les hommes reconnaissent un chevalier d'Arthur, je suis heureux de dire qu'ils nous considèrent avec bonté.

— Il n'est pas surprenant que vous soyez bien accueilli dans cette région, sire Gauvain, observa Wistan. Mais en est-il de même dans les contrées où Arthur fut autrefois un ennemi redouté ?

— Horace et moi constatons que le nom de notre roi est bien accueilli partout, monsieur, même dans les pays que vous mentionnez. Car Arthur se montrait si généreux avec ceux qu'il avait vaincus qu'ils ne tardaient pas à l'aimer comme leur propre roi. »

Pendant un moment – depuis la première mention du nom d'Arthur, en fait – un sentiment lancinant, désagréable, avait troublé Axl. Alors qu'il écoutait la conversation entre Wistan et le vieux chevalier, un fragment de souvenir lui revint enfin. C'était bien peu, mais cela lui procura néanmoins la satisfaction d'avoir quelque chose à examiner. Il se revit dans une tente, une énorme tente comme celles qu'une armée érige près d'un champ de bataille. Il faisait nuit, une lourde bougie vacillait, et le vent du dehors aspirait et gonflait les parois de la tente. D'autres gens étaient avec lui. Plusieurs personnes, peut-être, mais il ne se souvenait pas de leurs visages. Lui, Axl, était en colère pour une raison oubliée, mais il avait compris l'importance de contenir sa fureur, du moins pour l'instant.

« Maître Wistan, disait Beatrice à côté de lui, sachez que dans notre village il y a plusieurs familles saxonnes des plus respectées. Vous avez vu vous-même le village saxon où nous étions ce matin. Ces gens prospèrent, et bien qu'ils souffrent parfois entre les mains de démons comme ceux que vous avez combattus avec un tel courage, les Bretons n'y sont pour rien.

— La dame dit vrai, intervint sire Gauvain. Notre bien-aimé Arthur a apporté une paix durable entre les Bretons et les Saxons, et bien que nous entendions encore parler de guerres lointaines, nous sommes désormais des cousins.

— Tout ce que j'ai vu confirme vos dires, répondit Wistan, et je suis impatient de transmettre un rapport optimiste, mais je dois encore me rendre au-delà de ces collines. Sire Gauvain, j'ignore si j'aurai à nouveau un jour la liberté de poser cette question à une personne aussi avisée, je vais donc le faire à présent. Par quel étrange talent votre grand roi a-t-il pansé les plaies de la guerre dans ces contrées, car aujourd'hui le voyageur n'en décèle pas la moindre trace, ni même une ombre ?

— La question vous fait honneur, monsieur. La réponse est que mon oncle, le roi Arthur, ne s'est jamais cru plus grand que Dieu, et a toujours prié pour qu'Il lui indique la voie à suivre. Alors les peuples conquis, autant que les soldats qui se sont battus à ses côtés, ont apprécié son équité et souhaité l'avoir comme souverain.

— Même ainsi, monsieur, n'est-il pas curieux qu'un homme qualifie de frère celui qui, hier à peine, assassinait ses enfants ? Pourtant c'est précisément ce qu'Arthur semble avoir accompli.

— Vous touchez là le cœur du sujet, maître Wistan. Massacrer des enfants, dites-vous. Pourtant Arthur nous a chargés en toutes circonstances d'épargner les innocents pris dans le vacarme de la guerre. En outre, monsieur, il nous a ordonné de sauver, quand nous le pouvions, tous les enfants, femmes et vieillards, qu'ils soient saxons ou bretons, et de leur offrir un asile. Lors de ces actions, des liens de confiance se sont établis, alors que les combats faisaient rage.

— Ce que vous dites sonne juste, et pourtant cela m'apparaît encore comme un étrange miracle, reprit Wistan. Maître Axl, ne jugez-vous pas remarquable la façon dont Arthur a uni ce pays ?

— Maître Wistan, encore une fois, s'exclama Beatrice, à qui croyez-vous parler ? Mon mari ne sait rien des guerres ! »

Mais brusquement personne n'écoutait plus, car Edwin, reparti vers la route, s'était mis à crier, et on entendit le galop de sabots qui s'approchaient. Plus tard, lorsqu'il y repensa, il vint à l'esprit d'Axl que Wistan avait dû se laisser absorber par ses curieuses hypothèses sur le passé, car le guerrier, d'ordinaire si vif, venait à peine de se lever lorsque le cavalier avait tourné dans la clairière, puis s'était avancé vers le gros chêne, bridant sa monture avec une maîtrise admirable.

Axl reconnut aussitôt le grand soldat aux cheveux gris qui s'était adressé avec courtoisie à Beatrice sur le pont. L'homme avait encore un léger sourire, mais venait vers eux son épée dégainée, pointée vers le bas, la poignée posée sur le bord de sa selle. Il s'immobilisa alors que deux ou trois foulées de l'animal auraient suffi à le conduire jusqu'à l'arbre. «Bonjour, sire Gauvain», dit-il, inclinant un peu la tête.

Le vieux chevalier assis au pied du chêne leva les yeux avec mépris. «Que signifie cela, monsieur, vous arrivez ici une épée nue à la main?

— Pardonnez-moi, sire Gauvain, je souhaite interroger vos compagnons.» Il jeta un coup d'œil à Wistan, qui avait de nouveau la mâchoire pendante et riait tout seul. Sans quitter le guerrier des yeux, le soldat cria: «Petit, n'avance pas plus près avec ce cheval!» En effet, derrière lui, Edwin s'était approché avec la jument de Wistan. «Tu m'entends, garnement? Lâche les rênes et viens te mettre devant moi, à côté de ton frère idiot. J'attends.»

Edwin parut comprendre le souhait de l'homme, à défaut de ses mots exacts, car il laissa la jument et rejoignit Wistan. À ce moment, le soldat rectifia légèrement la position de sa monture. Axl, le remarquant, comprit aussitôt que l'homme maintenait entre lui et le groupe sous sa surveillance un angle et une distance particuliers qui lui donneraient l'avantage en cas de conflit subit. Auparavant, étant donné la place où se trouvait Wistan, la tête et le cou du cheval du soldat auraient freiné un instant son premier coup d'épée,

procurant au guerrier le temps nécessaire pour désta-
biliser sa monture ou courir du côté aveugle, où la
portée de l'épée perdait du champ et de la puissance
à cause de l'obstacle du corps à franchir. Mais à présent, l'infime ajustement du cheval rendait presque
suicidaire l'attaque du cavalier par un homme
désarmé tel que Wistan. La nouvelle position du soldat semblait aussi prendre habilement en compte la
jument détachée, un peu en retrait du soldat. Wistan
était désormais dans l'impossibilité de courir vers sa
monture sans décrire un large cercle afin d'éviter le
côté gauche du cavalier, avec la quasi-certitude d'être
empalé par l'arrière avant d'atteindre son but.

Axl nota tout cela avec un sentiment d'admiration
pour le talent stratégique du soldat, en même temps
qu'un désarroi face à ce qu'il impliquait. Il était
arrivé autrefois à Axl de donner lui aussi un coup de
pouce à sa monture, une manœuvre infime mais
vitale, ingénieuse, pour s'aligner avec un autre cavalier. Qu'avait-il fait ce jour-là ? Ils avaient attendu
tous les deux à cheval, observant une lande grise.
La monture de son compagnon avançait devant lui,
car Axl se souvenait de sa queue frémissante qui se
balançait sous ses yeux, et il s'était demandé alors si
c'était un réflexe chez l'animal, ou bien l'effet du
vent furieux balayant la plaine déserte.

Axl chassa ces pensées troublantes de son esprit en
se relevant, puis il aida sa femme. Sire Gauvain resta
assis, figé au pied du chêne, fixant le nouveau venu
d'un regard noir. Puis il dit tout bas à Axl : « Monsieur, aidez-moi à me remettre debout. »

Axl et Beatrice durent prendre chacun un bras du vieux chevalier pour le hisser sur ses jambes, mais lorsqu'il se dressa de toute sa hauteur dans son armure, renvoyant ses épaules en arrière, ce fut un spectacle impressionnant. Sire Gauvain se contenta de fixer le soldat d'un œil morose, et en fin de compte ce fut Axl qui prit la parole.

« Pourquoi vous en prendre à nous de cette façon, monsieur, alors que nous sommes de simples voyageurs ? Auriez-vous oublié que vous nous avez interrogés il y a une heure près de la cascade ?

— Je me souviens très bien de vous, oncle, répondit le soldat aux cheveux gris. Lors de notre rencontre sur le pont que nous gardions, un étrange sort est tombé sur moi et mes compagnons, et nous avons oublié le motif de notre présence. Mais alors que je viens d'être relevé de mon poste et que je rentre au camp, tout me revient brusquement. J'ai repensé à vous, oncle, et à votre groupe qui était passé en douce, et j'ai fait demi-tour pour vous rattraper ! Petit ! Ne t'éloigne pas, je t'ai dit ! Reste à côté de ton frère idiot ! »

Edwin retourna près de Wistan, l'air maussade, et regarda le guerrier d'un air interrogateur. Il riait encore en silence, un filet de salive dégoulinant au coin de sa bouche. Ses yeux dansaient follement, mais Axl devina qu'en réalité le guerrier était en train d'évaluer avec précaution la distance jusqu'à son propre cheval, la proximité de son adversaire, avant d'arriver, selon toute probabilité, aux mêmes conclusions que lui.

« Sire Gauvain, chuchota Axl. En cas de problème, je vous prie de m'aider à défendre ma chère épouse.

— J'y mettrai un point d'honneur, monsieur. Soyez tranquille. »

Axl hocha la tête avec reconnaissance, mais le soldat aux cheveux gris mettait pied à terre. Axl se surprit à admirer de nouveau l'habileté de sa manœuvre, car lorsqu'il fit face à Wistan et au garçon, il se trouvait à la distance et à l'angle corrects par rapport à eux ; de plus, il portait son épée de manière à ne pas fatiguer son bras, tandis que son cheval le protégeait de toute attaque inopinée par-derrière.

« Je vais vous dire ce qui nous a échappé lors de notre dernière rencontre, oncle. Nous venions juste d'apprendre qu'un guerrier saxon avait quitté un village voisin en compagnie d'un garçon blessé. » Le soldat hocha la tête vers Edwin. « Un garçon de l'âge de celui-ci. Maintenant, oncle, j'ignore ce que vous et cette dame avez à voir avec cette affaire. Je recherche seulement ce Saxon et son garçon. Parlez franchement et il ne vous arrivera aucun mal.

— Il n'y a aucun guerrier ici, monsieur. Et nous n'avons aucun conflit avec vous, ni avec le seigneur Brennus qui est votre maître, je suppose.

— Savez-vous ce que vous dites, oncle ? Prêtez la main à nos ennemis et vous devrez en répondre devant nous, quel que soit votre âge. Qui sont ces gens avec lesquels vous voyagez, ce muet et ce garçon ?

— Je l'ai déjà dit, des débiteurs nous les ont donnés, au lieu de blé et d'étain. Ils travailleront une année pour payer la dette de leur famille.

« — Vous êtes sûr de ne pas vous tromper, oncle ?

— Je ne sais pas qui vous cherchez, monsieur, mais ce ne peut être ces pauvres Saxons. Et pendant le temps que vous passez avec nous, vos ennemis se déplacent librement ailleurs. »

Le soldat considéra cette éventualité – la voix d'Axl avait été empreinte d'une autorité inattendue – et l'incertitude s'insinua dans son comportement. « Sire Gauvain, demanda-t-il. Que savez-vous de ces gens ?

— Ils sont arrivés par hasard alors que je me reposais ici avec Horace. Je pense que se sont des gens simples. »

Le soldat scruta une fois encore les traits de Wistan. « Un idiot muet, c'est ça ? » Il fit deux pas en avant et leva son épée de façon à viser la gorge de Wistan avec sa pointe. « Mais il redoute sûrement la mort comme nous tous. »

Axl vit que pour la première fois le soldat avait commis une erreur. Il s'était trop approché de son adversaire, et malgré l'énormité du risque, Wistan pouvait envisager de faire une brusque embardée pour saisir le bras tenant l'épée sans lui laisser le temps de frapper. Mais le guerrier continua de rire, puis il sourit bêtement à Edwin à côté de lui. Le comportement du soldat parut néanmoins éveiller la colère de sire Gauvain.

« C'étaient peut-être des inconnus pour moi il y a une heure, monsieur, gronda-t-il. Mais je ne tolérerai pas qu'ils soient traités avec grossièreté.

— Cela ne vous concerne pas, sire Gauvain. Je vous prie de garder le silence.

— Vous osez parler ainsi à un chevalier d'Arthur, monsieur ?

— Est-il possible, dit le soldat en l'ignorant totalement, que ce crétin soit un guerrier déguisé ? Sans arme sur lui, cela ne fait guère de différence. Peu importe qui il est, ma lame est assez aiguisée. »

« Comment ose-t-il ! » marmonna sire Gauvain.

Le soldat aux cheveux gris, se rendant peut-être brusquement compte de son erreur, recula de deux pas pour reprendre la place exacte où il s'était tenu plus tôt, et abaissa son épée au niveau de sa taille. « Petit, dit-il. Approche-toi.

— Il ne parle que le saxon, monsieur, et il est timide, intervint Axl.

— Il n'a pas besoin de parler, oncle. Seulement de soulever sa chemise, et nous saurons si c'est celui qui a quitté le village avec le guerrier. Petit, fais un pas vers moi. »

Quand Edwin vint plus près, le soldat l'attrapa de sa main libre. Il y eut un bruissement de tissu quand le garçon tenta de résister, mais la chemise fut bientôt remontée sur son torse et Axl vit, un peu au-dessous des côtes, une plaque de peau enflée entourée de minuscules points de sang séché. De chaque côté, Beatrice et Gauvain se penchaient pour mieux voir, mais le soldat lui-même, réticent à quitter Wistan des yeux, n'examina pas tout de suite la blessure. Lorsqu'il le fit enfin, il fut obligé de tourner la tête d'un geste vif et, à cette seconde précise, Edwin produisit un bruit strident – pas tout à fait un cri, mais un son qui évoqua à Axl un renard abandonné. Le soldat fut distrait un instant, et Edwin en profita pour lui échapper. Axl se rendit compte alors que l'auteur du bruit n'était pas le garçon, mais Wistan ; et qu'en réponse, la jument du guerrier, qui jusqu'alors broutait paisiblement l'herbe, s'était retournée d'un coup et s'élançait droit sur eux.

Le cheval du soldat avait reculé derrière lui, paniqué, aggravant sa confusion, et lorsqu'il se fut ressaisi, Wistan était hors de portée de son épée. La jument continuait d'approcher à une vitesse impressionnante, et Wistan, feintant d'un côté, s'écarta de l'autre, puis lança un autre appel aigu. La jument se mit au petit galop et vint se placer entre Wistan et son adversaire, permettant au guerrier, d'un mouvement presque nonchalant, de se poster à quelques enjambées du chêne. La jument se tourna de nouveau, emboîtant aussitôt le pas à son maître. Axl supposa que l'intention de Wistan était d'enfourcher l'animal à son passage, car le guerrier attendait, les deux bras en l'air. Axl le vit faire un geste vers la selle juste avant que la jument le dérobât un court instant à sa vue. Mais la bête repartit alors au galop vers le pré dont elle avait tout à l'heure apprécié l'herbage. Wistan était resté debout, très immobile, mais avec une épée à la main.

Une petite exclamation échappa à Beatrice, et Axl, l'entourant de son bras, l'attira près de lui. De l'autre côté, sire Gauvain émit un grognement qui semblait indiquer son appréciation de la manœuvre de Wistan. Le vieux chevalier avait posé un pied sur l'une des racines en saillie du chêne, et observait la scène avec un vif intérêt, une main sur le genou.

Le dos du soldat aux cheveux gris était tourné vers eux : dans cette situation, bien sûr, il n'avait guère eu le choix, car il lui fallait maintenant affronter Wistan. Axl fut surpris de voir que ce soldat, si habile et maître de lui un instant plus tôt, était très désorienté. Il regardait en direction de son cheval – qui avait trotté un peu plus loin, pris de panique – comme pour se rassurer, puis il leva son épée, la pointe juste au-dessus du niveau de son épaule, l'agrippant des deux mains. Cette position, savait Axl, était prématurée, et ne ferait qu'épuiser les muscles du bras. Wistan, par contraste, paraissait calme, presque désinvolte, comme le soir précédent quand ils l'avaient aperçu la première fois, se dirigeant vers la sortie du village. Il s'approcha lentement du soldat, s'arrêtant à quelques pas de lui, tenant son épée à bout de bras, d'une seule main.

« Sire Gauvain, dit le soldat, une nouvelle intonation dans la voix, je vous entends bouger dans mon dos. Me soutenez-vous contre cet ennemi ?

— Je suis ici pour protéger cet honnête couple, monsieur. Par ailleurs, ce conflit ne me concerne pas, ainsi que vous l'avez souligné il y a un instant à peine. Ce guerrier est peut-être votre ennemi, mais pas encore le mien.

— Cet homme est un guerrier saxon, sire Gauvain, et il est ici pour nous faire du mal. Aidez-moi à l'affronter, car, bien que je sois prêt à faire

mon devoir, si c'est bien celui que nous recherchons, c'est un individu dangereux à tout point de
vue.

— Quelle raison aurais-je de prendre les armes
contre un homme simplement parce que c'est un
inconnu ? C'est vous, monsieur, qui êtes venu dans
cet endroit tranquille avec vos manières grossières. »

Le silence régna un moment. Puis le soldat dit à
Wistan : « Restez-vous muet, monsieur ? Ou bien
allez-vous révéler qui vous êtes maintenant que nous
sommes face à face ?

— Je suis Wistan, monsieur, un guerrier de l'est
en visite dans ce pays. Apparemment votre seigneur
Brennus me veut du mal, bien que j'ignore pour
quelle raison car je voyage en paix, envoyé en mission
par mon roi. Par ailleurs je suis convaincu que vous
avez l'intention de tourmenter ce garçon innocent, et
voyant cela je dois à présent contrecarrer vos plans.

— Sire Gauvain, cria le soldat, viendrez-vous à
l'aide d'un autre Breton, je vous le demande une fois
encore. Si c'est bien Wistan, on raconte qu'il a tué
plus de cinquante Scandinaves de ses propres mains.

— Si cinquante féroces Vikings sont tombés sous
ses coups, en quoi un vieux chevalier épuisé pourrait-
il changer la donne, monsieur ?

— Je vous en prie, ne plaisantez pas, sire Gauvain.
Cet individu est un barbare, et il va me frapper d'une
minute à l'autre. Je le vois dans ses yeux. Il est ici
pour nous faire du mal, je vous assure.

— Nommez le mal dont je suis la cause, intervint
Wistan, en voyageant pacifiquement dans votre pays,

avec dans mon bagage une seule épée pour me défendre des créatures sauvages et des bandits. Si vous pouvez nommer mon crime, faites-le maintenant, afin que je sache de quoi je suis accusé avant de vous frapper.

— J'ignore la nature de vos actes, monsieur, mais j'ai foi en la volonté du seigneur Brennus de se débarrasser de vous.

— Pas de grief précis, donc, pourtant vous accourez pour m'assassiner.

— Sire Gauvain, je vous supplie de m'aider ! Il a beau être féroce, à nous deux, avec une stratégie prudente, nous pourrions en venir à bout.

— Monsieur, permettez-moi de vous rappeler que je suis un chevalier d'Arthur, et non un fantassin de votre seigneur Brennus. Je ne prends pas les armes contre des inconnus à cause d'une rumeur ou de leur sang étranger. Et il me semble que vous êtes incapable de fournir une raison valable de l'attaquer.

— Vous m'obligez donc à parler, monsieur, bien qu'il s'agisse de confidences auxquelles un homme de mon humble condition n'a pas droit, même si le seigneur Brennus lui-même m'a permis de les entendre. Cet homme est venu dans le pays car il a pour mission de tuer la dragonne Querig. C'est ce qui l'amène ici !

— Tuer Querig ? » Sire Gauvain parut sincèrement abasourdi. Il s'éloigna de l'arbre à grands pas et fixa Wistan comme s'il le voyait pour la première fois. « C'est vrai ?

— Je n'ai aucun désir de mentir à un chevalier d'Arthur, aussi je le déclare. Suite à l'engagement

175

évoqué plus haut, j'ai été chargé par mon roi de tuer la dragonne qui rôde dans ce pays. Mais quelle objection pourrait-on opposer à une semblable tâche ? Une dragonne féroce qui nous menace tous. Dites-moi, soldat, pourquoi une telle mission fait-elle de moi votre ennemi ?

— Tuer Querig ? Vous avez vraiment l'intention de tuer Querig ? » Sire Gauvain criait à présent. « Mais monsieur, c'est une mission qui m'a été confiée, à *moi* ! Vous l'ignorez ? Une mission que m'a confiée Arthur en personne !

— Une querelle pour une autre fois, sire Gauvain. Laissez-moi d'abord m'occuper de ce soldat qui ferait de moi et de mes amis des ennemis alors que nous poursuivons notre route en paix.

— Sire Gauvain, si vous ne me venez pas en aide, je crains que ma dernière heure soit venue ! Je vous supplie, monsieur, de vous souvenir de l'affection que le seigneur Brennus a pour Arthur et sa mémoire, et de prendre les armes contre ce Saxon !

— J'ai, *moi*, le devoir de tuer Querig, maître Wistan ! Horace et moi avons mis au point des plans minutieux afin d'attirer Querig hors de sa tanière et nous ne recherchons aucune aide !

— Baissez votre arme, dit Wistan au soldat, et je pourrai encore vous épargner. Sinon achevez votre vie ici-même. »

L'homme hésita, mais il répondit alors : « Je vois maintenant que j'ai été stupide de me croire assez fort pour vous abattre seul. Je veux bien être puni du fait de mon orgueil. Mais je ne baisserai pas mon épée comme un lâche.

— De quel droit, cria sire Gauvain, votre roi vous ordonne-t-il de quitter votre pays pour usurper les fonctions attribuées à un chevalier d'Arthur ?

— Pardonnez-moi, sire Gauvain, mais il y a des années qu'on vous a chargé de tuer Querig, et depuis les petits enfants sont devenus des adultes. Si je peux rendre un service à ce pays et le débarrasser de ce fléau, pourquoi vous mettre en colère ?

— Pourquoi ? Vous ne savez pas de quoi vous parlez ! Vous pensez que tuer Querig est tâche aisée ? Elle est aussi sage qu'elle est farouche ! Vous ne ferez que l'énerver avec votre stupidité, et tout ce pays devra subir son courroux, alors que ces dernières années nous n'avons presque pas entendu parler d'elle. Cela exige une manœuvre des plus délicates, sinon une calamité frappera les innocents de tout ce pays ! Pourquoi croyez-vous qu'Horace et moi ayons attendu notre heure ? Un faux pas aurait de graves conséquences, monsieur !

— Alors aidez-moi, sire Gauvain, cria le soldat, ne faisant plus aucun effort pour cacher sa peur. Éliminons ensemble cette menace ! »

Le chevalier le regarda d'un air perplexe, comme s'il avait oublié un instant qui il était. Puis il dit d'une voix plus calme : « Je ne vous aiderai pas, soldat. Je ne suis pas l'ami de votre maître, car je redoute ses sombres desseins. Je redoute aussi le mal que vous comptez infliger à ces autres personnes, qui doivent être innocentes du complot qui se trame.

— Sire Gauvain, je suis suspendu ici entre la vie et la mort telle une mouche prise dans une toile d'araignée. Je vous adresse mon dernier appel, et bien que je ne comprenne pas la totalité de cette affaire, je vous prie de vous interroger sur la raison qui amène ce guerrier dans ce pays, sinon lui causer du tort ?

— Il fournit une explication honnête de sa mission ici, et bien qu'il m'agace à cause de ses projets insensés, cela ne justifie pas que je me joigne à vous pour le combattre.

— Bats-toi maintenant, soldat, dit Wistan d'un ton presque conciliant. Bats-toi et finissons-en.

— Quel mal y aurait-il, maître Wistan, demanda soudain Beatrice, à laisser cet homme rendre son épée et repartir sur sa monture ? Il m'a parlé avec gentillesse tout à l'heure sur le pont, et ce n'est peut-être pas un mauvais homme.

— Si j'accède à votre requête, dame Beatrice, il fera un rapport à son retour et reviendra sûrement sans tarder avec trente soldats ou plus. On ne nous témoignera alors guère de compassion. Et notez qu'il réserve un destin sinistre au garçon.

— Peut-être accepterait-il de jurer qu'il ne nous trahira pas.

— Votre gentillesse me touche, madame, intervint le soldat aux cheveux gris, sans quitter Wistan des yeux une seconde. Mais je ne suis pas une canaille et je n'en tirerai pas profit sans vergogne. Ce que dit le Saxon est vrai. Épargnez-moi et je ferai exactement ce qu'il décrit, car le devoir ne m'offre aucune autre issue. Mais je vous remercie de vos bonnes paroles, et si ce sont mes tout derniers moments, je quitterai ce monde un peu plus paisiblement grâce à elles.

— De plus, ajouta Beatrice, je n'ai pas oublié votre première requête, au sujet de votre père et de votre mère. Vous l'avez présentée alors comme une plaisanterie, et il est peu vraisemblable que nous les rencontrions. Mais si cela arrive un jour, ils sauront que vous avez espéré ardemment les revoir.

— Je vous remercie encore, madame. Mais le moment est mal choisi pour que je m'attendrisse sur de telles pensées. Quelle que soit la réputation de cet homme, la chance peut encore me sourire dans ce combat, et vous regretterez peut-être alors de m'avoir témoigné de la bonté.

— C'est très probable, répondit Beatrice avec un soupir. Maître Wistan, vous devez donc faire ce qui est le mieux pour nous. Je vais détourner le regard, car je n'ai aucun plaisir à voir assassiner quelqu'un. Et je vous prie instamment de dire au jeune maître Edwin de m'imiter, car je suis sûre qu'il ne réagira que si vous lui en donnez l'ordre.

— Pardonnez-moi, madame, répondit Wistan, mais je souhaite que le garçon soit témoin de tout ce qui se passe, comme on m'a souvent contraint à le faire à cet âge. Je sais qu'il ne bronchera pas plus qu'il ne souffrira en assistant au combat des guerriers. » Il prononça alors plusieurs phrases en saxon et Edwin, qui s'était tenu un peu à l'écart, marcha jusqu'à l'arbre et resta à côté d'Axl et Beatrice. Ses yeux attentifs ne clignaient pas.

Axl entendait le souffle du soldat aux cheveux

gris, plus audible à présent car l'homme émettait un grognement sourd à chaque respiration. Lorsqu'il s'élança en avant, il le fit avec son épée brandie au-dessus de sa tête dans ce qui parut être une attaque primaire et même suicidaire ; mais juste avant d'atteindre Wistan, il modifia abruptement sa trajectoire et feinta sur sa gauche, abaissant son épée au niveau de la hanche. Le soldat, comprit Axl avec une pointe de pitié, sachant qu'il n'aurait guère de chance si le combat devait se prolonger, avait tout misé sur une ruse désespérée. Mais Wistan l'avait anticipée, ou peut-être son instinct lui avait-il suffi. Le Saxon l'esquiva aisément, et d'un geste simple planta son épée dans l'homme qui arrivait vers lui. Le soldat émit le bruit que ferait un seau plongé dans un puits à l'instant où il heurte l'eau ; puis il tomba face contre terre. Sire Gauvain marmonna une prière, et Beatrice demanda : « C'est fini, Axl ?

— Oui, princesse, c'est fait. »

Edwin fixait l'homme à terre, son expression à peine changée. Suivant le regard du garçon, Axl vit qu'un serpent, dérangé dans l'herbe par la chute du soldat, s'échappait de dessous le corps. De couleur foncée, la créature était mouchetée de jaune et de blanc, et lorsqu'elle se révéla en entier, glissant rapidement sur le sol, Axl fut saisi par l'odeur puissante d'entrailles humaines. Il s'écarta d'instinct, entraînant Beatrice, au cas où le reptile viendrait à la recherche de leurs pieds. Pourtant il poursuivit son chemin vers eux, se scindant pour contourner une touffe de chardons, tel un ruisseau autour d'un

rocher, avant de se fondre à nouveau et de se rapprocher encore.

« Allons-nous-en, princesse, dit Axl en la guidant.
C'est fait, et c'est aussi bien. Cet homme nous voulait du mal, bien que la raison en reste obscure.

— Permettez-moi de vous éclairer dans la mesure
du possible, maître Axl », intervint Wistan. Ayant
nettoyé son épée sur le sol, il se releva et vint vers eux.
« Il est vrai que nos parents saxons vivent en bonne
harmonie avec les vôtres dans ce pays. Mais nous
avons eu vent des ambitions du seigneur Brennus
visant à conquérir cette terre et à combattre tous les
Saxons qui y vivent.

— J'ai entendu les mêmes récits, monsieur, dit
sire Gauvain. C'est une autre raison pour laquelle
j'ai refusé de me ranger du côté de ce malheureux
maintenant vidé comme une truite. Je crains que ce
seigneur Brennus ne soit disposé à défaire la grande
paix obtenue par Arthur.

— Nous en apprenons beaucoup plus chez nous,
répondit Wistan. Ce Brennus reçoit dans son château
un hôte dangereux. Un Scandinave qui, paraît-il,
possède l'art d'apprivoiser les dragons. Mon roi craint
que le seigneur Brennus ait l'intention de capturer
Querig pour combattre dans les rangs de son armée.
Cette dragonne ferait en effet un soldat farouche, et
Brennus pourrait alors à juste titre nourrir des ambitions. C'est pour cela qu'on m'a envoyé détruire le
dragon avant que sa sauvagerie ne se retourne contre
tous ceux qui s'opposent au seigneur Brennus. Sire
Gauvain, vous paraissez horrifié, mais je suis sincère.

— Si je suis horrifié, monsieur, c'est parce que vos paroles sonnent juste. Quand j'étais jeune, j'ai une fois affronté un dragon dans une armée adverse, et c'était effroyable. Mes camarades, assoiffés de victoire un instant plus tôt, sont restés pétrifiés de terreur devant ce spectacle, et cette créature n'avait même pas la moitié de la puissance et de la ruse de Querig. Si Querig devient la servante du seigneur Brennus, ce sera sûrement une incitation à de nouvelles guerres. J'espère cependant qu'elle est trop sauvage pour être domptée par un homme. » Il s'interrompit, regarda vers le soldat tombé et secoua la tête.

Wistan s'approcha à grands pas de l'endroit où se tenait Edwin et, l'attrapant par le bras, commença à l'entraîner doucement vers le cadavre. Un court instant, ils restèrent là côte à côte, au-dessus du soldat, Wistan parlant à voix basse, soulignant à l'occasion son propos du geste, puis regardant le visage d'Edwin pour vérifier sa réaction. À un moment donné, Axl vit le doigt de Wistan dessiner un trait lisse dans l'espace, alors qu'il expliquait sans doute au garçon le trajet fait par sa lame. Pendant ce temps, Edwin continuait de fixer le mort, le regard vide d'expression.

Sire Gauvain, qui apparut alors aux côtés d'Axl, déclara : « C'est une grande tristesse que ce lieu paisible, sûrement un don de Dieu pour tous les voyageurs, soit maintenant pollué par le sang. Enterrons cet homme sur-le-champ, avant que quelqu'un d'autre ne vienne par ici, et je ramènerai son cheval au camp du seigneur Brennus, en disant que je suis tombé sur lui alors qu'il était attaqué par des bandits, et à quel endroit ses amis peuvent trouver sa tombe. Sinon, monsieur – il se tourna pour s'adresser à Wistan –, je vous encourage à repartir tout de suite vers l'est. Ne pensez plus à Querig, car vous pouvez être sûr qu'après tout ce que nous avons entendu aujourd'hui Horace et moi nous redoublerons d'efforts pour la tuer. Maintenant venez, mes amis, mettons cet homme en terre afin qu'il puisse retourner paisiblement auprès de son Créateur.

DEUXIÈME PARTIE

CHAPITRE 6

Malgré sa fatigue, Axl avait du mal à trouver le sommeil. Les moines leur avaient fourni une chambre à l'étage supérieur, et s'il était soulagé de ne pas devoir endurer le froid insidieux de la terre, il n'avait jamais dormi aisément au-dessus du sol. Même quand il s'était réfugié dans des granges ou des écuries, il avait souvent gravi des échelles et passé une nuit perturbée par l'espace caverneux au-dessous de lui. Ou peut-être son agitation de ce soir était-elle liée à la présence des oiseaux dans les combles obscurs. Ils étaient à présent silencieux pour la plupart, mais de temps à autre résonnait un léger bruissement, ou un battement d'ailes, et il éprouvait le besoin de placer ses bras au-dessus de la forme endormie de Beatrice pour la protéger des plumes répugnantes qui flottaient dans l'air.

Les oiseaux étaient là lorsqu'ils avaient pénétré la première fois dans la pièce au cours de la journée. N'avait-il pas ressenti alors de la malveillance dans la façon dont ces corbeaux, ces merles, ces ramiers les regardaient du haut des chevrons ? Ou bien sa mémoire s'était-elle imprégnée des événements qui avaient suivi ?

Ou peut-être son insomnie était-elle causée par l'écho, dans l'enceinte du monastère, de la hache de Wistan qui fendait du bois à cette heure tardive. Le bruit n'avait pas empêché Beatrice de plonger aussitôt dans le sommeil, et de l'autre côté de la pièce, au-delà de la forme sombre de la table sur laquelle ils avaient mangé plus tôt, Edwin dormait avec un léger ronflement. Mais d'après Axl, Wistan n'avait pas fermé l'œil du tout. Le guerrier était resté assis à l'autre bout de la chambre, attendant que le dernier moine eût quitté la cour, puis il avait disparu dans la nuit. Maintenant – malgré la recommandation du père Jonus – il coupait encore du bois de chauffage.

Les moines avaient mis du temps à se disperser après leur assemblée. À plusieurs reprises, Axl, sur le point de s'assoupir, avait été tiré de sa somnolence par les voix dans la cour. Parfois il y en avait quatre ou cinq, toujours assourdies, souvent animées par la colère ou la frayeur. Elles s'étaient tues depuis quelque temps à présent, mais tandis que le sommeil le gagnait de nouveau, Axl ne put chasser l'impression qu'il y avait encore des moines sous leur fenêtre, pas seulement deux ou trois, mais des douzaines de silhouettes en robe, silencieuses sous le clair de lune, écoutant les coups de hache résonner dans l'espace.

Plus tôt, alors que le soleil de l'après-midi baignait la pièce, Axl avait regardé par la fenêtre, et vu ce qui lui avait paru être la communauté tout entière – plus de quarante moines – attendant par petits groupes autour de la cour. Il régnait un climat de suspicion, comme s'ils désiraient que personne ne surprenne leurs paroles, pas même leurs propres rangs, et Axl vit qu'ils échangeaient des regards hostiles. Leurs vêtements étaient faits du même tissu marron, avec parfois un capuchon ou une manche en moins. Ils semblaient pressés de pénétrer dans le grand bâtiment en pierre d'en face, mais il y avait eu un retard et leur impatience était palpable.

Axl regardait la cour depuis quelques instants lorsqu'un bruit le fit se pencher un peu plus par la fenêtre pour regarder en bas. Il vit alors le mur extérieur du bâtiment, les tons jaunes de la pierre pâle révélés par le soleil, et l'escalier construit en façade qui s'élevait jusqu'à lui. Un moine s'était arrêté au milieu – Axl aperçut le haut de son crâne –, portant un plateau de nourriture et un pichet de lait. L'homme rééquilibrait son fardeau, et Axl observa la manœuvre avec affolement, sachant combien ces marches usées étaient irrégulières, et qu'en l'absence d'une rampe du côté du vide il fallait se coller au mur pour être sûr de ne pas plonger sur les pavés. Par-dessus le marché, le moine, qui avait repris son ascension, avait l'air de boiter, mais il continuait de monter d'un pas lent, assuré.

Axl alla à la porte pour le soulager du plateau, mais le moine – qui s'appelait le père Brian, ne tarderaient-ils pas à apprendre – insista pour le déposer sur la table lui-même, disant : « Vous êtes nos hôtes, et à ce titre, permettez-moi de vous servir. »

Wistan et le garçon étaient déjà sortis, et l'écho de

la hache sur le plot résonnait sans doute déjà dans l'air. Beatrice et Axl s'étaient donc assis seuls, côte à côte, à la table en bois pour dévorer avec gratitude le pain, les fruits et le lait. Pendant ce temps, le père Brian avait parlé gaiement, l'air parfois rêveur, des visiteurs précédents, du poisson à prendre dans les torrents avoisinants, d'un chien errant qui avait vécu avec eux jusqu'à sa mort, l'hiver dernier. Parfois le père Brian, qui était un homme âgé mais alerte, se levait de table et arpentait la pièce en traînant sa mauvaise jambe, sans cesser de parler, allant de temps à autre à la fenêtre pour surveiller ses collègues en bas.

Pendant ce temps, au-dessus de leurs têtes, les oiseaux sillonnaient les combles, leurs plumes volant ici ou là et souillant la surface du lait. Axl avait été tenté de les chasser, mais s'en était abstenu, au cas où les moines les auraient pris en affection. Il fut interloqué lorsque des pas rapides gravirent l'escalier extérieur, et qu'un moine imposant avec une barbe noire et un visage empourpré surgit dans la pièce.

« Démons ! Démons ! cria-t-il, lançant un regard noir vers les chevrons. Je veux les voir baigner dans leur sang ! »

Le nouveau venu portait un sac en paille. Il y plongea la main, en sortit une pierre et la jeta aux oiseaux. « Démons ! Démons puants, démons, démons ! »

Alors que le premier caillou ricochait sur le sol, il en jeta un deuxième, puis un troisième. Les pierres atterrissaient loin de la table, mais Beatrice se protégeait la tête des deux bras, et Axl, se levant, commença à s'avancer vers l'homme barbu. Le père Brian l'atteignit le premier et, agrippant les deux bras du moine, il dit :

« Frère Irasmus, je t'en supplie ! Arrête ça et calme-toi ! »

Les oiseaux poussaient des cris stridents et volaient dans toutes les directions, et le moine barbu hurlait par-dessus le vacarme : « Je les connais ! Je les connais !

— Calme-toi, frère !

— Ne m'arrêtez pas, mon père ! Ce sont les agents du diable !

— Ce sont peut-être les agents de Dieu, Irasmus. Nous ne le savons pas encore.

— Je sais qu'ils appartiennent au diable ! Regardez leurs yeux ! Comment peuvent-ils être des créatures de Dieu et nous fixer avec des yeux pareils ?

— Irasmus, calme-toi. Nous avons des invités. »

À ces mots, le moine barbu se rendit compte de la présence d'Axl et de Beatrice. Il les dévisagea avec colère, puis s'adressa au père Brian : « Pourquoi accepter des hôtes chez nous à une époque comme celle-ci ? Pourquoi sont-ils venus ?

— Ces braves gens sont de passage, mon frère, et nous sommes heureux de leur accorder l'hospitalité selon notre coutume.

— Père Brian, vous êtes stupide de parler de nos affaires à des étrangers ! Regardez, ils nous espionnent !

— Ils n'espionnent personne, et ne s'intéressent pas non plus à nos problèmes, en ayant beaucoup eux-mêmes, je n'en doute pas. »

Soudain l'homme barbu prit une autre pierre et se prépara à la lancer, mais le père Brian réussit à l'en empêcher. « Redescends, Irasmus, et lâche ce sac. Tiens, laisse-le-moi. Ce n'est pas bien de le transporter partout comme tu le fais. »

Irasmus se dégagea, serrant jalousement son sac contre sa poitrine. Le père Brian, lui accordant cette petite victoire, l'accompagna jusqu'au seuil, et même lorsque le moine se retourna pour lancer encore un regard vers le toit, il le poussa avec douceur dans l'escalier.

« Redescends, Irasmus. Ils ont besoin de toi en bas. Redescends et prends garde à ne pas tomber. »

Quand l'homme fut enfin parti, le père Brian revint dans la pièce, chassant de la main les plumes qui flottaient dans l'air.

« Mes excuses à tous les deux. C'est un brave garçon, mais ce mode de vie ne lui convient plus. Je vous en prie, rasseyez-vous et terminez tranquillement votre repas.

— Et pourtant, mon père, dit Beatrice, ce moine a peut-être raison de dire que nous vous dérangeons à un moment peu propice. Nous ne souhaitons en aucun cas alourdir votre fardeau, et si vous voulez bien nous autoriser à consulter rapidement le père Jonus, dont la sagesse est bien connue, nous repartirons aussitôt. Sauriez-vous déjà s'il nous sera possible de le voir ? »

Le père Brian secoua la tête. « C'est ce que je vous ai expliqué tout à l'heure, madame. Jonus a été souffrant, et l'abbé a donné des ordres stricts pour que personne ne le dérange sans avoir obtenu son autorisation expresse. Connaissant votre désir de rencontrer Jonus, et la peine que vous avez prise pour monter jusqu'ici, j'ai tenté, depuis votre arrivée, d'attirer l'attention de l'abbé. Mais vous le voyez, c'est pour nous une période très occupée, et maintenant un visiteur d'importance est venu le voir, retardant encore notre réunion. L'abbé est même retourné dans son bureau pour parler avec le visiteur pendant que nous l'attendons tous. »

Beatrice se tenait à la fenêtre pour observer le moine barbu qui descendait les marches de pierre, et elle indiqua quelqu'un, disant : « Mon bon père, n'est-ce pas l'abbé qui revient ? »

Axl la rejoignit, et vit une silhouette décharnée s'avancer à grands pas vers le centre de la cour. Les moines, interrompant leurs conversations, se rapprochèrent de lui.

« Ah oui, l'abbé est de retour. Terminez votre repas en paix. Et au sujet de Jonus, prenez patience, car je crains de ne pas être en mesure de vous informer de la décision de l'abbé avant la fin de cette assemblée. Mais je n'oublie pas, c'est promis, et je défendrai votre cause. »

Axl était absolument sûr qu'à ce moment-là, comme à présent, les coups de hache du guerrier avaient résonné dans la cour. En fait, il se rappelait distinctement s'être demandé, alors qu'il regardait les moines entrer un par un dans le bâtiment d'en face, s'il entendait un ou deux bûcherons ; car un deuxième choc suivait de si près le premier qu'il était difficile de dire si c'était un son réel ou un écho. Y songeant à présent, allongé dans le noir, Axl était certain qu'Edwin avait travaillé à côté de Wistan, se calant sur le rythme du guerrier. Selon toute vraisemblance, le garçon était déjà un expert en la matière. Plus tôt dans la journée, avant leur arrivée au monastère, il les avait stupéfiés en creusant la terre très rapidement à l'aide de deux pierres plates qu'il venait de trouver tout près.

Axl avait alors cessé de piocher, le guerrier l'ayant persuadé de préserver ses forces pour l'ascension jusqu'au monastère. Il s'était donc tenu près du corps dégoulinant du soldat, le protégeant des oiseaux qui se rassemblaient dans les branches. Wistan, se souvint Axl, s'était servi de l'épée du mort pour creuser sa tombe, observant qu'il répugnait à émousser la sienne pour cette tâche. Sire Gauvain avait alors remarqué : « Ce soldat est mort de manière honorable, quels qu'aient été les plans de son maître, et l'épée d'un chevalier est utilisée à bon escient si elle lui permet de reposer en paix. » Les deux hommes s'étaient alors interrompus pour constater, émerveillés, les progrès accomplis par Edwin avec ses outils rudimentaires. Puis, lorsqu'ils avaient repris leur travail, Wistan avait dit :

« Sire Gauvain, je crains que le seigneur Brennus ne croie pas à ce récit.

— Il y croira sans aucun doute, avait répliqué Gauvain en continuant de creuser. Il y a entre nous de la froideur, mais il me considère comme un honnête imbécile sans imagination, incapable d'inventer des histoires tordues. Je peux même leur raconter que le soldat m'a parlé des bandits alors qu'il saignait à mort dans mes bras. Vous penserez peut-être que prononcer un tel mensonge est un grave péché, mais je sais que Dieu le verra d'un œil bienveillant, car n'est-il pas destiné à empêcher d'autres effusions de sang ? Je convaincrai Brennus de me croire, monsieur. Mais vous êtes en danger et vous avez de bonnes raisons de rentrer chez vous en toute hâte.

— Je le ferai sans délai, sire Gauvain, dès que ma mission ici sera terminée. Si le pied de ma jument tarde à guérir, je l'échangerai peut-être contre un autre cheval, car le trajet est long jusqu'aux marais. Pourtant je la regretterai car c'est une bête rare.

— Très rare en vérité ! Mon Horace, hélas, ne possède plus cette agilité, pourtant il m'a tiré de plus d'un mauvais pas, exactement comme votre jument il y a un instant. Un cheval rare, que vous serez triste de perdre. Mais la vitesse est cruciale, alors passez votre chemin et oubliez votre mission. Avec Horace, je m'occuperai de la dragonne, vous n'avez donc plus aucune raison de vous soucier d'elle. En tout cas, maintenant que j'ai eu le loisir d'y réfléchir, je vois que le seigneur Brennus ne réussira jamais à recruter Querig dans son armée. C'est la plus sauvage et la plus indomptable des créatures et elle sera aussi prompte à cracher le feu sur ses propres rangs que sur les ennemis de Brennus. Ce projet ne tient pas debout, monsieur. N'y songez plus et dépêchez-vous de rentrer avant que vos ennemis ne vous retiennent. » Puis, comme Wistan continuait de creuser sans répondre, le chevalier demanda : « J'ai votre parole, monsieur ?

— À quel propos, sire Gauvain ?

— Ne pensez plus à la dragonne et retournez chez vous en toute hâte.

— Vous semblez impatient de m'entendre le dire.

— Je ne songe pas seulement à votre sécurité, monsieur, mais à ceux contre qui Querig va se dresser si vous l'éveillez. Et que faites-vous de vos compagnons de voyage ?

— C'est vrai, la sécurité de ces amis me préoccupe. Je vais les accompagner jusqu'au monastère, car il m'est difficile de les laisser sans défense sur ces routes sauvages. Ensuite, il vaudra mieux que nous nous séparions.

— Donc, après le monastère, vous repartirez chez vous.

— Je rentrerai quand je serai prêt, chevalier. »

L'odeur qui s'élevait des entrailles du mort avait contraint Axl à faire quelques pas à l'écart, et sous cet angle, il s'aperçut qu'il voyait mieux sire Gauvain. Le chevalier se tenait debout dans la fosse à hauteur de taille, le front trempé de sueur, ce qui expliquait peut-être pourquoi son expression avait perdu son habituelle bienveillance. Il considérait Wistan avec une hostilité intense, tandis que le guerrier, impassible, poursuivait sa tâche.

Beatrice avait été perturbée par la mort du soldat. Quand la tombe s'était approfondie, elle s'était dirigée d'un pas lent vers le gros chêne et s'était de nouveau assise à son ombre, la tête courbée. Axl avait songé à s'asseoir auprès d'elle, et sans les corbeaux qui s'attroupaient, il l'aurait fait. Maintenant, couché dans l'obscurité, il commença lui aussi à éprouver de la tristesse pour l'homme assassiné. Il se souvint de la courtoisie du soldat à leur égard, du ton plein de gentillesse qu'il avait employé pour s'adresser à Beatrice sur le petit pont. Axl se rappela comment il avait placé son cheval en pénétrant dans la clairière. Quelque chose dans la précision de son geste avait stimulé sa mémoire, et à présent, dans le silence de la nuit, Axl se souvint de la lande vallonnée, du ciel menaçant, du troupeau de moutons traversant la bruyère.

Il était à cheval, et devant lui montait son compagnon, un homme massif appelé Harvey dont l'odeur couvrait celle des bêtes. Ils s'étaient arrêtés au milieu de l'étendue sauvage balayée par les vents car ils avaient repéré un mouvement au loin, et, une fois rassuré de constater qu'il ne recelait aucune menace, Axl avait étiré ses bras – ils avaient parcouru une longue route – et regardé la queue du cheval de Harvey se balancer comme pour chasser les mouches de sa croupe. Bien que le visage de son compagnon lui fût dissimulé, la courbe du dos de Harvey, sa posture tout entière en fait, indiquaient la malveillance que lui inspirait la vue du groupe qui s'approchait. Par-dessus son épaule, Axl distinguait les points noirs des faces de moutons, et quatre hommes – l'un d'eux monté sur un âne, les autres à pied. Pas de chiens, semblait-il. Les bergers, supposa alors Axl, avaient dû les repérer depuis un bon moment – deux cavaliers se détachant contre le ciel –, mais s'ils avaient ressenti de l'appréhension, leur progression lente, laborieuse, n'en laissait rien paraître. De toute façon, un seul sentier traversait la lande, et Axl s'était dit que pour les éviter les bergers n'avaient d'autre alternative que de rebrousser chemin.

Lorsqu'ils s'étaient approchés, il avait vu que les quatre hommes, loin d'être vieux, étaient maigres et souffreteux. Cette observation lui avait serré le cœur, car il savait que l'état de ces gens ne ferait qu'aggraver la sauvagerie de son compagnon. Axl avait attendu que le troupeau fût presque à portée de voix, puis il avait aiguillonné son cheval, prenant soin de se ranger du côté de Harvey où passeraient les bergers et le gros du troupeau. Il avait fait en sorte de rester un peu en retrait, pour donner à son compagnon l'illusion d'un ordre hiérarchique. À présent, Axl était placé de façon à protéger les bergers d'une agression soudaine que pourrait lancer Harvey avec son fouet, ou avec le gourdin accroché à sa selle. Toute cette manœuvre avait été motivée, en apparence, par esprit de camaraderie, et par ailleurs Harvey n'était pas assez subtil pour soupçonner son véritable dessein. Axl se souvint en effet que son compagnon avait hoché la tête d'un air distrait quand il s'était avancé, avant de se retourner pour fixer la lande d'un œil noir.

Axl avait été particulièrement inquiet pour les bergers qui venaient vers eux à cause d'un incident qui s'était produit quelques jours plus tôt dans un village saxon. C'était une matinée ensoleillée, et Axl avait été aussi choqué que les villageois. Sans prévenir, Harvey avait éperonné son cheval et commencé à rouer de coups les gens qui attendaient de tirer de l'eau du puits. Avait-il utilisé son fouet ou son gourdin ? Axl avait essayé de se souvenir de ce détail ce jour-là, sur la lande. Si son compagnon décidait de s'en prendre aux bergers avec son fouet, l'impact serait plus large et son bras serait moins sollicité ; il oserait peut-être même le lancer par-dessus la tête du cheval d'Axl. Mais s'il choisissait son gourdin, étant donné l'endroit où son compagnon était placé, il devrait le contourner et pivoter avant d'attaquer. Une telle manœuvre paraîtrait trop délibérée à Harvey : c'était le genre d'homme qui aimait faire croire que sa sauvagerie était impulsive et naturelle.

Il ne se rappelait pas si sa stratégie réfléchie avait sauvé les bergers. Il revoyait plus ou moins les moutons passer près d'eux en toute innocence, mais l'image des bergers s'était rattachée confusément à l'agression des villageois au bord du puits. Pour quelle raison étaient-ils venus dans le village ce matin-là ? Axl se souvenait des cris d'indignation, des pleurs des enfants, des regards de haine, et de sa propre fureur, non pas contre Harvey lui-même, mais contre ceux qui lui avaient imposé le handicap d'un pareil compagnon. Leur mission, si elle était menée à bien, serait sans aucun doute une réussite unique, inédite, si magistrale que Dieu Lui-même jugerait qu'à ce moment l'homme s'était rapproché de Lui. Mais comment Axl pouvait-il aspirer à un résultat quelconque, enchaîné à cette brute ?

Le soldat aux cheveux gris resurgit dans ses pensées, ainsi que le geste qu'il avait ébauché sur le pont. Lorsque son collègue trapu avait crié et tiré les cheveux de Wistan, l'homme grisonnant avait commencé à lever la main, ses doigts presque joints pour le désigner, une réprimande au bord des lèvres. Puis il avait laissé retomber son bras. Axl avait très bien compris ce qu'il avait éprouvé à ce moment précis. Il avait alors parlé à Beatrice avec une bienveillance particulière, et Axl lui en avait été reconnaissant. Il se souvint du visage de Beatrice quand elle s'était tenue devant le pont, de son expression grave, réservée, qui avait cédé à la douceur souriante si chère à son cœur. L'image le submergea, et en même temps lui inspira de la frayeur. Il suffisait à un étranger – potentiellement dangereux, de surcroît – de prononcer quelques mots aimables et elle était prête à accorder de nouveau sa confiance au monde. L'idée le perturba et il eut l'envie irrépressible de glisser sa main sur l'épaule à côté de lui. Mais n'avait-elle pas toujours été ainsi ? N'était-ce pas en partie ce qui la lui rendait si précieuse ? N'avait-elle pas survécu à toutes ces années sans qu'il lui arrive grand mal ?

« Ce ne peut être du romarin, monsieur », lui avait dit Beatrice, la voix tendue par l'inquiétude. Il était accroupi, un genou appuyé sur le sol, c'était une belle journée, et la terre était sèche. Beatrice devait se tenir derrière lui, car il revoyait son ombre sur le tapis forestier alors qu'il écartait les broussailles des deux mains. « Ce ne peut être du romarin, monsieur. Qui a déjà vu du romarin avec des fleurs jaunes ?

— Alors je me trompe de nom, jouvencelle, avait dit Axl. Mais je suis certain que c'est un arbrisseau très répandu, qui ne présente aucun danger.

— Vous vous y connaissez vraiment en plantes, monsieur ? Ma mère m'a appris que tout pousse à l'état sauvage dans ce pays, et pourtant cet arbuste m'est inconnu.

— Alors c'est sans doute une espèce étrangère qui a pris racine depuis peu dans la région. Pourquoi vous affoler ainsi, demoiselle ?

— Je m'inquiète, monsieur, parce qu'il s'agit sûrement d'une herbe qu'on m'a appris à redouter.

— Pourquoi craindre une herbe, sauf si elle est toxique, et dans ce cas il suffit de ne pas la toucher. Vous étiez en train de l'attraper à pleines mains, et maintenant vous m'encouragez à vous imiter !

— Oh, elle n'est pas toxique, monsieur ! Du moins pas de la façon que vous croyez. Mais ma mère m'a une fois décrit une plante en détail, et m'a prévenue que la voir dans la bruyère portait malheur à une jeune fille.

— Quelle sorte de malheur, demoiselle ?

— Je ne suis pas assez effrontée pour vous le dire, monsieur. »

Alors qu'elle prononçait ces mots, la jeune femme – car Beatrice en était déjà une – s'était accroupie près de lui de telle sorte que leurs coudes s'étaient frôlés un bref instant, et elle lui avait souri d'un air confiant tandis qu'il la regardait.

« Si cela porte malheur de la voir, avait dit Axl,

qu'y a-t-il de gentil à m'entraîner en cet endroit depuis la route pour me la montrer ?

— Oh, ce n'est pas une malchance pour *vous*, monsieur ! Seulement pour les filles non mariées. Il existe une autre plante qui porte malheur aux hommes comme vous.

— Vous feriez mieux de me dire à quoi elle ressemble, afin que je la redoute autant que vous craignez celle-ci.

— Vous pouvez prendre plaisir à vous moquer de moi, monsieur. Mais un jour vous allez tomber à la renverse et découvrir l'herbe juste sous votre nez. Vous verrez alors s'il y a de quoi en rire ou pas. »

Il se souvenait à présent du contact de la bruyère lorsqu'il y avait enfoncé la main, du vent dans les branches au-dessus d'eux, et de la présence de la jeune femme à ses côtés. Était-ce la première fois qu'ils conversaient ? Ils se connaissaient déjà de vue, sans aucun doute ; il était inconcevable que Beatrice eût témoigné une telle confiance à un total étranger.

Les coups de hache, qui avaient cessé quelque temps, reprirent alors, et il vint à l'esprit d'Axl que le guerrier allait sans doute rester dehors toute la nuit. Wistan semblait calme et pensif, même au combat, mais les tensions de la journée et de la veille lui avaient peut-être porté sur les nerfs, et il devait avoir besoin de les évacuer. Cependant, son comportement était curieux. Le père Jonus avait expressément déconseillé de fendre du bois, mais il s'était remis au travail, alors que la nuit était tombée depuis longtemps. À leur arrivée, Axl y avait vu un simple geste de courtoisie de la part du guerrier. Mais à ce stade, avait-il découvert, Wistan avait ses propres raisons de fendre des bûches.

« Le hangar à bois est bien situé, avait-il expliqué. Le garçon et moi avons pu surveiller les allées et venues en travaillant. Mieux encore, lorsque nous avons livré le bois à qui en avait besoin, nous avons pu nous promener à notre guise et inspecter les environs, même si quelques portes sont restées closes. »

Ils étaient en train de bavarder près du haut mur du monastère qui dominait la forêt alentour. Les moines étaient en réunion depuis un bon moment, et le silence avait envahi les lieux. Quelques instants plus tôt, alors que Beatrice sommeillait dans la chambre, Axl était parti flâner sous le soleil de la fin d'après-midi, et il avait gravi les marches de pierre usées jusqu'à l'endroit où Wistan contemplait les feuillages denses au-dessous.

« Mais pourquoi prendre tant de peine, maître Wistan ? avait demandé Axl. Est-il possible que vous soupçonniez ces braves moines ? »

Le guerrier, levant une main pour s'abriter les yeux, répondit : « Lorsque nous avons pris ce chemin tout à l'heure, je ne souhaitais rien d'autre que me blottir dans un coin, perdu dans mes rêves. Mais maintenant que nous sommes là, je ne puis chasser l'impression que cet endroit recèle des dangers pour nous.

— Ce doit être la fatigue qui avive vos soupçons, maître Wistan. Qu'est-ce qui pourrait vous troubler ici ?

— Rien que je puisse encore nommer avec certitude. Mais réfléchissez à ceci. Quand je suis retourné dans les écuries pour m'assurer que la jument allait bien, j'ai entendu des bruits venant de la stalle voisine. Je veux dire, monsieur, que cette autre stalle était séparée par un mur, mais que j'entendais un autre cheval derrière, alors qu'il n'y en avait aucun quand j'y ai conduit la jument à notre arrivée. Ensuite, lorsque j'ai fait le tour, j'ai trouvé la porte fermée avec un gros verrou accroché dessus qui ne s'ouvre qu'avec une clé.

— Il existe peut-être des explications innocentes, maître Wistan. Le cheval était sans doute au pâturage et a pu être rentré après.

— J'ai parlé à un moine à ce sujet, et j'ai appris qu'ils ne gardent aucun cheval ici afin de ne pas alléger leurs fardeaux indûment. Il semblerait qu'un autre visiteur soit venu après nous, et qu'il souhaite cacher sa présence.

— Maintenant que vous le mentionnez, maître Wistan, je me rappelle que le père Brian a parlé d'un important visiteur venu rencontrer l'abbé, et du retard pris par leur grande conférence pour cette raison. Nous ne savons rien de ce qui se passe ici, et selon toute vraisemblance, rien de tout cela ne nous concerne. »

Wistan hocha la tête pensivement. « Vous avez peut-être raison, maître Axl. Un peu de sommeil apaiserait mes soupçons. Même ainsi, j'ai envoyé le garçon explorer plus avant cet endroit, supposant qu'on lui pardonnerait une curiosité naturelle plus volontiers qu'à un adulte. Il est revenu il y a peu de temps pour raconter qu'il avait entendu un gémissement par là – Wistan se tourna pour indiquer de quel côté – comme si un homme souffrait. Maître Edwin s'est introduit à l'intérieur du bâtiment d'où le bruit venait, et il a vu des traces de sang fraîches et anciennes devant une pièce fermée.

— Très étrange en effet. Pourtant il n'y aurait rien de mystérieux à ce qu'un moine ait eu un accident malheureux, peut-être en trébuchant sur ces marches.

— Je le reconnais, monsieur, je n'ai aucune raison sérieuse de supposer que quelque chose cloche ici. Peut-être l'instinct du guerrier me pousse-t-il à souhaiter que mon épée soit glissée dans ma ceinture et à ne plus faire semblant d'être un garçon de ferme. Ou bien mes craintes viennent-elles du fait que ces murs me parlent tout bas des jours passés.

— Que voulez-vous dire, monsieur ?

— Il n'y a pas si longtemps, cet endroit n'était pas un monastère, mais une forteresse, conçue pour combattre les ennemis. Vous vous souvenez de la route exténuante que nous avons prise ? Des tours et des détours du chemin, apparemment destinés à épuiser nos forces ? Regardez en bas, monsieur, voyez les remparts construits au-dessus de ces mêmes sentiers. C'est de là que les défenseurs bombardaient les visiteurs de flèches, de pierres et d'eau bouillante. Le simple fait de parvenir aux portes devait être un exploit.

— Je vois. Ce n'était sûrement pas une ascension facile.

— De plus, maître Axl, je parierais que ce fort a été autrefois dans les mains des Saxons, car j'y vois beaucoup de signes des miens, que vous ne discernez peut-être pas. Regardez là-dessous. » Wistan indiqua une cour pavée enclavée entre des murs. « J'imagine qu'à cet endroit précis se dressait une seconde porte, beaucoup plus solide que la première, mais dissimulée aux yeux des envahisseurs montant la pente. Ils ne voyaient que la première porte et s'efforçaient de la prendre d'assaut, mais il s'agissait sans doute de ce que nous appelons en saxon une vanne, du nom de ces barrières qui contrôlent le flux d'une rivière. Cette vanne laissait passer, de façon très délibérée, un nombre calculé d'ennemis. Puis la vanne se refermait devant ceux qui suivaient. Les hommes isolés entre les deux portes, dans cet espace-là, se retrouvaient en minorité, et cette fois encore, attaqués par le haut. Ils étaient massacrés avant que le groupe suivant puisse entrer. Vous voyez comment cela fonctionnait, monsieur. C'est aujourd'hui un lieu de paix et de prière, mais il n'est pas nécessaire de regarder très loin pour trouver le sang et la terreur.

— Vous le déchiffrez à merveille, maître Wistan, et je frémis devant ce que vous me montrez.

— Je parierais aussi que vivaient ici des familles saxonnes qui s'étaient enfuies de partout pour trouver refuge dans cette forteresse. Des femmes, des enfants, des blessés, des vieux, des malades. Regardez là-bas, la cour où les moines se sont réunis plus tôt. Tous, à l'exception des plus faibles, ont dû venir se mettre là pour mieux voir les envahisseurs couiner comme des souris prises au piège entre les deux portes.

— Je n'arrive pas à y croire, monsieur. Ils se seraient sûrement cachés en bas, priant pour leur salut.

— Seulement les plus lâches. La plupart se seront tenus là, dans cette cour, ou seront même montés jusqu'ici, à l'endroit où nous sommes, heureux de s'exposer à une flèche ou à une lance pour assister à ces souffrances atroces. »

Axl secoua la tête. « Le genre de personnes dont vous parlez n'aurait sûrement pris aucun plaisir à voir verser le sang, même celui de leurs ennemis.

— Bien au contraire, monsieur. Je parle de gens au bout d'une route brutale, qui ont vu leurs enfants et leurs proches mutilés et violés. Ils ne sont parvenus ici, dans ce sanctuaire, qu'après un long tourment, la mort sur les talons. Surgit alors une armée d'envahisseurs d'une taille écrasante. La forteresse peut tenir plusieurs jours, peut-être même une semaine ou deux. Mais ils savent qu'à la fin ils devront affronter leur propre massacre. Ils savent que les nourrissons qu'ils entourent de leurs bras seront d'ici peu des jouets sanglants poussés du pied sur ces pavés. Ils le savent parce qu'ils l'ont déjà vu, dans la région d'où ils ont fui. Ils ont vu l'ennemi brûler et découper, violer tour à tour des jeunes filles alors même qu'elles gisent à l'agonie, mourant de leurs blessures. Ils savent que cela va se produire, et doivent donc apprécier les premiers jours du siège, quand l'ennemi paie d'abord le prix de ce qu'il va commettre plus tard. En d'autres termes, maître Axl, c'est une vengeance à savourer *à l'avance* par ceux qui ne pourront pas en profiter au moment idoine. C'est pourquoi je dis, monsieur, que mes cousins saxons ont dû se tenir ici pour applaudir et battre des mains, et, plus cruelle était la mort, plus ils se montraient joyeux.

— Je ne veux pas le croire, monsieur. Comment est-il possible de haïr aussi profondément pour des actes non encore commis ? Les braves gens qui se sont réfugiés ici autrefois ont dû garder vivant l'espoir jusqu'à la fin, et ont sans nul doute regardé toute souffrance, amie ou ennemie, avec pitié et horreur.

— Vous êtes mon aîné à cause de votre grand âge, maître Axl, mais en matière de violences sanguinaires, il se peut que je sois l'ancien et vous le jeune homme. J'ai vu une haine obscure aussi insondable que la mer sur les visages de vieilles femmes et de tendres enfants, et, certains jours, j'ai moi-même ressenti cette haine.

— Je ne puis l'accepter, monsieur, et d'ailleurs nous parlons d'un passé barbare qui, espérons-nous, a disparu pour toujours. Notre argument n'aura, Dieu merci, jamais besoin d'être vérifié. »

Le guerrier regarda étrangement Axl. Il parut sur le point de répondre quelque chose, puis se ravisa. Ensuite il se tourna pour passer en revue les bâtiments de pierre derrière eux, disant : « En me promenant dans ces lieux plus tôt, les bras chargés de bois de chauffage, j'ai repéré dans chaque recoin des traces fascinantes du passé. Le fait est, monsieur, que même si la seconde porte était forcée, cette forteresse contenait encore de multiples pièges pour l'ennemi, parfois astucieux à un point diabolique. Les moines d'ici savent à peine ce qu'ils côtoient chaque jour. Mais n'en parlons plus. Pendant que nous profitons ensemble de ce moment paisible, permettez-moi de demander pardon, maître Axl, pour l'inconfort que je vous ai causé aujourd'hui. Lorsque j'ai interrogé ce bon chevalier à votre sujet.

— N'y songez plus, monsieur. Il n'y a pas de mal, même si vous m'avez surpris, ainsi que mon épouse. Vous m'avez pris pour un autre, une erreur facile à commettre.

— Je vous remercie pour votre compréhension. Je vous ai pris pour quelqu'un dont je n'oublierai jamais le visage, même si j'étais un petit garçon lorsque je l'ai vu la dernière fois.

— Dans le pays de l'ouest, donc.

— C'est juste, monsieur, à l'époque où on m'a pris. L'homme dont je parle n'était pas un guerrier, pourtant il portait une épée et chevauchait un bel étalon. Il venait souvent dans notre village, et pour nous qui ne connaissions que des paysans et des bateliers, c'était quelque chose de remarquable.

— Oui, je peux imaginer quel genre d'homme c'était.

— Je me rappelle que nous le suivions dans tout le village, mais toujours à une distance timide. Certains jours il se déplaçait avec précipitation, conversant avec les anciens ou appelant une foule à se réunir sur la place. D'autres jours il se promenait à

209

loisir, bavardant avec les uns et les autres comme pour passer le temps. Il ne parlait guère le saxon mais notre village étant situé au bord de la rivière, les bateaux allaient et venaient, beaucoup s'exprimaient dans sa langue, aussi ne manquait-il jamais de compagnons. Il se tournait quelquefois vers nous avec un sourire, mais nous étions jeunes, alors nous nous dispersions pour aller nous cacher.

— Et c'est dans ce village que vous avez si bien appris notre langue ?

— Non, c'est venu plus tard. Quand on m'a pris.

— Pris, maître Wistan ?

— J'ai été pris dans ce village par des soldats, et entraîné dès le plus jeune âge à devenir le guerrier que je suis aujourd'hui. Ce sont des Bretons qui m'ont enlevé, et j'ai bientôt appris à parler et à me battre à leur façon. Ça s'est passé il y a longtemps et les choses prennent d'étranges formes dans l'esprit. Lorsque je vous ai vu la première fois ce matin dans ce village, peut-être par un jeu de lumière, j'ai senti que j'étais redevenu ce garçon, glissant un coup d'œil furtif à ce grand homme avec sa cape flottante, se déplaçant dans notre village tel un lion au milieu des cochons et des vaches. À cause d'un léger pli de votre sourire, j'imagine, ou de votre manière de saluer un inconnu, la tête un peu inclinée. Mais je vois à présent que je me suis trompé, puisque vous ne pouviez pas être cet homme. N'en parlons plus. Comment va votre chère épouse, monsieur ? J'espère qu'elle n'est pas épuisée ?

— Elle a retrouvé un souffle normal, je vous remercie de le demander, mais je l'ai priée de se reposer jusqu'à maintenant. Nous sommes contraints en tout cas d'attendre que les moines reviennent de leur réunion et que l'abbé nous autorise à rendre visite à Jonus, le sage médecin.

— Une dame déterminée, monsieur. J'ai admiré la façon dont elle a gravi la pente jusqu'ici sans se plaindre. Ah, voici le garçon qui revient.

— Voyez comment évolue sa blessure, maître Wistan. Nous devons le conduire lui aussi auprès du père Jonus. »

Wistan ne parut pas l'entendre ; s'éloignant du mur, il descendit les petites marches pour retrouver Edwin, et pendant quelques instants ils s'entretinrent ensemble à voix basse, rapprochant leurs têtes. Le comportement de l'enfant était animé, et le guerrier écouta en fronçant les sourcils, acquiesçant de temps à autre. Lorsque Axl vint les rejoindre au bas de l'escalier, Wistan dit doucement :

« Maître Edwin rapporte une curieuse découverte que nous ferions bien d'aller constater de nos propres yeux. Suivons-le, mais marchons comme si nous n'avions pas de dessein précis, au cas où le vieux moine serait resté dans le but de nous espionner. »

En effet, un moine solitaire balayait la cour et, lorsqu'ils vinrent plus près, Axl remarqua qu'il articulait des mots en silence, perdu dans son monde. Il regarda à peine dans leur direction quand Edwin leur fit traverser la cour et franchir un passage entre deux bâtiments. Ils ressortirent à l'endroit où une herbe clairsemée recouvrait un terrain en pente irrégulière et où une rangée d'arbres flétris, à peine plus grands qu'un homme, bordaient un chemin qui conduisait hors du monastère. Tandis qu'ils suivaient Edwin sous un ciel couchant, Wistan dit tout bas :

« J'aime beaucoup ce garçon. Maître Axl, nous pouvons encore revoir notre projet de le laisser dans le village de votre fils. Cela m'arrangerait de le garder avec moi un peu plus longtemps.

— Cela m'ennuie de vous l'entendre dire, monsieur.

— Pourquoi donc ? Il n'aspire guère à passer sa vie à nourrir des cochons et à piocher la terre froide.

— Alors que deviendra-t-il à vos côtés ?

— Une fois ma mission accomplie, je le ramènerai dans les marais.

— Et que lui demanderez-vous de faire là-bas, monsieur ? De combattre des Scandinaves toute sa vie ?

— Vous froncez les sourcils, monsieur, mais le garçon a un tempérament inhabituel. Il fera un bon guerrier. Mais chut, voyons ce qu'il a à nous montrer. »

Ils étaient arrivés là où trois cabanes en bois se dressaient au bord du chemin, dans un tel état de délabrement que chacune semblait soutenue par sa voisine. Le sol mouillé était sillonné de traces de roues, et Edwin s'arrêta pour les indiquer. Puis il les emmena dans la plus éloignée des trois cabanes.

Il n'y avait pas de porte, et la plus grande partie du toit était à ciel ouvert. Quand ils entrèrent, plusieurs oiseaux s'envolèrent en un tumulte furieux, et Axl vit, dans l'espace lugubre ainsi libéré, une carriole de fabrication grossière – peut-être l'œuvre des moines eux-mêmes –, ses deux roues enfoncées dans la boue.

Ce qui frappait l'attention, c'était une grande cage montée sur le chariot, et en s'approchant, Axl remarqua que si la cage était en fer, un épais pilier de bois descendait à l'arrière, la fixant solidement aux planches du fond. Le même poteau était orné de chaînes et de menottes et, au niveau de la tête, de ce qui paraissait être un masque en fer noirci, mais sans trous pour les yeux, avec seulement un petit orifice pour la bouche. La carriole et l'espace environnant étaient souillés de plumes et de fiente. Edwin ouvrit la porte de la cage et entreprit de la déplacer d'avant en arrière sur sa charnière grinçante. Il prononçait encore des paroles excitées, auxquelles Wistan, lançant des regards inquisiteurs autour de la cabane, répondait d'un hochement de tête occasionnel.

« C'est curieux, dit Axl, que ces moines aient besoin d'un tel objet. Sans doute en faveur d'un pieux rituel. »

Le guerrier commença à faire le tour de la carriole, posant les pieds avec soin pour éviter les flaques stagnantes. « J'ai déjà vu une fois quelque chose de ce genre, dit-il. On peut supposer que cet instrument est destiné à exposer l'homme placé à l'intérieur à la cruauté des éléments. Mais regardez, ces barreaux sont assez éloignés pour laisser passer mon épaule. Et ici, voyez ces plumes collées au fer par du sang figé. Un homme attaché là est ainsi offert aux oiseaux de la montagne. Menotté de la sorte, il n'a aucun moyen de combattre les becs affamés. Ce masque de fer, bien qu'il paraisse effrayant, est en fait un signe de miséricorde, car grâce à lui, les yeux au moins ne sont pas dévorés.

— Peut-être y a-t-il un dessein plus doux », intervint Axl, mais Edwin avait recommencé à parler, et Wistan se tourna pour regarder à l'extérieur de l'abri.

« Le garçon dit qu'il a suivi ces traces jusqu'à un emplacement proche du bord de la falaise, expliqua enfin le guerrier. Il dit que le sol est rempli d'ornières là-bas, indiquant l'endroit où cette charrette a souvent été déposée. En d'autres termes, ces indices confirment tous ma supposition, et je vois aussi que cette carriole a roulé très récemment.

— J'ignore ce que cela signifie, maître Wistan, mais je reconnais que je commence à partager votre malaise. Cet objet me glace des pieds à la tête et me donne envie de retourner auprès de mon épouse.

— C'est ce que nous avons de mieux à faire, monsieur. Ne restons pas plus longtemps. »

Mais lorsqu'ils sortirent de la cabane, Edwin, qui les guidait à nouveau, s'arrêta brusquement. Axl, scrutant l'obscurité du soir, aperçut tout près d'eux une silhouette en robe dans les hautes herbes.

« Je dirais que c'est le moine qui balayait la cour tout à l'heure, glissa le guerrier à Axl.

— Il nous voit ?

— Je pense qu'il nous voit et qu'il sait que nous l'avons vu. Pourtant il reste planté là comme un arbre. Eh bien, allons lui parler. »

Le moine se tenait sur le bord de leur chemin, l'herbe à hauteur de genou. Il resta très immobile à leur approche, bien que le vent fît voler sa robe et ses longs cheveux blancs. Il était maigre, presque émacié, et ses yeux globuleux les fixaient, inexpressifs.

« Vous nous observez, monsieur, dit Wistan en s'arrêtant, et vous savez ce que nous venons de découvrir. Peut-être nous expliquerez-vous alors dans quel but les frères ont conçu cet instrument. »

Sans répondre, le moine indiqua le monastère.

« Il se peut qu'il ait fait le vœu de silence, intervint Axl. Ou bien qu'il soit muet comme vous avez prétendu l'être, maître Wistan. »

Le moine sortit des herbes et s'avança sur le chemin. Ses yeux étranges les fixèrent tour à tour, puis il montra à nouveau le monastère et se mit en route. Ils le suivirent, un peu en retrait, l'homme se retournant sans cesse pour les regarder par-dessus son épaule.

Les bâtiments du monastère étaient à présent des formes sombres se découpant sur le ciel couchant. Lorsqu'ils furent plus près, le moine s'arrêta, posa son index sur ses lèvres, puis continua d'un pas plus prudent. Il semblait soucieux de rester dans l'ombre, et d'éviter la cour centrale. Il les conduisit entre les maisons, dans d'étroits passages au sol escarpé ou constellé de trous. À un moment donné, comme ils longeaient un mur en baissant la tête, leur parvinrent, par les fenêtres du haut, les bruits de la conférence des moines. Une voix criait par-dessus le vacarme, puis une autre – peut-être celle de l'abbé – appela au calme. Mais il n'était pas question de s'attarder, et bientôt ils se regroupèrent sous une voûte d'où ils pouvaient voir la cour principale. Le moine indiqua avec des signes insistants qu'ils devaient continuer aussi vite et silencieusement que possible.

En réalité, ils n'étaient pas obligés de traverser la cour, où des torches brûlaient à présent, mais seulement de contourner un angle à l'ombre d'une colonnade. Lorsque le moine s'arrêta encore, Axl lui chuchota :

« Cher monsieur, puisque votre intention est de nous emmener quelque part, je vous prie de me permettre d'aller chercher mon épouse, car je suis inquiet de la laisser seule. »

Le moine, qui s'était aussitôt tourné vers Axl pour le dévisager, secoua la tête et tendit le doigt dans la semi-obscurité. Alors seulement Axl aperçut Beatrice un peu plus loin, debout sur un seuil du cloître. Soulagé, il fit un signe de la main et, lorsque le groupe se dirigea vers elle, s'éleva derrière eux un tumulte de voix en colère venu de l'assemblée des moines.

« Comment vas-tu, princesse ? » demanda-t-il, s'emparant de ses mains tendues.

« Je me reposais paisiblement, Axl, quand ce moine muet est apparu devant moi, au point que je l'ai pris pour un fantôme. Mais il désire nous conduire quelque part et nous ferions mieux de le suivre. »

Le moine reproduisit le geste imposant le silence, puis, leur faisant signe, passa près de Beatrice pour franchir le seuil où elle avait attendu.

Les couloirs ressemblaient autant à des tunnels que ceux de leur souterrain, et les lampes vacillant dans les petites alcôves dissipaient l'obscurité. Axl, le bras de Beatrice glissé sous le sien, gardait une main tendue devant lui. Un instant ils se retrouvèrent à l'air libre, traversant une cour boueuse entre des potagers labourés avant de pénétrer dans un autre bâtiment bas en pierre. Le couloir y était plus large et éclairé par des flammes plus hautes, et le moine parut enfin se détendre. Reprenant son souffle, il les examina de nouveau, puis leur faisant signe d'attendre, il disparut sous une voûte. Après un court instant, il reparut et les fit avancer. À ce moment, une voix frêle dit à l'intérieur : « Entrez, visiteurs. Une pauvre chambre où vous recevoir, mais vous êtes les bienvenus. »

*

Pendant qu'il attendait le sommeil, Axl se souvint une fois encore comment ils s'étaient serrés tous les quatre dans la minuscule cellule, avec le moine silencieux. Une bougie brûlait près du lit, et il avait perçu le geste de recul de Beatrice lorsqu'elle avait vu la forme couchée. Puis elle avait inspiré et s'était avancée dans la pièce. Il y avait à peine assez d'espace pour eux tous, mais ils n'avaient pas tardé à se placer autour du lit, le guerrier et le garçon dans l'angle le plus éloigné. Le dos d'Axl s'appuyait au mur de pierre glacé, mais Beatrice, debout juste devant et se tenant contre lui comme pour se rassurer, était presque au-dessus du lit du malade. Il planait une légère odeur de vomi et d'urine. Le moine silencieux, pendant ce temps, s'activait autour de l'homme couché, l'aidant à se hisser en position assise.

Leur hôte avait les cheveux blancs et un âge avancé, une large carrure, qui encore récemment avait dû être vigoureuse, mais à présent, le simple fait de s'asseoir semblait provoquer chez lui de multiples souffrances. Une couverture grossière tomba de ses épaules alors qu'il se redressait, révélant une chemise de nuit souillée de taches, mais c'était la vue du cou et du visage de l'homme, illuminés par la bougie à son chevet, qui avait fait tressaillir Beatrice. Une masse enflée sous un côté du menton, violet foncé virant au jaune, obligeait la tête à se tenir un peu inclinée. Le sommet de ce monticule était fendu et recouvert d'une pellicule de pus et de sang séché. Sur le visage, une entaille descendait du bas de la pommette jusqu'à la mâchoire, exposant une partie de l'intérieur de la bouche et des gencives de l'homme. Cela dut lui coûter un énorme effort, mais une fois qu'il fut calé dans sa nouvelle position, le moine leur sourit.

« Bienvenue, bienvenue. Je suis Jonus, et je sais que vous êtes venus de loin pour me voir. Mes chers invités, ne me regardez pas avec cette pitié. Ces blessures ne sont pas nouvelles, et la douleur d'aujourd'hui n'est rien en comparaison de ce que j'ai souffert autrefois.

— Nous voyons maintenant, père Jonus, dit Beatrice, pourquoi votre bon abbé répugne autant à laisser des étrangers abuser de votre gentillesse. Nous attendions sa permission, mais cet aimable moine est venu nous chercher.

— Ninian est mon ami le plus fidèle, et même s'il a fait vœu de silence, nous nous comprenons parfaitement. Il a observé chacun de vous depuis votre arrivée et m'a fait des rapports fréquents. J'ai pensé qu'il était temps de nous rencontrer, même si l'abbé n'est pas au courant.

« — Mais quelle a pu être la cause de telles blessures, mon père ? demanda Beatrice. Vous êtes un homme réputé pour votre bonté et votre sagesse.

— Oublions ce sujet, madame, car mes faibles forces ne nous permettront pas de parler longtemps. Je sais que deux d'entre vous, ce courageux garçon et vous-même, recherchez mes conseils. Montrez-moi d'abord l'enfant, qui a une plaie d'après ce que j'ai compris. Mets-toi à la lumière, mon petit. »

La voix du moine était douce, tout en possédant une autorité naturelle, et Edwin s'avança vers lui. Mais Wistan se pencha aussitôt pour attraper le garçon par le bras. Peut-être était-ce l'effet de la flamme de la bougie, ou l'ombre tremblante du guerrier sur le mur derrière lui, mais Axl eut brièvement l'impression que les yeux de Wistan fixaient le moine blessé avec une curieuse intensité, et même de la haine. Le guerrier ramena Edwin près du mur, puis fit un pas en avant comme pour abriter son protégé.

« Qu'y a-t-il, berger ? demanda le père Jonus. Craignez-vous que le poison de mes blessures ne se transmette à votre frère ? Alors ma main n'a pas besoin de le toucher. Laissez-le s'approcher et mes yeux seuls examineront sa plaie.

— Sa plaie est propre, répliqua Wistan. Cette dame est la seule à requérir votre aide.

— Maître Wistan, intervint Beatrice, comment pouvez-vous dire une telle chose ? Vous devez bien savoir qu'une plaie propre peut s'infecter d'un moment à l'autre. Le garçon doit demander conseil à ce sage moine. »

Wistan ne parut pas entendre Beatrice, et continua de fixer le moine. Le père Jonus, à son tour, observa le guerrier comme si c'était un objet de grande fascination. Au bout d'un moment, il dit :

« Vous faites preuve d'un aplomb remarquable pour un simple berger.

— Ce doit être une habitude dans mon métier. Un berger doit rester de longues heures aux aguets pour repérer les rassemblements de loups dans la nuit.

— Sans aucun doute. J'imagine aussi qu'un berger doit juger en un instant si le bruit qu'il entend dans l'obscurité présage d'un danger ou de la venue d'un ami. L'essentiel repose sur la capacité de prendre des décisions justes et rapides.

— Seul un berger stupide qui entend une brindille se casser ou repère une forme dans le noir suppose qu'il s'agit d'un compagnon venu le relever. Nous sommes une race prudente et qui plus est, monsieur, j'ai vu de mes propres yeux l'instrument dans votre grange.

— Ah. J'ai pensé que vous le trouveriez tôt ou tard. Que vous inspire votre découverte, berger ?

— Cela me met en colère.

— En colère ? » Le père Jonus prononça ces mots d'une voix rocailleuse, avec une certaine force, comme s'il était lui même gagné par la colère. « Et pourquoi donc ?

— Dites-moi si je me trompe, monsieur. Je présume qu'ici les moines ont coutume de s'installer tour à tour dans cette cage pour exposer leur corps aux oiseaux sauvages, espérant de cette manière expier les crimes commis autrefois dans ce pays et restés longtemps impunis. Même ces vilaines blessures que je vois devant moi ont été acquises de cette manière, et autant que je sache, un sentiment de piété allège votre souffrance. Pourtant, permettez-moi de vous dire que je ne ressens aucune pitié en voyant vos plaies. Comment pouvez-vous décrire l'occultation des actes les plus infâmes comme une pénitence ? Votre dieu chrétien se laisse-t-il corrompre si facilement par des souffrances volontaires et quelques prières ? Est-il si peu soucieux d'une justice laissée en suspens ?

— Notre dieu est un dieu de miséricorde, berger, que vous qui êtes païen avez peut-être des difficultés à comprendre. Il n'est pas stupide de rechercher le pardon d'un tel dieu, quelle que soit l'importance du crime. La miséricorde de notre dieu est infinie.

— À quoi bon un dieu d'une miséricorde infinie, monsieur ? Vous vous moquez de ma foi de païen, mais les dieux de mes ancêtres prononcent clairement leurs règles et nous châtient sévèrement quand nous enfreignons leurs lois. Votre dieu chrétien de miséricorde donne aux hommes la licence de donner libre cours à leur cupidité, à leur soif de sang et de conquête, sachant que quelques prières et un peu de pénitence leur apporteront pardon et bénédiction.

— Il est vrai, berger, que dans ce monastère certains croient encore à ces choses. Mais permettez-moi de vous assurer que Ninian et moi avons depuis longtemps renoncé à ces illusions, et que nous ne sommes pas les seuls. Nous savons que la miséricorde de notre dieu ne peut être abusée, et pourtant beaucoup de mes frères moines, y compris l'abbé, ne l'accepteront pas. Ils croient encore que cette cage, et nos prières constantes, seront suffisantes. Pourtant ces corbeaux et ces corneilles sont un signe de la colère de Dieu. Ils ne sont jamais venus avant. Même l'hiver dernier, alors que le vent a arraché des larmes aux plus forts d'entre nous, les oiseaux n'étaient que des enfants malicieux, leurs becs ne causant que des souffrances mineures. Un cliquètement de chaîne ou un cri suffisait à les tenir à distance. Mais aujourd'hui, une nouvelle race vient nous trouver, plus puissante, plus audacieuse, avec de la fureur dans les yeux. Ils nous déchirent avec une colère posée, en dépit de notre lutte et de nos hurlements. Nous avons perdu trois amis chers ces derniers mois, et un plus grand nombre de nos moines ont de profondes blessures. Ce sont sûrement des signes. »

L'attitude de Wistan s'était radoucie, mais il restait solidement planté devant le garçon. « Êtes-vous en train de me dire que j'ai des amis dans ce monastère ?

— Dans cette pièce, berger, oui. Ailleurs, nous restons divisés et, en ce moment même, ils discutent avec une grande passion de la manière dont nous devons continuer. L'abbé va insister pour conserver la même méthode. D'autres qui pensent comme nous diront qu'il est temps d'arrêter. Qu'aucun pardon ne nous attend au bout du chemin. Que nous devons découvrir ce qui a été caché et affronter le passé. Mais ces voix, je le crains, restent rares et ne l'emporteront pas. Berger, acceptez-vous à présent de me laisser examiner la plaie de ce garçon ? »

Wistan resta immobile un moment. Puis il s'écarta, faisant signe à Edwin de s'avancer. Aussitôt le moine silencieux aida le père Jonus à se redresser encore – les deux hommes étaient brusquement très animés – et, s'emparant du bougeoir au chevet du lit, il attira Edwin plus près, soulevant la chemise du garçon d'un geste impatient pour que le père Jonus voie bien. Ensuite, pendant ce qui parut être un long laps de temps, les deux moines se mirent à regarder la blessure d'Edwin – Ninian déplaçant la lumière d'un côté à l'autre – comme s'il s'agissait d'un étang à l'intérieur duquel était enfermé un monde en miniature. Enfin les moines échangèrent ce qu'Axl prit pour des regards de triomphe, mais le père Jonus retomba aussitôt en tremblant sur ses oreillers, avec une expression proche de la résignation ou bien de la tristesse. Quand Ninian se hâta de reposer la bougie pour s'occuper de lui, Edwin retourna dans l'ombre, aux côtés de Wistan.

« Père Jonus, dit Beatrice, maintenant que vous avez vu la plaie du garçon, dites-nous si elle est propre et si elle guérira d'elle-même. »

Les yeux du père Jonus étaient clos, et il respirait encore bruyamment, mais il répondit d'un ton très calme : « Je pense qu'elle guérira s'il en prend bien soin. Le père Ninian va préparer un onguent pour lui avant son départ d'ici.

— Mon père, reprit Beatrice, votre conversation présente avec maître Wistan échappe en partie à ma compréhension. Cependant elle m'intéresse énormément.

— Vraiment, madame ? » Le père Jonus, qui n'avait pas encore repris son souffle, ouvrit les yeux pour la regarder.

« La nuit dernière, dans un village de la vallée, répondit Beatrice, j'ai parlé avec une femme qui s'y connaissait en plantes médicinales. Elle avait beaucoup à dire sur ma maladie, mais lorsque je l'ai interrogée sur cette brume, cette même brume qui nous fait oublier l'heure précédente aussi promptement qu'une matinée écoulée depuis de nombreuses années, elle a avoué qu'elle ignorait ce que c'était et qui la fabriquait. Cependant elle a dit que s'il existait une personne assez sage pour le savoir, ce serait vous, père Jonus, dans ce monastère élevé. Mon mari et moi sommes donc venus ici, bien que ce soit une voie plus ardue pour gagner le village de notre fils, où nous sommes attendus avec impatience. J'espérais que vous nous diriez quelque chose sur cette brume et sur la façon dont Axl et moi pourrions nous en libérer. Il se peut que je sois une femme stupide, mais j'ai eu l'impression à l'instant, malgré tout ce que racontent les bergers, que vous parliez avec maître Wistan de cette même brume, très préoccupés par ce qui a été perdu de notre passé. Alors permettez-moi de vous poser cette question, ainsi qu'à maître Wistan. Savez-vous quelle est l'origine de la brume qui nous envahit ? »

Le père Jonus et Wistan échangèrent un regard. Puis Wistan dit tout bas :

« C'est la dragonne Querig, dame Beatrice, qui rôde sur ces sommets. Elle est la cause de la brume dont vous parlez. Pourtant les moines d'ici la protègent, et cela depuis des années. Je parierais que même aujourd'hui, s'ils apprennent mon identité, ils enverront des hommes me détruire.

— Père Jonus, est-ce la vérité ? demanda Beatrice. La brume est l'œuvre de cette dragonne ? »

Le moine, qui avait paru ailleurs quelques minutes, se tourna vers Beatrice. « Le berger dit vrai, madame. C'est le souffle de Querig qui emplit cette terre et nous dérobe nos souvenirs.

— Axl, tu entends cela ? La dragonne est la cause de la brume ? Si maître Wistan, ou n'importe qui d'autre, même ce vieux chevalier rencontré sur la route, parvient à tuer cette créature, nos souvenirs nous seront rendus ! Axl, pourquoi es-tu si silencieux ? »

En effet, Axl était perdu dans ses pensées, et bien qu'il eût entendu les paroles de son épouse, et remarqué son excitation, il se contenta de lui tendre la main. Avant qu'il eût trouvé ses mots, le père Jonus dit à Wistan :

« Berger, si vous savez être en danger, pourquoi vous attardez-vous ici ? Pourquoi ne pas prendre le garçon avec vous et partir ?

— Edwin a besoin de repos, et moi aussi.

— Mais vous faites tout le contraire, berger. Vous coupez du bois et vous errez comme un loup affamé.

— Lorsque nous sommes arrivés, votre tas de bûches était bas. Et les nuits sont froides dans ces montagnes.

— Il y a quelque chose d'autre qui m'intrigue, berger. Pourquoi le seigneur Brennus vous pourchasse-t-il comme il le fait ? Depuis des jours et des jours, ses soldats fouillent la région pour vous retrouver. Même l'an dernier, lorsqu'un autre homme est venu de l'est pour traquer Querig, Brennus était persuadé qu'il s'agissait de vous et a envoyé des hommes à votre recherche. Ils sont venus jusqu'ici pour demander à vous voir. Berger, qui êtes-vous pour Brennus ?

— Nous nous sommes connus très jeunes, avant même l'âge de ce garçon.

— Vous êtes venu dans ce pays en mission, berger. Pourquoi la compromettre pour régler de vieux comptes ? Je vous le dis, prenez ce garçon et remettez-vous en route, avant même que les moines sortent de leur assemblée.

— Si le seigneur Brennus me fait la politesse de venir me chercher ici cette nuit, je vais être obligé de rester et de l'affronter.

— Maître Wistan, dit Beatrice, je ne sais pas ce qu'il y a entre le seigneur Brennus et vous. Mais si vous avez pour mission de tuer la grande dragonne Querig, je vous en supplie, ne vous en laissez pas distraire. Vous aurez le temps de régler vos différends après.

— La dame a raison, berger. Je crains de savoir aussi le but de tout ce labeur de bûcheron. Écoutez ce que nous disons, monsieur. Le garçon vous offre une chance unique qui ne se représentera peut-être plus jamais sur votre route. Emmenez-le et partez. »

Wistan regarda le père Jonus d'un air pensif, puis inclina poliment la tête. « Je suis heureux de vous avoir rencontré, mon père. Et je vous prie de m'excuser si je me suis adressé à vous d'une manière discourtoise tout à l'heure. Mais à présent, permettez-nous à tous les deux de prendre congé de vous. Je sais que dame Beatrice souhaite encore vous consulter, et c'est une femme bonne et courageuse. Je vous prie instamment de préserver vos forces pour prendre soin d'elle. Par ailleurs, je vous remercie pour votre conseil, et je vous dis adieu. »

Couché dans l'obscurité, espérant encore trouver le sommeil, Axl essaya de se rappeler pourquoi il était resté si étrangement silencieux pendant la plus grande partie du temps passé dans la cellule du père Jonus. Il y avait eu une raison à cela, et même lorsque Beatrice, triomphante d'avoir découvert l'origine de la brume, s'était tournée vers lui pour s'exclamer, il avait seulement été capable de lui tendre sa main, sans prononcer un mot. Il était en proie à une émotion étrange et puissante, qui lui avait presque donné le sentiment d'être dans un rêve, même si chaque mot prononcé autour de lui résonnait à ses oreilles avec une parfaite clarté. Il s'était vu debout dans une barque sur une rivière hivernale, scrutant l'épais brouillard, sachant qu'il allait s'ouvrir à tout moment, révélant des fragments saisissants du paysage devant lui. Et il s'était senti étreint par une sorte de terreur, alors même qu'il éprouvait de la curiosité – ou quelque chose de plus profond et de plus sombre – et il s'était dit fermement : « Peu importe ce que c'est, je veux le voir, je veux le voir. »

Avait-il réellement prononcé ces mots à voix haute ? Peut-être que oui, à l'instant précis où Beatrice s'était tournée vers lui très excitée, s'exclamant : « Axl, tu entends ça ? La dragonne est la cause de la brume ! »

Il ne se souvenait pas distinctement de ce qui s'était passé une fois que Wistan et le garçon avaient quitté la chambre du père Jonus. Le moine silencieux, Ninian, avait dû partir avec eux, sans doute afin de leur procurer l'onguent pour la plaie d'Edwin, ou simplement pour les raccompagner à l'abri des regards. En tout cas, Beatrice et lui étaient restés seuls avec le père Jonus, et ce dernier, malgré ses blessures et son épuisement, avait examiné son épouse de manière approfondie. Le moine ne l'avait pas priée de retirer un vêtement – ce qui avait soulagé Axl – et bien que son souvenir fût brumeux, une image lui revint, celle du père Jonus posant l'oreille sur le flanc de Beatrice, les yeux fermés dans sa concentration comme si un message ténu était audible de l'intérieur. Axl revoyait aussi le moine clignant des yeux, en train de poser une série de questions à Beatrice. Avait-elle mal au cœur après avoir bu de l'eau ? Lui arrivait-il d'avoir mal à la nuque ? Il y avait aussi eu d'autres questions qu'Axl ne parvenait plus à se rappeler, mais Beatrice avait répondu par la négative à chacune d'elles tour à tour, et plus elle le faisait, plus il se sentait heureux. Une seule fois, quand Jonus lui avait demandé si elle avait remarqué du sang dans ses urines, et qu'elle avait répondu « oui, quelquefois », Axl s'était senti mal à l'aise. Mais le moine avait acquiescé, comme si c'était normal et prévisible, puis il était passé aussitôt à la question suivante. Comment cet examen avait-il pris fin ? Il revoyait le père Jonus souriant et disant : « Vous pouvez maintenant aller voir votre fils sans crainte », et Axl avait dit : « Tu vois, princesse, j'ai toujours su que ce n'était rien. » Ensuite le moine s'était recouché avec précaution dans son lit et avait repris son souffle. En l'absence de Ninian, Axl s'était empressé de remplir le verre du moine avec l'eau de la cruche, et le plaçant près de la bouche du malade, il avait vu de minuscules gouttelettes de sang glisser de sa lèvre inférieure et se diluer dans le liquide. Puis le père Jonus avait levé les yeux vers Beatrice et dit :

« Madame, vous paraissez heureuse de savoir la vérité sur cette chose que vous appelez la brume.

— Satisfaite en effet, mon père, car à présent une voie s'ouvre devant nous.

— Prenez garde, c'est un secret gardé jalousement par certains, bien qu'il soit peut-être préférable qu'il ne le reste pas plus longtemps.

— Ce n'est pas à moi de me soucier si c'est un secret ou pas, mais je suis contente. Axl et moi nous le savons et nous pouvons maintenant agir en conséquence.

— Pourtant êtes-vous si sûre, chère dame, de souhaiter être libérée de cette brume ? Ne vaut-il pas mieux que certaines choses restent cachées à nos esprits ?

— Pour certains peut-être, mon père, mais pas pour nous. Axl et moi souhaitons retrouver les moments de bonheur que nous avons partagés. En être privés, c'est comme si un voleur était venu dans la nuit nous prendre ce que nous avons de plus précieux.

— Pourtant la brume recouvre tous les souvenirs, les bons autant que les mauvais. N'en est-il pas ainsi, madame ?

— Les mauvais nous reviendront aussi, même s'ils nous font pleurer ou trembler de colère. Car n'est-ce pas la vie que nous avons vécue ensemble ?

— Vous n'avez donc pas peur des mauvais souvenirs, madame ?

— Qu'y a-t-il à craindre, mon père ? Ce que nous ressentons l'un pour l'autre au fond de notre cœur nous dit que le chemin pris ici ne peut receler aucun danger pour nous, quand bien même la brume nous le cacherait. C'est comme une histoire qui finit bien, quand même un enfant sait qu'il n'a pas à en redouter les péripéties. Axl et moi nous rappellerons notre vie commune, quelle que soit sa forme, car c'est une chose qui nous est chère. »

Un oiseau avait dû traverser le plafond au-dessus de lui. Le bruit l'avait fait sursauter, et Axl se rendit compte alors qu'il s'était réellement endormi une minute ou deux. Il remarqua aussi que le bruit de la hache avait cessé, et que le silence régnait au-dehors. Le guerrier était-il revenu dans leur chambre ? Axl n'avait rien entendu, et il ne vit aucun signe, de l'autre côté de la forme sombre de la table, de la présence d'un autre dormeur du côté où se trouvait Edwin. Qu'avait dit le père Jonus après avoir examiné Beatrice et mis un terme à ses questions ? Oui, avait-elle dit, elle avait remarqué du sang dans ses urines, mais il avait souri et avait demandé autre chose. Tu vois, princesse, avait observé Axl, je t'ai toujours dit que ce n'était rien. Et le père Jonus avait souri, malgré ses blessures et son épuisement, il avait dit, vous pouvez aller voir votre fils sans crainte. Mais ces questions n'avaient jamais été celles que redoutait Beatrice. Beatrice, il le savait, redoutait les questions du batelier, à qui il serait plus difficile de répondre qu'au père Jonus, et c'était pourquoi elle avait été si heureuse d'apprendre la cause de la brume. Axl, tu entends cela ? Elle avait été triomphante. Axl, tu entends cela ? avait-elle demandé, le visage rayonnant.

CHAPITRE 7

Une main le secouait, mais lorsque Axl s'assit, la forme était déjà de l'autre côté de la pièce, courbée au-dessus d'Edwin, chuchotant : « Dépêche-toi, petit, dépêche-toi ! Et pas un bruit ! » Beatrice était éveillée à côté de lui, et Axl se leva, chancelant, saisi par l'air froid, puis se pencha pour saisir les mains tendues de sa femme.

C'était encore le cœur de la nuit, mais des voix résonnaient dehors et des torches brûlaient sûrement en bas dans la cour, car des taches lumineuses éclairaient à présent le mur en face de la fenêtre. Le moine qui les avait réveillés tirait le garçon encore à demi endormi de leur côté, et Axl reconnut la démarche claudicante du père Brian avant que son visage émergeât de l'obscurité.

« Je vais essayer de vous sauver, mes amis, dit le père, toujours à voix basse, mais vous devez vous presser et faire ce que je vous demande. Des soldats sont arrivés, une vingtaine, ou même une trentaine, pour vous faire la chasse. Ils ont déjà attrapé le frère saxon le plus âgé, mais il est vif et s'emploie à les occuper, vous donnant une chance de vous enfuir. Du calme, petit, reste avec moi ! » Edwin s'approchait de la fenêtre, mais le père Brian lui avait empoigné le bras pour le retenir. « J'ai l'intention de vous conduire en lieu sûr, mais nous devons d'abord quitter cette pièce sans être vus. Des soldats traversent la cour, par chance ils ont les yeux fixés sur la tour où le Saxon résiste encore. Avec l'aide de Dieu ils ne nous remarqueront pas en train de descendre l'escalier extérieur, et le pire sera alors derrière nous. Mais ne faites aucun bruit qui puisse attirer leur regard, et prenez soin de ne pas trébucher sur les marches. Je vais passer en premier, puis je vous ferai signe de me suivre le moment venu. Non, madame, vous devez laisser ici votre balluchon. Il vaut mieux garder la vie sauve ! »

Ils s'accroupirent près de la porte et écoutèrent les pas du père Brian descendre avec une lenteur angoissante. Enfin, lorsque Axl glissa un regard prudent sur le seuil, il vit des torches se déplacer à l'autre extrémité de la cour ; mais avant qu'il ait pu discerner clairement ce qui se passait, son attention fut attirée par le père Brian, debout au bas de l'escalier, lui adressant des signes frénétiques.

L'escalier, traversant la façade en diagonale, était presque entièrement plongé dans l'ombre, à l'exception d'une tache de clair de lune éblouissante, tout près du sol.

« Suis-moi de près, princesse, recommanda Axl. Ne regarde pas la cour, mais fixe le bord de la prochaine marche, sinon la chute sera dure et seuls des ennemis viendront à notre aide. Répète ce que je viens de te dire au garçon, et laissons tout cela derrière nous. »

En dépit de ses propres instructions, Axl ne put s'empêcher de jeter des coups d'œil en bas pendant sa descente. À l'autre bout de la cour, des soldats s'étaient réunis autour d'une tour cylindrique en pierre dominant le bâtiment où les moines avaient tenu leur assemblée. Ils agitaient des torches enflammées, et le désordre semblait régner dans leurs rangs. Lorsque Axl parvint au milieu de l'escalier, deux soldats se détachèrent du groupe pour s'élancer dans la cour, et il fut certain qu'ils avaient été repérés. Mais les hommes disparurent dans l'embrasure d'une porte, et Axl, soulagé, conduisit Beatrice et Edwin à l'ombre des cloîtres où les attendait le père Brian.

Ils suivirent le moine dans d'étroits couloirs, dont certains étaient sans doute ceux qu'ils avaient empruntés plus tôt avec le père silencieux, Ninian. Souvent plongés dans une totale obscurité, ils se repéraient au chuintement rythmé du pied de leur guide sur le sol. Puis ils arrivèrent dans une pièce dont le plafond était en partie effondré. Le clair de lune l'inondait, révélant des piles de caisses en bois et des meubles brisés. Axl sentit une odeur de moisi et d'eau stagnante.

« Courage, mes amis », dit le père Brian, qui avait cessé de chuchoter. Il s'était dirigé vers un angle et écartait des objets.

« Vous êtes presque en sécurité.

— Mon père, dit Axl, nous vous sommes reconnaissants de nous sauver, mais s'il vous plaît, expliquez-nous ce qui s'est passé. »

Le père Brian continua de dégager l'emplacement, et répondit sans lever les yeux : « C'est un mystère, monsieur. Ils sont venus cette nuit sans y être invités, s'engouffrant par les portes pour envahir le monastère comme s'ils étaient chez eux. Ils ont réclamé les deux jeunes Saxons arrivés hier, et même s'ils n'ont pas parlé de vous ni de votre épouse, je doute qu'ils vous traitent avec bienveillance. Ils souhaitent sûrement assassiner ce garçon, et c'est le sort qu'ils comptent réserver à son frère. Vous devez vous sauver vous-mêmes, vous aurez tout le temps après de méditer le comportement des soldats.

— Maître Wistan était un inconnu pour nous ce matin à peine, dit Beatrice, mais nous sommes inquiets à l'idée de nous enfuir alors qu'un effroyable destin l'attend.

— Les soldats peuvent encore nous rattraper, madame, car nous n'avons verrouillé aucune porte derrière nous. Et si cet homme couvre votre fuite grâce à son courage, prêt à la payer de sa propre vie, saisissez l'occasion avec reconnaissance. Sous cette trappe se trouve un tunnel creusé dans l'ancien temps. Il vous conduira sous terre jusqu'à la forêt, où vous ressortirez loin de vos poursuivants. Maintenant aidez-moi à la soulever, monsieur, elle est trop lourde pour moi tout seul. »

Même à deux, ils eurent de la difficulté à remonter la trappe qui, une fois posée à un angle vertical, révéla un carré de nuit plus noir encore.

« Laissez le garçon passer en premier, dit le moine, car il y a des années qu'aucun de nous n'a utilisé ce passage et qui sait si les marches ne se sont pas effondrées. Il a le pied léger et supporterait mieux une chute. »

Mais Edwin était en train de confier quelque chose à Beatrice, et elle dit alors : « Maître Edwin souhaite porter secours à maître Wistan.

— Dis-lui, princesse, que nous aiderons mieux Wistan en réussissant notre évasion par ce tunnel. Raconte au garçon ce que tu veux, mais persuade-le de se dépêcher. »

Pendant que Beatrice lui parlait, un changement parut se produire en lui. Il fixait le trou dans le sol, et ses yeux, illuminés par le clair de lune, semblèrent à cet instant empreints d'une étrange lueur, comme s'il était envoûté. Beatrice parlait encore lorsque Edwin s'approcha de la trappe et, sans un regard vers eux, descendit dans l'obscurité et disparut. Quand le bruit de ses pas s'estompa, Axl prit la main de Beatrice et dit :

« Allons-y aussi, princesse. Reste près de moi. »

Les marches conduisant sous terre n'étaient pas hautes – des pierres plates enfoncées dans la terre – et paraissaient assez solides. Ils distinguaient vaguement le tunnel grâce à la lumière de la trappe ouverte au-dessus d'eux, mais à l'instant où Axl se retourna pour parler au père Brian, le panneau se referma avec un bruit fracassant.

Ils s'arrêtèrent tous les trois et restèrent un moment très immobiles. L'air n'était pas aussi vicié qu'Axl l'avait redouté ; il sentit même une légère brise. Un peu plus loin, Edwin commença à parler, et Beatrice lui répondit en chuchotant. Puis elle dit doucement :

« Le garçon demande pourquoi le père Brian a refermé la trappe sur nous de cette façon. Je lui ai répondu qu'il était sans doute soucieux de dissimuler le tunnel aux soldats qui pénètrent peut-être en ce moment dans la pièce. Néanmoins, Axl, cela m'a paru à moi aussi un peu bizarre. Et n'est-ce pas lui qui est en train de pousser des objets sur la trappe ? Si nous trouvons la voie obstruée par de la terre ou de l'eau, alors que le père affirme que personne n'a emprunté ce chemin depuis des années, comment pourrons-nous revenir et soulever cette trappe qui est déjà si lourde, avec des objets empilés dessus ?

— C'est bizarre en effet. Mais il y a des soldats dans le monastère, c'est indéniable, puisque nous les avons vus de nos propres yeux. Nous n'avons donc pas d'autre choix que d'aller de l'avant et de prier pour que ce tunnel nous mène sans encombre jusqu'à la forêt. Dis au garçon de continuer d'avancer, mais lentement, une main posée sur ce mur moussu, car je crains que ce passage ne devienne encore plus sombre. »

En progressant ils découvrirent qu'il y avait une faible lumière, et par moments ils réussirent même à s'entrapercevoir. Des flaques soudaines surprenaient leurs pas et plus d'une fois durant cette étape du voyage, Axl crut entendre un bruit au-dessus de lui, mais comme ni Edwin ni Beatrice ne réagissaient, il mit cela sur le compte de son imagination exacerbée. À cet instant, Edwin s'arrêta brusquement, et Axl faillit se heurter à lui. Il sentit dans son dos Beatrice lui étreindre la main, et ils restèrent quelques minutes immobiles dans l'obscurité. Puis Beatrice se rapprocha encore de lui, et il sentit la tiédeur de son souffle sur sa nuque lorsqu'elle demanda en un chuchotement d'une infinie douceur : « Tu l'entends, Axl ?

— Quoi donc, princesse ? »

La main d'Edwin le toucha en guise d'avertissement, et ils se turent à nouveau. Beatrice lui dit enfin à l'oreille : « Il y a quelque chose avec nous, Axl.

— Peut-être une chauve-souris, princesse. Ou un rat.

— Non, Axl. Je l'entends maintenant. C'est la respiration d'un homme. »

Axl écouta encore. Puis retentit un son aigu, un bruit de frottement qui se répéta trois, quatre fois, juste à côté d'eux. Il y eut des éclairs lumineux, puis une minuscule flamme qui grandit brièvement et révéla la forme d'un homme assis, puis ce fut de nouveau la nuit.

« Ne craignez rien, mes amis, dit une voix. Ce n'est que Gauvain, le chevalier d'Arthur. Dès que cet amadou aura pris, nous nous verrons mieux. »

Il y eut d'autres crissements de silex, puis une bougie s'alluma enfin et se mit à brûler.

Sire Gauvain était assis sur un monticule sombre. Ce n'était manifestement pas un siège idéal car il avait une posture bizarre, telle une poupée géante sur le point de s'écrouler. La bougie projetait des ombres vacillantes sur son visage et le haut de son torse et il respirait fort. Comme avant, il portait sa tunique et son armure ; son épée, non engainée, avait été jetée obliquement dans le sol au pied du monticule. Il les fixa d'un œil torve, déplaçant la bougie d'un visage à l'autre.

« Vous êtes tous là, donc, dit-il enfin. Je suis soulagé.

— Vous nous surprenez, sire Gauvain, répondit Axl. Quel sens cela a-t-il de vous cacher ici ?

— Je suis ici depuis un bon moment, et je marche devant vous, mes amis. Mais avec cette épée et cette armure, et ma haute taille qui me fait trébucher et me force à avancer tête baissée, je ne peux pas aller vite et voilà que vous m'avez découvert.

— Vous ne vous expliquez guère, sire. Pourquoi marchez-vous devant nous ?

— Pour vous défendre, maître Axl ! La triste vérité est que les moines vous ont trompés. Une bête réside dans ce tunnel et ils comptent que vous périssiez sous ses coups. Par chance, tous les moines ne pensent pas ainsi. Ninian, le moine silencieux, m'a fait descendre ici en secret et je vais vous guider en lieu sûr.

— Cette nouvelle nous accable, sire Gauvain, répondit Axl. Mais d'abord parlez-nous de la bête que vous mentionnez. Quelle est sa nature et nous menace-t-elle alors que nous sommes ici ?

— Je suppose que oui, monsieur. Les moines ne vous auraient pas expédiés ici s'ils ne l'espéraient pas. Ils agissent toujours ainsi. En tant qu'hommes du

Christ, ils n'ont pas accès à l'épée, ni même au poison. Ils envoient donc ici ceux dont ils souhaitent la mort, et dans un jour ou deux ils l'auront oublié. Oh oui, c'est leur méthode, surtout celle de l'abbé. Dimanche il se sera peut-être même persuadé qu'il vous a sauvés des griffes de ces soldats. Et s'il se prend à y penser, il déclinera toute responsabilité, ou qualifiera de volonté divine l'œuvre du monstre qui rôde dans ce tunnel. Voyons ce que Dieu veut ce soir, maintenant qu'un chevalier du roi Arthur marche devant vous !

— Vous dites, sire Gauvain, demanda Beatrice, que les moines veulent notre mort ?

— Ils souhaitent certainement la mort de ce garçon, madame. J'ai essayé de leur faire comprendre que ce n'était pas nécessaire, j'ai même fait la promesse solennelle de l'emmener très loin de ce pays, mais non, ils ont refusé de m'écouter ! Ils ne veulent pas risquer de le laisser partir, même si maître Wistan est capturé ou tué, car qui sait s'il ne viendra pas un jour un autre homme à la recherche de ce garçon. Je vais l'emmener très loin, ai-je affirmé, mais ils redoutent ce qui peut se passer et veulent sa mort. Vous et votre cher époux auriez pu être épargnés, mais vous auriez inévitablement été témoins de leurs actes. Si j'avais prévu tout cela, me serais-je rendu dans ce monastère ? Qui sait ? Il m'a semblé alors que c'était mon devoir, n'est-ce pas ? Mais leurs plans concernant le garçon, et un couple chrétien innocent, je ne pouvais pas le permettre ! Par chance, tous les moines ne pensent pas de la même façon, vous savez, et Ninian, le silencieux, m'a conduit ici en douce. J'avais l'intention de prendre beaucoup plus d'avance sur vous, mais cette armure et ma taille encombrante – combien de fois l'ai-je maudite au cours des années ! Quel avantage y a-t-il à être aussi grand ? Pour chaque poire haut perchée que j'ai atteinte, une flèche qui aurait manqué un homme plus petit m'a menacé !

— Sire Gauvain, dit Axl, quelle est cette bête qui, dites-vous, réside dans ce souterrain ?

— Je ne l'ai jamais vue, je connais seulement ceux que les moines envoient périr ici.

— Est-ce qu'elle peut être tuée par l'épée ordinaire d'un simple mortel ?

— Que dites-vous, monsieur ? Je suis un simple mortel, je ne le nie pas, mais je suis un chevalier bien entraîné et encouragé durant les longues années de ma jeunesse par le grand Arthur, qui m'a appris à affronter toutes sortes de défis avec enthousiasme, même lorsque la peur s'insinue jusque dans la moelle, car si nous sommes mortels, brillons du moins de tous nos feux aux yeux de Dieu pendant que nous marchons sur cette terre ! Comme tous ceux qui ont soutenu Arthur, monsieur, j'ai affronté des démons, des monstres et les sombres desseins des hommes, et j'ai toujours défendu l'exemple de mon grand roi, même au cœur d'une bataille féroce. Que suggérez-vous donc, monsieur ? Comment osez-vous ? Y étiez-vous ? *Moi* j'y étais, monsieur, et j'ai tout vu avec les yeux qui vous fixent à présent ! Mais peu importe, peu importe, mes amis, c'est une discussion à reprendre une autre fois. Pardonnez-moi, nous avons d'autres questions à régler, bien sûr que oui. Qu'avez-vous demandé, monsieur ? Ah oui, cette bête, oui, je crois comprendre qu'elle est d'une férocité monstrueuse, ni démon ni esprit, et que cette épée suffira à la tuer.

— Mais, sire Gauvain, dit Beatrice, vous nous proposez vraiment de poursuivre notre marche dans ce tunnel, sachant ce que nous venons d'apprendre ?

— Quel autre choix avons-nous, madame ? Si je ne me trompe, l'accès du monastère est bloqué à notre intention, pourtant cette même trappe peut s'ouvrir à tout moment pour laisser entrer quatre soldats dans le tunnel. Il n'y a rien d'autre à faire que de continuer, et malgré cette bête solitaire qui entrave notre chemin, nous nous retrouverons sans doute bientôt dans la forêt, loin de vos poursuivants, car Ninian m'assure que c'est un vrai tunnel, bien entretenu. Mettons-nous donc en route avant que cette bougie s'éteigne, car je n'en ai pas d'autre.

— Lui ferons-nous confiance, Axl ? » demanda Beatrice, ne prenant pas la peine d'empêcher sire Gauvain d'entendre ses paroles. « J'ai la tête qui tourne et je répugne à croire que notre aimable père Brian nous a trompés. Pourtant ce que dit ce chevalier a l'accent de la vérité.

— Suivons-le, princesse. Sire Gauvain, nous vous remercions pour vos efforts. S'il vous plaît, conduisez-nous maintenant en lieu sûr, et espérons que cette bête sommeille ou soit partie rôder dans la nuit.

« — Je crains que nous n'ayons pas cette chance. Mais venez, mes amis, armons-nous de courage. » Le vieux chevalier se releva lentement, puis tendit la bougie à bout de bras. « Maître Axl, pourriez-vous porter cette flamme, car j'ai besoin de mes deux mains pour tenir mon épée. »

Ils continuèrent dans le tunnel, sire Gauvain en éclaireur, Axl suivant avec la flamme, Beatrice derrière lui, cramponnée à son bras, et Edwin fermant la marche. Le passage était si étroit qu'ils n'eurent d'autre choix que d'avancer à la queue leu leu, et le plafond de mousse suspendue et de racines enchevêtrées s'abaissa au point que Beatrice fut elle aussi forcée de se courber. Axl fit de son mieux pour tenir la bougie assez haut, mais la brise soufflait plus fort dans le tunnel, et il était souvent obligé d'abriter la flamme de son autre main. Sire Gauvain, cependant, ne se plaignit jamais, et sa silhouette, l'épée dressée au-dessus de son épaule, ne fléchit pas une fois. Puis Beatrice poussa une exclamation et étreignit le bras d'Axl.

« Qu'y a-t-il, princesse ?

— Oh, Axl, arrête-toi ! Mon pied a touché quelque chose, mais ta bougie a bougé trop vite.

— Qu'importe, princesse ? Nous devons continuer.

— Axl j'ai cru que c'était un enfant ! Mon pied l'a touché et je l'ai vu avant que la lumière soit passée. Oh, je pense que c'est un petit enfant mort depuis longtemps !

— Allons, princesse, ne t'affole pas. Où est-ce que tu l'as vu ?

— Venez, venez, mes amis, dit sire Gauvain dans le noir. Dans cet endroit il y a beaucoup de choses qu'il vaut mieux ne pas voir. »

Beatrice ne parut pas entendre le chevalier. « C'était par ici, Axl. Approche la bougie. Là-dessous, Axl, dirige-la vers le sol, bien que je redoute de revoir sa pauvre figure ! »

Malgré son conseil, sire Gauvain avait rebroussé chemin, et Edwin avait rejoint Beatrice lui aussi. Axl s'accroupit et, penché en avant, déplaça la bougie ici et là, révélant de la terre humide, des racines d'arbre et des pierres. Puis la flamme illumina une grosse chauve-souris couchée sur le dos, l'air paisiblement endormie, les ailes écartées. Sa fourrure paraissait mouillée et gluante. La face porcine était glabre, et de petites flaques s'étaient formées dans les cavités des ailes déployées. La créature aurait pu en effet être assoupie, n'eût été la blessure sur son torse. Lorsque Axl approcha encore la flamme, ils fixèrent tous le trou circulaire qui s'étendait du bas de la poitrine de l'animal jusqu'à son ventre, englobant une partie de la cage thoracique de chaque côté. La plaie était curieusement propre, comme si quelqu'un avait pris une bouchée de pomme croquante.

« Quel animal aurait pu accomplir une pareille besogne ? » demanda Axl.

Il avait dû faire un geste trop vif car à cet instant la flamme de la bougie crachota et s'éteignit.

« Ne vous inquiétez pas, mes amis, dit sire Gauvain. Je vais retrouver mon amadou.

— Ne te l'avais-je pas dit, Axl ? » Beatrice était au

bord des larmes. « Dès que mon pied l'a touché, j'ai su que c'était un bébé.

— Que dis-tu, princesse ? Ce n'est pas un bébé. Que dis-tu ?

— Qu'a-t-il pu arriver à ce pauvre enfant ? Et à ses parents ?

— Princesse, c'est juste une chauve-souris, le genre d'animal qui hante souvent les lieux obscurs.

— Oh, Axl, c'était un bébé, j'en suis certaine !

— Je regrette que cette flamme se soit éteinte, sinon je te la montrerais de nouveau. C'est une chauve-souris, rien de plus, pourtant je voudrais voir encore sur quoi elle repose. Sire Gauvain, l'avez-vous remarqué ?

— Je ne sais pas de quoi vous parlez, monsieur.

— Il m'a semblé que l'animal reposait sur un lit d'ossements, car j'ai cru voir un ou deux crânes qui avaient sûrement appartenu à des humains.

— Que suggérez-vous, monsieur ? » Sire Gauvain éleva imprudemment la voix. « Quels crânes ? Je n'ai vu aucun crâne, monsieur ! Seulement une chauve-souris à qui il est arrivé malheur ! »

Beatrice sanglotait en silence, et Axl se redressa pour l'étreindre.

« Ce n'était pas un enfant, princesse, dit-il avec plus de douceur. Ne t'inquiète pas.

— Une mort si solitaire. Où étaient ses parents, Axl ?

— Que voulez-vous dire, monsieur ? Des crânes ? Je n'ai pas vu de crânes ! Et quelle importance, s'il y a ici quelques vieux os ? Qu'y a-t-il là d'extraordinaire ?

Ne sommes-nous pas sous terre ? Je n'ai vu aucun lit d'ossements, je ne sais pas ce que vous entendez par là, maître Axl. Vous y étiez, monsieur ? Vous avez combattu aux côtés du grand Arthur ? Je suis fier de dire que je l'ai fait, monsieur, et ce fut un commandant aussi clément que vaillant. Oui, en effet, c'est moi qui suis allé voir l'abbé pour l'informer de l'identité de maître Wistan et le prévenir de ses intentions, mais est-ce que j'avais le choix ? Pouvais-je deviner la noirceur du cœur de ces saints hommes ? Vos suggestions sont déplacées, monsieur ! C'est une insulte à ceux qui se sont ralliés au grand Arthur ! Il n'y a pas de lits d'ossements ici ! Et ne suis-je pas là pour vous sauver ?

— Sire Gauvain, votre voix résonne trop fort, et qui sait où sont les soldats en ce moment ?

— Qu'aurais-je pu faire, monsieur, sachant ce que je savais ? Oui, je suis allé parler à l'abbé, mais comment aurais-je deviné la noirceur de son cœur ? Et ce pauvre Jonus, un homme si bon, le foie perforé par des coups de bec, qui n'en a plus pour longtemps, pendant que cet abbé s'en sort avec à peine une égratignure de serres... »

Sire Gauvain se tut, interrompu par un bruit venu du fond du tunnel. Il était difficile de déterminer à quelle distance, mais c'était indéniablement le cri d'une bête ; on aurait dit le hurlement d'un loup, mais il rappelait aussi le grondement sourd de l'ours. Il ne s'était pas prolongé, mais Axl avait aussitôt serré Beatrice contre lui, et sire Gauvain avait empoigné son épée posée sur le sol. Quelques instants ils restèrent immobiles en silence, guettant le retour du cri. Mais il n'y eut rien d'autre, et soudain sire Gauvain se mit à rire en silence, retenant son souffle. Tandis qu'il continuait à rire, Beatrice dit à l'oreille d'Axl : « Partons d'ici, cher époux. Je ne veux plus songer à cette tombe solitaire. »

Sire Gauvain se calma, disant : « C'est peut-être la bête que nous avons entendue, mais nous n'avons d'autre choix que de continuer. Allons, mes amis, mettons fin à cette querelle. Nous rallumerons bientôt la bougie, mais avançons un peu dans le noir car la lumière risquerait d'attirer la bête. Cette pâle clarté est suffisante pour marcher. Venez, mes amis, oublions notre querelle. Mon épée est prête, mettons-nous en route. »

Le tunnel devint plus tortueux, et ils avancèrent avec une plus grande prudence, redoutant ce que chaque tournant pourrait révéler. Cependant ils ne rencontrèrent aucun obstacle, et n'entendirent plus le cri. Puis le tunnel descendit abruptement sur une bonne distance avant de déboucher dans une vaste pièce souterraine.

Ils s'arrêtèrent tous pour reprendre leur souffle et examiner leur nouvel environnement. Après cette longue marche, la terre frôlant leurs têtes, ce fut un soulagement de voir le haut plafond au-dessus d'eux, composé d'un matériau plus solide. Une fois que sire Gauvain eut rallumé la bougie, Axl se rendit compte qu'ils se trouvaient dans une sorte de mausolée, dont les parois portaient les traces de fresques et de lettres romaines. Devant eux, deux robustes piliers marquaient l'entrée d'une autre pièce de proportions comparables dont le seuil était illuminé par une flaque de clair de lune. Sa source n'était pas visible : peut-être, derrière la haute arche soutenue par les deux piliers, y avait-il une ouverture qui, à cet instant, par pur hasard, était dans l'alignement de la lune. La clarté inondait une bonne partie de la mousse et des champignons sur les piliers, ainsi qu'une section de la pièce suivante, dont le sol semblait couvert de débris, mais qui, se rendit bientôt compte Axl, était constitué d'une vaste épaisseur d'ossements. Il lui vint alors à l'esprit qu'il y avait sous ses pieds d'autres squelettes brisés, et que ce sol étrange s'étendait sur toute la surface des deux pièces.

« Ce doit être un ancien lieu de sépulture, dit-il à voix haute. Mais une multitude de gens sont ensevelis ici.

— Un lieu de sépulture, marmonna sire Gauvain. Oui, un lieu de sépulture. » Il tournait lentement dans la pièce, tenant l'épée d'une main, la bougie de l'autre. Il se dirigea vers l'arche, mais s'arrêta juste avant le seuil, comme s'il était soudain intimidé par le clair de lune éblouissant. Il planta son épée dans le sol, et Axl regarda sa silhouette appuyée sur son arme, tandis qu'il déplaçait la bougie de haut en bas d'un air las.

« Nous n'avons pas besoin de nous quereller, maître Axl. Ce sont des crânes humains, je ne le nie pas. Ici un bras, là une jambe, un tas d'ossements aujourd'hui. Un ancien lieu de sépulture. C'est possible. J'ose dire, monsieur, que notre pays tout entier est ainsi fait. Une belle vallée verdoyante. Un joli taillis au printemps. Creusez le sol, et un peu au-dessous des pâquerettes et des boutons-d'or viennent les morts. Et je ne parle pas que de ceux qui ont eu des funérailles chrétiennes. Sous notre sol demeurent les vestiges des anciens massacres. Horace et moi, nous en avons assez. Nous en avons assez, et nous ne sommes plus jeunes.

— Sire Gauvain, dit Axl, nous n'avons qu'une épée pour deux. Je vous prie de ne pas céder à la mélancolie, et de ne pas oublier que la bête est proche.

— Je ne l'oublie pas, monsieur. Je considère simplement cette entrée devant nous. Regardez là-haut, vous la voyez ? » Sire Gauvain tenait la bougie de façon à révéler, le long du bord inférieur de l'arche, ce qui ressemblait à une rangée de fers de lance pointés vers le sol.

« Une herse, dit Axl.

— Exactement monsieur. Ce portail n'est pas si vieux. Plus jeune que vous et moi, je parie. On l'a édifié à notre intention, dans l'espoir que nous le franchirions. Regardez ici, les cordes qui le maintiennent. Et là, les poulies. Quelqu'un vient souvent ici pour lever et abaisser ce portail, et peut-être nourrir la bête. » Sire Gauvain s'approcha des piliers, les os craquant sous ses pas. « Si je coupe cette corde, le portail va sûrement s'effondrer, il bloquera la sortie. Mais si la bête se trouve dehors, nous serons protégés d'elle. Est-ce le petit Saxon que j'entends ou un elfe prisonnier ici ? »

Dans l'ombre, Edwin avait en effet commencé à chanter ; tout bas au début, et Axl avait pensé que le garçon calmait ses nerfs, mais ensuite sa voix était devenue plus forte. Son chant ressemblait à une lente berceuse, il la restituait le visage tourné vers le mur, se balançant à peine.

« Il se comporte comme un garçon ensorcelé, dit sire Gauvain. Peu importe, nous devons décider à présent, maître Axl. Allons-nous franchir ce seuil ? Ou bien couper cette corde pour nous octroyer au moins un instant à l'abri de ce qui se trouve de l'autre côté ?

— Coupons la corde, sire. Nous pourrons sûrement remonter le portail quand nous le souhaiterons. Découvrons d'abord ce que nous avons en face de nous lorsqu'il est abaissé.

— Un sage conseil, monsieur. Je ferai ce que vous suggérez. »

Tendant la bougie à Axl, sire Gauvain fit un pas en avant, leva son épée et la lança contre le pilier. On entendit le son du métal heurtant la pierre, et la partie inférieure de la grille trembla, mais resta suspendue. Sire Gauvain soupira avec un léger embarras. Puis il se mit de nouveau en position, leva son épée, et frappa encore.

Cette fois il y eut un craquement, et le portail s'effondra, soulevant un nuage de poussière sous le clair de lune. Le bruit parut immense – Edwin interrompit abruptement son chant – et Axl regarda à travers la grille de fer qui s'était abattue devant eux pour voir ce qu'elle déclenchait. Mais il n'y eut aucun signe de la bête, et au bout d'un moment ils relâchèrent tous leur respiration.

Bien qu'ils fussent désormais pris au piège pour de bon, l'abaissement de la herse leur procura un sentiment de soulagement, et ils commencèrent tous les quatre à se promener dans le mausolée. Sire Gauvain, qui avait rengainé son épée, s'approcha des barreaux et les toucha avec précaution.

« Du fer solide, dit-il. Il fera son office. »

Beatrice, qui se taisait depuis quelque temps, vint près d'Axl et appuya la tête contre sa poitrine. Lorsqu'il l'entoura de son bras, il se rendit compte que sa joue était mouillée de larmes.

« Voyons, princesse, dit-il, courage. Nous allons bientôt retrouver l'air de la nuit.

— Tous ces crânes, Axl. Il y en a tant ! Cette bête peut-elle vraiment en avoir tué autant ? »

Elle avait parlé à voix basse, mais sire Gauvain se tourna vers eux. « Que suggérez-vous, madame ? Que *j'ai* commis ce massacre ? » Il prononça ces mots d'un ton las, sans trace de la colère dont il avait fait preuve plus tôt dans le tunnel, mais il y avait dans sa voix une étrange intensité. « Tant de crânes, dites-vous. Mais ne sommes-nous pas sous terre ? Qu'imaginez-vous ? Qu'un seul chevalier d'Arthur a tué tant de gens ? » Il se retourna vers le portail et glissa un doigt sur l'un des barreaux. « Une fois, il y a des années, dans un rêve, je me suis vu en train de tuer l'ennemi. C'était dans mon sommeil, il y a très longtemps. Des ennemis, par centaines, peut-être aussi nombreux que ces crânes. Je combattais et combattais. Juste un rêve stupide, mais je m'en souviens encore. » Il soupira, puis regarda Beatrice. « Je ne sais pas comment vous répondre, madame. J'ai agi de la façon qui, croyais-je, plairait à Dieu. Comment aurais-je pu deviner la noirceur des cœurs de ces maudits moines ? Horace et moi avons atteint le monastère quand le soleil était encore haut, peu après votre arrivée, car je supposais alors qu'il me fallait parler d'urgence à l'abbé. J'ai découvert ensuite qu'il conspirait contre vous, et j'ai feint la complaisance. Je lui ai dit adieu, et ils ont tous cru que j'étais parti, mais j'ai laissé Horace dans la forêt et je suis revenu ici à pied, caché par la nuit. Tous les moines ne pensent pas de la même façon, Dieu merci. Je savais que le bon Jonus me recevrait. Et, apprenant par lui les desseins de l'abbé, je me suis fait accompagner en secret par Ninian à l'endroit où je vous ai attendus. Malédiction, le garçon recommence ! »

En effet, Edwin chantait encore, moins fort qu'avant, mais dans une curieuse posture. Il s'était courbé en avant, un poing sur chaque tempe, et se déplaçait lentement dans l'ombre comme quelqu'un qui aurait interprété le rôle d'un animal dans une danse.

« Les événements récents l'ont sûrement étourdi, observa Axl. C'est un miracle qu'il ait manifesté un tel courage, et nous devrons bien nous occuper de lui une fois que nous serons loin d'ici. Mais, sire Gauvain, dites-nous à présent pourquoi les moines cherchent-ils à assassiner un enfant aussi innocent ?

— J'ai eu beau argumenter, monsieur, l'abbé voulait la destruction du garçon. J'ai donc laissé Horace dans la forêt et je suis revenu sur mes pas...

— Sire Gauvain, expliquez-nous je vous prie. Cela a-t-il un rapport avec la blessure de l'ogre ? Ce sont pourtant des hommes ayant reçu une éducation chrétienne.

— Il ne s'agit pas d'une morsure d'ogre. C'est un dragon qui a infligé cette blessure à l'enfant. Je l'ai vu tout de suite hier, quand le soldat a soulevé sa chemise. Qui sait comment il a rencontré un dragon, mais c'est bien une morsure de dragon, et maintenant le désir de connaître une dragonne va parcourir ses veines. Et à son tour, une dragonne assez proche pour sentir son odeur va venir à sa recherche. C'est pourquoi maître Wistan affectionne autant son protégé, monsieur. Il croit que maître Edwin va le conduire à Querig. Pour cette même raison, les moines et ces soldats veulent sa mort. Regardez, il devient encore plus déchaîné !

— Que sont tous ces crânes, monsieur ? demanda soudain Beatrice au chevalier. Pourquoi y en a-t-il autant ? Peuvent-ils tous avoir appartenu à des bébés ? Certains sont sans aucun doute assez petits pour tenir dans le creux de la paume.

— Princesse, ne t'inquiète pas. C'est un lieu de sépulture, rien d'autre !

— Que suggérez-vous, madame ? Des crânes de bébés ? J'ai combattu des hommes, des démons, des dragons. Mais un massacreur d'enfants ? Comment osez-vous, madame ! »

Brusquement, Edwin, chantant toujours, passa près d'eux et s'approcha de la herse pour se plaquer contre les barreaux.

« Reviens, petit, s'exclama sire Gauvain, lui agrippant les épaules. C'est dangereux, et arrête avec tes chansons ! »

Edwin se cramponna aux barreaux, et pendant un moment il se battit avec le vieux chevalier. Puis ils se séparèrent et s'écartèrent du portail. Beatrice, blottie contre la poitrine d'Axl, laissa échapper un léger cri, mais à cet instant le champ de vision de son époux était obscurci par Edwin et sire Gauvain. Puis la bête s'avança dans la flaque de clair de lune et il la vit distinctement.

« Dieu nous protège, dit Beatrice. Voici une créature échappée de la Grande Plaine, et l'air devient plus froid.

— Ne t'inquiète pas, princesse. Elle ne peut pas briser ces barreaux. »

Sire Gauvain, qui avait aussitôt brandi son épée, se mit à rire silencieusement. « Bien moins pire que ce que je craignais », observa-t-il, et il rit encore un peu.

« Mais assez dangereuse tout de même, sire, répliqua Axl. Elle semble tout à fait capable de nous dévorer l'un après l'autre. »

On aurait dit un grand animal dépecé : une membrane opaque, comme la paroi de l'estomac d'un mouton, était plaquée sur les tendons et les articulations. Baignant à présent dans l'ombre de la lune, la bête paraissait avoir la taille et la forme d'un taureau, mais elle avait une tête de loup et était d'un ton plus foncé – comme si sa peau et sa fourrure, au lieu d'être sombres naturellement, avaient été noircies par les flammes. Les mâchoires étaient massives, les yeux reptiliens.

Sire Gauvain riait encore tout seul. « En descendant ce tunnel lugubre, ma folle imagination m'avait préparé à pire. Une fois, monsieur, dans les marais de Dumum, j'ai affronté des loups avec d'horribles têtes de sorcières ! Et sur le mont Culwich, des ogres à deux têtes qui vous crachaient du sang à la figure en poussant leur cri de guerre ! Cette bestiole n'est qu'un chien en colère, rien de plus.

— Mais elle nous empêche de retrouver la liberté, sire Gauvain.

— C'est sûr. Nous pouvons donc la contempler pendant une heure jusqu'à ce que les soldats descendent dans le tunnel et nous rattrapent. Ou bien nous avons la possibilité de soulever ce portail et de la combattre.

— Je dirais que c'est un ennemi plus perfide qu'un chien féroce, sire Gauvain. Je vous prie de ne pas vous laisser aller à la complaisance.

— Je suis un vieil homme, monsieur, et il y a bien longtemps que je n'ai manié cette arme sous l'effet de la colère. Pourtant je reste un chevalier bien entraîné, et si cette bête appartient à cette terre, j'en aurai raison.

— Regarde, Axl, dit Beatrice, comme ses yeux suivent maître Edwin. »

Le garçon, maintenant étrangement calme, se dirigeait tantôt vers la gauche, tantôt vers la droite, se retournant toujours vers la bête qui ne le quittait pas des yeux.

— Le chien est attiré par le garçon, dit sire Gauvain l'air pensif. Il se peut que ce monstre soit croisé avec un dragon.

— Peu importe son origine, reprit Axl, il attend notre prochaine initiative avec une curieuse patience.

— Alors voici ce que je propose, mes amis, déclara sire Gauvain. Je répugne à utiliser ce garçon saxon comme une chevrette attachée pour prendre un loup au piège. Mais il paraît courageux, et il n'est pas moins en danger en se promenant ici sans arme. Laissons-le prendre la bougie, puis aller au fond de la pièce. Ensuite, si vous, maître Axl, parvenez à soulever de nouveau cette herse, peut-être même avec l'aide de votre chère épouse, la bête sera libre de franchir le seuil. J'imagine qu'elle ira droit sur le garçon. Sachant où se portera son attaque, je me tiendrai ici et je la frapperai au passage. Approuvez-vous ce plan, monsieur ?

— Il est désespéré. Mais je crains, moi aussi, que les soldats ne découvrent bientôt ce tunnel. Alors essayons cela, chevalier, et ma femme et moi-même, suspendus ensemble à la corde, nous ferons de notre mieux pour soulever cette grille. Princesse, explique à maître Edwin notre plan et voyons s'il accepte d'y participer. »

Mais Edwin paraissait avoir saisi la stratégie de sire Gauvain sans qu'on lui eût dit un seul mot. Prenant la bougie au chevalier, il compta six bonnes enjambées sur les ossements avant de se retrouver dans l'ombre. Quand il se retourna, la bougie tremblait à peine sous son visage, révélant ses yeux flamboyants fixés sur la créature au-delà des barreaux.

« Vite, princesse, dit Axl. Grimpe sur mon dos et essaie d'atteindre le bout de la corde. Cherche de quel côté il pend. »

Au début ils faillirent tomber à la renverse. Puis ils se servirent du pilier comme support, et après avoir un peu tâtonné encore il l'entendit s'exclamer : « Je la tiens, Axl. Lâche-moi et nous allons sûrement descendre. Rattrape-moi pour que je ne tombe pas tout d'un coup.

— Sire Gauvain, appela doucement Axl. Êtes-vous prêt ?

— Nous sommes prêts.

— Si la bête vous échappe, ce sera sûrement la fin de ce courageux garçon.

— Je le sais, monsieur. Et elle ne m'échappera pas.

— Fais-moi descendre doucement, Axl. Et si je suis encore dans l'air en train de tenir la corde, attrape-moi et tire-moi vers le bas. »

Axl lâcha Beatrice et elle resta un instant suspendue en l'air, le poids de son corps étant insuffisant pour soulever la grille. Puis Axl parvint à agripper une autre partie de la corde, près des deux mains de sa femme, et ensemble ils tirèrent. Au début il ne se passa rien, puis quelque chose bougea, et la herse s'éleva avec un frémissement. Axl continua de tirer et, incapable de juger de l'effet, il cria : « Est-ce assez haut, monsieur ? »

Il y eut une pause, puis la voix de sire Gauvain revint. « Le chien nous observe et rien ne nous sépare. »

Se tournant, Axl regarda derrière le pilier à temps pour voir la bête bondir en avant. Le visage du vieux chevalier, éclairé par la lune, parut atterré lorsqu'il brandit son épée, mais trop tard, la créature lui avait déjà échappé et se dirigeait vers Edwin avec une précision sans faille.

Les yeux du garçon s'écarquillèrent, mais il ne lâcha pas la bougie. Au lieu de cela il s'écarta, presque par politesse, pour laisser le passage à la bête. À la surprise d'Axl, la créature obéit, s'élançant dans la nuit du tunnel d'où ils avaient émergé un instant plus tôt.

« Je soutiens la grille, cria Axl. Franchissez le seuil et enfuyez-vous ! »

Mais ni Beatrice, à ses côtés, ni sire Gauvain, qui avait baissé son épée, ne parurent l'entendre. Même Edwin semblait avoir perdu tout intérêt pour la terrible créature qui venait de passer près de lui en trombe et allait sûrement revenir d'une minute à l'autre. Le garçon, s'éclairant avec la bougie, s'approcha de l'endroit où se tenait le vieux chevalier, et ensemble ils fixèrent le sol.

« Laissez retomber la porte, maître Axl, dit sire Gauvain sans lever les yeux. Nous la relèverons sans tarder. »

Le vieux chevalier et le garçon, se rendit compte Axl, fixaient, fascinés, une chose qui bougeait sur le sol devant eux. Il lâcha la grille, et à ce moment Beatrice dit :

« Une vision effroyable, Axl, et je n'ai aucune raison de regarder. Va voir si tu veux et décris-moi ce que c'est.

— La bête ne s'est pas enfuie dans le tunnel, princesse ?

— Une partie l'a fait, et j'ai entendu ses pas s'interrompre. Maintenant, Axl, va examiner ce qui se trouve aux pieds du chevalier. »

Lorsqu'il s'approcha, sire Gauvain et Edwin sursautèrent tous les deux comme s'ils sortaient d'une transe. Puis ils s'écartèrent et Axl aperçut la tête de la bête au clair de lune.

« Les mâchoires ne veulent pas s'arrêter, dit sire Gauvain d'un ton troublé. Je voudrais la frapper encore avec mon épée, mais je crains que ce soit une profanation qui nous porte encore plus malheur. Pourtant je voudrais qu'elle cesse. »

On avait peine à croire que la tête tranchée n'était pas vivante. Elle était couchée sur le côté, le seul œil visible luisant telle une créature de la mer. Les mâchoires bougeaient en rythme avec une étrange énergie, et la langue, ballottant entre les crocs, semblait douée de vie.

« Nous vous sommes redevables, sire Gauvain, dit Axl.

— Un simple chien, monsieur, et j'affronterais pire encore avec joie. Mais ce garçon saxon témoigne d'un rare courage, et je suis heureux de lui avoir rendu un service. À présent nous devons nous hâter, et rester prudents, car qui sait ce qui se prépare au-dessus de nous. Et peut-être qu'une deuxième bête guette au fond de cette pièce. »

Ils découvrirent bientôt une manivelle derrière un des piliers et, y attachant le bout de la corde, ils soulevèrent la grille sans difficulté. Laissant la tête de la bête là où elle était tombée, ils passèrent sous la herse, sire Gauvain devant, son épée prête à frapper, et Edwin fermant la marche.

La seconde pièce du mausolée avait manifestement servi de tanière à la bête : au milieu des ossements anciens se trouvaient des carcasses de moutons et de daims, ainsi que d'autres formes sombres, nauséabondes, qu'ils ne purent identifier. Ensuite ils se remirent à marcher courbés, essoufflés, le long d'un couloir sinueux. Ils ne rencontrèrent pas d'autres bêtes, et entendirent enfin des chants d'oiseaux. Une tache de lumière apparut au loin et, lorsqu'ils sortirent dans la forêt, le jour se levait.

Comme étourdi, Axl découvrit un amas de racines s'élevant entre deux grands arbres et, prenant la main de Beatrice, l'aida à s'y installer. Au début elle fut trop oppressée pour parler, mais au bout d'un moment elle leva les yeux, disant :

« Il y a de la place près de moi, mon époux. Si nous sommes à présent en sécurité, asseyons-nous ensemble et regardons pâlir les étoiles. Je suis reconnaissante que nous soyons tous les deux sains et saufs et que ce tunnel maléfique soit derrière nous. » Puis elle ajouta : « Où est maître Edwin, Axl ? Je ne le vois pas. »

Regardant autour de lui dans la semi-obscurité, Axl repéra la silhouette de sire Gauvain se détachant contre l'aube, la tête courbée, une main posée sur un tronc d'arbre pour se stabiliser pendant qu'il reprenait son souffle. Mais il n'y avait aucune trace de l'enfant.

« Il était derrière nous à l'instant, dit Axl. Je l'ai même entendu s'exclamer lorsque nous sommes arrivés à l'air pur.

— Je l'ai vu partir en hâte, monsieur, dit sire Gauvain sans se retourner, la respiration encore laborieuse. Il n'a pas notre âge, et n'a nul besoin de s'appuyer contre un chêne en suffoquant. Je suppose qu'il se dépêche de retourner au monastère pour sauver maître Wistan.

— N'avez-vous pas songé à le retenir, monsieur ? Il court certainement un grave danger, et maître Wistan doit être tué ou fait prisonnier en ce moment même.

— Qu'auriez-vous souhaité que je fasse ? J'ai fait tout ce que j'ai pu. Je me suis caché dans ce tunnel étouffant. J'ai vaincu la bête bien qu'elle ait dévoré de nombreux hommes valeureux avant nous. Et à la fin de tout cela, le garçon s'empresse de retourner au monastère ! Suis-je censé le pourchasser avec cette lourde armure et cette épée ? Je suis exténué, monsieur. Je suis à bout. Quel est mon devoir à présent ? Je dois m'interrompre et y réfléchir. Qu'attendrait de moi Arthur ?

— Devons-nous comprendre, sire Gauvain, demanda Beatrice, que c'est vous qui êtes allé apprendre à l'abbé la véritable identité de maître Wistan, guerrier saxon de l'est ?

— Pourquoi revenir là-dessus, madame ? Ne vous ai-je pas conduits en lieu sûr ? Nous avons piétiné tant de crânes avant de déboucher dans cette aube délicieuse ! Tant de crânes. Inutile de baisser les yeux, on entend leur gloussement à chaque foulée. Combien de morts, monsieur ? » C'était encore une silhouette près d'un arbre, ses mots parfois difficiles à saisir maintenant que les oiseaux avaient entonné leur chœur matinal.

« Quelle que soit l'histoire de cette nuit, dit Axl, nous vous devons beaucoup de remerciements, sire Gauvain. Il est clair que votre courage et votre talent sont inentamés. Cependant, j'ai moi aussi une question à vous poser.

— Épargnez-moi, monsieur, assez. Comment puis-je poursuivre un garçon agile dans ces pentes boisées ? Je suis épuisé, monsieur, et peut-être pas seulement essoufflé.

— Sire Gauvain, n'étions-nous pas camarades il y a longtemps ?

— Épargnez-moi, monsieur. J'ai fait mon devoir cette nuit. N'est-ce pas suffisant ? Maintenant je dois aller retrouver mon pauvre Horace, que j'ai attaché à une branche pour qu'il n'aille pas s'égarer, mais un loup ou un ours aurait pu tomber sur lui…

— La brume pèse lourdement sur mon passé, dit Axl. Pourtant, ces derniers temps, m'est revenu le souvenir d'une tâche, empreinte de gravité, qui m'a été confiée autrefois. Était-ce une loi, une grande loi destinée à rapprocher de Dieu tous les hommes? Votre présence, et votre évocation d'Arthur éveillent des pensées depuis longtemps effacées, sire Gauvain.

— Mon pauvre Horace, monsieur, déteste tant la forêt la nuit. Le hululement du hibou ou le glapissement d'un renard suffisent à l'effrayer, bien qu'il affronte sans broncher une pluie de flèches. Je vais le retrouver à présent, et je vous encourage, braves gens, à ne pas vous reposer trop longtemps ici. Oubliez les deux jeunes Saxons. Songez à votre fils bien-aimé qui vous attend dans son village. Remettez-vous bien vite en route, je vous le conseille, maintenant que vous n'avez plus ni couvertures ni provisions. La rivière est tout près, son courant rapide coule vers l'est. Un échange amical avec un marinier peut vous assurer une descente en barque. Mais ne vous attardez pas, car qui sait quand les soldats viendront par ici? Dieu vous protège, mes amis. »

Avec un bruissement et quelques chocs sourds, la forme de sire Gauvain disparut dans les feuillages sombres. Au bout d'un moment, Beatrice dit:

«Nous ne lui avons pas dit adieu, Axl, et je m'en veux pour cela. Mais il a pris congé de nous d'une étrange façon, et si brusquement.

— Je l'ai pensé aussi, princesse. Mais peut-être nous donne-t-il un sage conseil. Nous devrions nous hâter de rejoindre notre fils, et ne plus nous préoccuper de nos récents compagnons. Je suis inquiet pour ce pauvre maître Edwin, mais s'il se hâte de retourner au monastère, que pouvons-nous pour lui?

— Reposons-nous encore un instant, Axl. Nous nous mettrons en route sans tarder, tous les deux, et nous ferions bien de trouver une barge pour accélérer notre voyage. Notre fils doit se demander ce qui nous retient. »

CHAPITRE 8

Le jeune moine était un Picte efflanqué à l'air maladif qui parlait bien la langue d'Edwin. Il avait sans doute été ravi de se trouver en compagnie d'un garçon proche de son âge, et pendant la première partie du trajet dans les brumes du matin il avait parlé avec délectation. Mais depuis qu'ils avaient pénétré dans la forêt, le jeune moine s'était tu et Edwin se demanda s'il avait offensé son guide d'une façon ou d'une autre. Sans doute le moine était-il simplement désireux de ne pas attirer l'attention de ce qui rôdait dans ces bois ; au milieu des agréables chants d'oiseaux avaient retenti d'étranges sifflements et des murmures. Quand Edwin avait demandé une fois encore, plus par désir de rompre le silence que pour se rassurer : « Les blessures de mon frère n'étaient donc pas mortelles ? », la réponse avait été assez sèche : « Le père Jonus a dit que non. C'est lui qui sait. »

Wistan n'était donc pas blessé grièvement. En fait, il avait dû, peu de temps auparavant, entamer la même descente jusqu'au bas de la colline, pendant qu'il faisait encore nuit. Avait-il été contraint de s'appuyer sur le bras de son guide ? Ou bien avait-il réussi à monter sa jument, peut-être avec un moine tenant la bride d'une main ferme ?

« Conduis ce garçon à la chaumière du tonnelier. Et fais attention à ce que personne ne te voie quitter le monastère. » Telles avaient été les instructions du père Jonus, d'après le jeune moine. Edwin serait donc bientôt à nouveau avec le guerrier, mais quel accueil pouvait-il escompter ? Il avait abandonné Wistan dès la première épreuve. Au lieu de courir le rejoindre à l'amorce du combat, Edwin s'était enfui dans le long tunnel. Mais il n'y avait pas trouvé sa mère, et seulement lorsque le bout du tunnel était enfin apparu, lointain et lunaire dans la nuit, il avait senti les épais nuages de son rêve le quitter et compris avec horreur ce qui s'était passé.

Du moins il avait fait de son mieux une fois qu'il avait émergé dans l'air glacé du petit matin. Il avait couru presque pendant tout le trajet jusqu'au monastère, ralentissant à peine dans les pentes les plus raides. Parfois, en traversant les bois, il avait eu l'impression d'être perdu, mais ensuite les arbres s'étaient éclaircis, le monastère était apparu contre le ciel pâle. Il avait continué de grimper et était arrivé devant le grand portail, à bout de souffle, les jambes courbatues.

La petite porte latérale n'était pas verrouillée, et il avait pu se ressaisir suffisamment pour pénétrer dans la propriété avec une prudence furtive. Pendant la dernière partie de la montée il avait remarqué la fumée, mais à présent elle lui chatouillait les poumons et il eut de la difficulté à se retenir de tousser trop fort. Il sut alors sans le moindre doute qu'il était trop tard pour déplacer la charrette de foin, et il sentit un grand vide l'envahir. Mais l'instant d'après il avait chassé la sensation et s'était hâté de poursuivre son chemin.

Au début il ne croisa ni moines ni soldats. Mais en longeant le haut mur, baissant la tête pour ne pas être repéré depuis une fenêtre lointaine, il avait vu en bas les chevaux des soldats, rassemblés dans la petite cour à l'intérieur du portail principal. Enfermés de tous côtés, les animaux, encore sellés, tournaient en rond nerveusement, bien que l'espace fût trop exigu pour qu'ils le fassent sans se heurter. Lorsque Edwin s'approcha des quartiers des moines, où un garçon de son âge aurait sans doute pris ses jambes à son cou pour gagner la cour centrale, il eut la présence d'esprit de se remémorer la géographie des lieux et de suivre un itinéraire détourné, empruntant les passages secrets dont il se souvenait. Arrivé à destination, il se plaça derrière un pilier de pierre et glissa des regards prudents autour de lui.

La cour centrale était à peine reconnaissable. Trois silhouettes en robe balayaient d'un air las, et pendant qu'il les observait, un quatrième moine arriva avec un seau, versa de l'eau sur les pavés, et plusieurs corneilles qui rôdaient s'envolèrent. Le sol était jonché ici et là de paille et de sable, et son regard fut attiré par plusieurs formes recouvertes de sacs, qu'il supposa être des cadavres. La vieille tour de pierre où, savait-il, Wistan avait résisté, dominait la scène, mais cela aussi avait changé : elle était carbonisée et noircie en de nombreux endroits, surtout autour de son entrée et de ses étroites fenêtres. Aux yeux d'Edwin, la tour dans son ensemble semblait avoir rétréci. Il tendait le cou derrière le pilier afin de déterminer si le liquide répandu autour des formes couchées était de l'eau ou du sang, lorsque des mains osseuses lui saisirent les épaules.

Il se retourna pour découvrir le père Ninian, le moine silencieux, qui le regardait droit dans les yeux. Edwin ne cria pas, mais dit à voix basse, désignant les corps : « Maître Wistan, mon frère saxon. Il repose là ? »

Le moine parut comprendre, et secoua la tête énergiquement. Mais tout en mettant un doigt sur ses lèvres selon sa manière habituelle, il posa un regard chaleureux sur Edwin. Puis, jetant des coups d'œil furtifs autour de lui, Ninian entraîna Edwin loin de la cour.

« Pouvons-nous être certains, guerrier, avait-il demandé à Wistan la veille, que les soldats viendront ? Qui leur dira que nous sommes ici ? Ces moines croient certainement que nous sommes de simples bergers.

— Qui sait, mon garçon. Peut-être nous laissera-t-on en paix. Mais il y a quelqu'un que je soupçonne d'être capable de révéler notre présence ici et, en ce moment même, le seigneur Brennus est peut-être en train de donner ses ordres. Prends bien garde, jeune camarade. Les Bretons ont l'habitude de diviser avec des lattes de bois l'intérieur d'une balle de foin. Il nous faut du foin pur jusqu'en bas. »

Edwin et Wistan se trouvaient dans la grange derrière la vieille tour. En ayant pour l'heure terminé avec le bois à couper, le guerrier avait soudain entrepris de remplir à ras bord la charrette branlante avec le foin entassé au fond du hangar. Lorsqu'ils avaient commencé, Edwin avait été chargé, à intervalles réguliers, de grimper sur les balles et d'y enfoncer un bâton. Le guerrier, l'observant avec attention depuis le sol, l'obligeait parfois à revoir une section, ou lui ordonnait d'enfoncer la jambe le plus loin possible à un endroit particulier.

« Ces saints hommes ont tendance à être distraits, avait dit Wistan en guise d'explication. Ils ont peut-être laissé une bêche ou une fourche dans le foin. Dans ce cas, ce serait leur rendre service de les retrouver pour eux, car les outils sont rares ici. »

Bien qu'à ce stade le guerrier n'eût fait aucune allusion à l'usage du foin, Edwin avait su tout de suite qu'il avait un rapport avec la confrontation à venir, et c'était pourquoi, tandis que s'empilaient les balles, il avait posé la question sur les soldats.

« Qui va nous trahir, guerrier ? Les moines ne nous soupçonnent pas. Ils sont si absorbés par leurs saintes querelles, qu'ils regardent à peine dans notre direction.

— Peut-être bien, petit. Mais vérifie là aussi. Juste là.

— Le vieux couple nous trahirait-il, guerrier ? Ils sont sûrement trop bêtes et honnêtes.

— Ce sont peut-être des Bretons, mais je ne redoute pas leur trahison. Tu as tort de les croire bêtes, petit. Maître Axl, par exemple, est un homme profond.

— Guerrier, pourquoi voyageons-nous avec eux ? Ils nous ralentissent à chaque tournant.

— C'est vrai, ils nous ralentissent, et nos chemins vont bientôt se séparer. Mais ce matin, lorsque nous sommes partis, je désirais vivement la compagnie de maître Axl. Et il se peut que je souhaite encore en profiter. Comme je l'ai dit, c'est un homme profond. Lui et moi, nous devons discuter encore un peu. Mais pour l'instant concentrons-nous sur ce qui nous attend ici. Nous devons remplir cette charrette d'une manière sûre, régulière. Il nous faut du foin pur. Sans bois ni fer à l'intérieur. Tu vois à quel point je dépends de toi, mon garçon. »

Mais Edwin l'avait laissé tomber. Comment avait-il pu dormir aussi longtemps ? Il avait commis une erreur en s'allongeant. Il aurait dû rester assis dans le coin, s'assoupir quelques secondes comme il avait vu Wistan le faire, prêt à bondir au moindre bruit. Au lieu de cela, tel un petit enfant, il avait accepté un verre de lait de la vieille femme, et avait sombré dans un profond sommeil de son côté de la chambre.

Sa vraie mère l'avait-elle appelé dans ses rêves ? Peut-être était-ce pour cela qu'il était resté si long-temps endormi. Et quand le moine infirme l'avait secoué pour le réveiller, c'était pour cette raison qu'il avait suivi les autres dans le long tunnel étrange au lieu de courir aux côtés du guerrier, exactement comme s'il avait continué d'évoluer dans les abysses de sa rêverie.

C'était sans nul doute la voix de sa mère, la même voix qui l'avait appelé dans la grange. « Trouve l'énergie pour moi, Edwin. Trouve l'énergie de venir me sauver. Viens me sauver. Viens me sauver. » Il y avait eu dans ses paroles une urgence qu'il n'avait pas perçue le matin précédent. Et plus encore : lorsqu'il s'était tenu devant cette trappe ouverte, face aux marches plongeant dans l'obscurité, il avait senti une telle force d'attraction qu'il avait été pris de vertige, presque de nausée.

Le jeune moine retenait un prunellier de son bâton, attendant qu'Edwin passe devant lui. Il parla enfin, mais à voix basse.

« Un raccourci. Nous allons bientôt voir le toit de la chaumière du tonnelier. »

Lorsqu'ils sortirent des bois, à l'endroit où la terre s'étendait dans la brume qui se dissipait, Edwin entendit encore du mouvement et des sifflements dans les broussailles. Et il songea à la soirée ensoleillée vers la fin de l'été, quand il avait parlé avec la fille.

Il n'avait pas vu l'étang tout de suite ce jour-là, car il était petit et bien dissimulé par les joncs. Une nuée d'insectes aux couleurs vives s'était envolée devant lui, un événement qui éveillait normalement son attention, mais à cette occasion il avait été trop préoccupé par le bruit venant du bord de l'eau. Un animal dans un piège ? Cela recommençait, en arrière-fond des chants d'oiseaux et du vent. Le bruit suivait un scénario : une flambée de bruissements intenses, comme dans une lutte, puis le silence.

Bientôt, de nouveau, d'autres bruissements. S'approchant avec précaution, il avait entendu une respiration laborieuse. Puis la fille était apparue devant lui.

Elle était allongée sur le dos dans l'herbe sèche, le buste contorsionné d'un côté. Elle avait quelques années de plus que lui – quinze ou seize ans – et ses yeux le fixaient sans peur. Il mit un moment à se rendre compte que son étrange posture était due au fait que ses mains étaient attachées sous son corps. L'herbe aplatie autour d'elle marquait l'espace où, en poussant avec ses jambes, elle avait glissé en se débattant. Sa blouse en tissu, attachée à la taille, était décolorée – peut-être trempée – sur tout un côté, et ses deux jambes, d'une couleur foncée peu habituelle, portaient des égratignures de chardons récentes.

Il se dit que c'était une apparition ou un elfe, mais lorsqu'elle parla il n'en perçut pas l'écho dans sa voix.

« Qu'est-ce que tu veux ? Pourquoi es-tu venu ? »

Retrouvant ses esprits, Edwin répondit : « Si tu veux, je peux t'aider.

— Ces nœuds ne sont pas difficiles. Ils m'ont juste attachée plus serré que d'habitude. »

Il remarqua alors seulement que son visage et son dos étaient couverts de sueur. Alors même qu'elle parlait, ses mains, derrière son dos, luttaient activement.

« Tu es blessée ? demanda-t-il.

— Pas blessée. Mais un scarabée vient de se poser sur mon genou. Il s'est cramponné et m'a mordue. Ça va enfler maintenant. Je vois que tu es encore trop

petit pour m'aider. Ça ne fait rien, je me débrouille-
rai toute seule. »

Son regard resta fixé sur lui, alors même que son
visage se crispait et qu'elle tordait et soulevait le
torse un peu au-dessus du sol. Il l'observait, pétrifié,
s'attendant d'une minute à l'autre à voir ses mains
sortir de dessous son dos. Mais elle s'affaissa, vain-
cue et reposa dans l'herbe, respirant fort et l'observant avec colère.

« Je pourrais t'aider, dit Edwin. Je suis doué pour
les nœuds.

— Tu n'es qu'un enfant.

— C'est faux. J'ai presque douze ans.

— Ils vont revenir bientôt. S'ils s'aperçoivent que
tu m'as détachée, ils vont te battre.

— Ce sont des adultes ?

— Ils le croient, mais ce ne sont que des garçons. Plus vieux que toi cependant, et ils sont trois.
Ça leur plairait énormément de te battre. Ils t'en-
fonceront la tête dans cette eau boueuse jusqu'à
ce que tu perdes connaissance. Je les ai déjà vus le
faire.

— Ils viennent du village ?

— Le village ? » Elle le regarda avec mépris. « *Ton*
village ? Nous allons de village en village chaque
jour. Qu'est-ce qu'on en a à faire de ton village ? Ils
ne vont pas tarder, alors tu auras des ennuis.

— Je n'ai pas peur. Je peux te libérer si tu veux.

— Je me libère toujours toute seule. » Elle se
contorsionna à nouveau.

« Pourquoi ils t'ont attachée ?

— Pourquoi ? Pour regarder, je suppose. Me regarder essayer de me dégager. Mais ils sont partis maintenant, voler de la nourriture. » Puis elle dit : « Je croyais que les villageois travaillaient toute la journée. Pourquoi ta mère te laisse-t-elle vagabonder ?

— J'ai la permission parce que j'ai déjà labouré trois coins de champ tout seul aujourd'hui. » Et il ajouta : « Ma vraie mère n'est plus dans le village.

— Elle est partie où ?

— Je ne sais pas. Elle a été prise. Je vis maintenant avec ma tante.

— Quand j'étais une enfant comme toi, dit-elle, j'habitais dans un village. Maintenant je voyage.

— Avec qui ?

— Oh… avec eux. Nous passons très souvent par ici. Je me souviens qu'ils m'ont attachée et laissée ici une fois déjà, dans ce même endroit, le printemps dernier.

— Je vais te délivrer, dit-il soudain. Et s'ils reviennent, je n'aurai pas peur d'eux. »

Pourtant quelque chose le retenait encore. Il s'était attendu à ce que ses yeux se détournent, ou du moins à ce que son corps s'adapte à la perspective de son approche. Mais elle avait continué de le fixer, alors que derrière son dos ses mains continuaient leur combat. Lorsqu'elle poussa un long soupir, il se rendit compte qu'elle retenait sa respiration depuis un bon moment.

« D'habitude j'y arrive, répondit-elle. Si tu n'étais pas là, j'aurais déjà réussi.

274

— Ils t'attachent pour que tu ne t'enfuies pas ?

— M'enfuir ? Où m'enfuirais-je ? Je voyage avec eux. » Puis elle dit : « Pourquoi viens-tu me voir ? Pourquoi ne vas-tu pas plutôt aider ta mère ?

— Ma mère ? » Il était sincèrement surpris. « Pourquoi voudrait-elle que je l'aide ?

— Tu as dit qu'elle avait été prise, non ?

— Oui, mais c'était il y a longtemps. Elle est heureuse maintenant.

— Comment peut-elle être heureuse ? Tu n'as pas dit qu'elle voyageait ? Tu ne crois pas qu'elle veut que quelqu'un vienne l'aider ?

— Elle voyage simplement. Elle ne voudrait pas que je…

— Elle ne voulait pas que tu viennes parce que tu étais un enfant. Mais tu es presque un homme à présent. » Elle se tut, cambrant le dos tandis qu'elle s'efforçait encore de se libérer. Puis elle retomba en arrière de nouveau. « Quelquefois, dit-elle, s'ils reviennent et que je ne me suis pas dégagée, ils ne me détachent pas. Ils observent et ne prononcent pas un mot jusqu'à ce que je me débrouille toute seule et que mes mains soient libérées. Jusqu'à ce moment, ils restent assis là à regarder et regarder, et leurs cornes du diable poussent entre leurs jambes. Ça me dérangerait moins s'ils parlaient. Mais ils me fixent encore et encore et se taisent. » Puis elle dit : « Quand je t'ai vu, j'ai cru que tu ferais la même chose. J'ai cru que tu allais t'asseoir, observer et te taire.

275

« — Veux-tu que je te détache ? Je n'ai pas peur d'eux, et je suis doué pour les nœuds.

— Tu n'es qu'un enfant. » Soudain des larmes jaillirent. Cela arriva si vite, et parce que son visage ne laissait paraître aucun autre signe d'émotion, qu'Edwin pensa d'abord que c'étaient des gouttes de sueur. Mais il se rendit compte alors qu'elle pleurait, et comme son visage était à demi renversé, les larmes coulaient bizarrement, franchissant l'arête de son nez pour descendre sur la joue opposée. Pendant ce temps elle garda les yeux fixés sur lui. Les larmes le troublèrent, et il s'arrêta dans son élan.

« Viens alors », dit-elle, et elle se tourna pour la première fois sur le côté, laissant son regard errer vers les quenouilles dans l'eau.

Edwin s'empressa d'avancer, tel un voleur à l'affût d'une occasion, et, s'accroupissant dans l'herbe, commença à tirer sur les nœuds. La corde était fine et grossière, entamant cruellement ses poignets ; les paumes, pas contraste, ouvertes l'une par-dessus l'autre, étaient petites et tendres. Au début les nœuds ne cédèrent pas, mais il se força à garder son calme et étudia avec soin l'entrecroisement des liens. Ensuite, lorsqu'il essaya de nouveau, le nœud céda entre ses doigts. Il se mit au travail avec plus de confiance, jetant de temps à autre un coup d'œil aux paumes soyeuses, attendant telles deux créatures dociles.

Une fois qu'il eût dénoué la corde, elle se retourna et s'assit face à lui à une distance qui lui parut soudain désagréablement proche. Elle ne sentait pas les excréments éventés comme la plupart des gens ; son odeur ressemblait à celle d'un feu de bois humide.

« S'ils viennent, dit-elle doucement, ils vont te traîner dans les roseaux et ensuite te noyer à moitié. Tu ferais mieux de t'en aller. Retourne dans ton village. » Elle tendit une main hésitante, comme si elle n'était pas certaine d'en avoir le contrôle, même à présent, et repoussa sa poitrine. « Va-t'en. Dépêche-toi.

— Je n'ai pas peur d'eux.

— Tu n'as pas peur. Mais ils vont tout de même te faire toutes ces choses. Tu m'as aidée, mais tu dois t'en aller maintenant. Vas-y, vite. »

Lorsqu'il revint juste avant le coucher du soleil, l'herbe était encore aplatie là où elle s'était couchée, mais il ne restait d'elle aucune autre trace. Néanmoins, l'endroit semblait étrangement tranquille, et il s'était assis dans l'herbe quelques instants, regardant les quenouilles s'agiter sous le vent.

Il ne parla jamais à personne de la fille – ni à sa tante, qui aurait aussitôt conclu que c'était un démon, ni à aucun des autres garçons. Mais dans les semaines qui suivirent, son image vivace avait souvent resurgi de manière intempestive ; parfois la nuit, dans ses rêves ; souvent en plein jour, alors qu'il creusait le sol ou qu'il aidait à réparer un toit, et la corne du diable poussait alors entre ses jambes. La corne finissait par disparaître, lui laissant un sentiment de honte, et, ensuite, les paroles de la fille lui revenaient : « Pourquoi es-tu venu vers moi ? Pourquoi ne vas-tu pas plutôt aider ta mère ? »

Mais comment pouvait-il trouver sa mère? La fille avait dit elle-même qu'il n'était «qu'un enfant». Puis, avait-elle encore souligné, il serait bientôt un homme. Chaque fois qu'il se souvenait de ces phrases, il éprouvait de nouveau de la honte, et pourtant il n'avait pu envisager aucune issue.

Mais tout avait changé dès le moment où Wistan avait poussé la porte de la grange, faisant pénétrer la clarté éblouissante, et avait déclaré que lui, Edwin, avait été choisi pour la mission. Maintenant Edwin et le guerrier étaient ensemble, voyageant à travers le pays, et ils ne tarderaient sûrement pas à la retrouver. À ce moment-là, les hommes avec elle trembleraient.

Était-ce vraiment sa voix qui l'avait entraîné au loin? Et non la pure terreur des soldats? Ces questions traversaient son esprit tandis qu'il suivait le jeune moine sur un chemin à peine tracé le long d'un torrent. Était-il certain de n'avoir pas simplement paniqué lorsque, une fois réveillé, il avait vu par la fenêtre les soldats courant autour de la vieille tour? Mais à présent qu'il y réfléchissait bien, il était certain de n'avoir ressenti aucune peur. Et plus tôt dans la journée, quand le guerrier l'avait conduit dans cette même tour et qu'ils avaient parlé, Edwin avait été seulement impatient de se tenir aux côtés de Wistan à l'approche de l'ennemi.

Le guerrier avait été préoccupé par la vieille tour dès leur arrivée au monastère. Edwin se souvenait qu'il n'avait cessé de lever les yeux vers elle pendant qu'ils fendaient des souches dans le bûcher. Et lorsqu'ils avaient poussé la brouette à travers le monastère pour livrer le bois de chauffage, ils s'étaient écartés à deux reprises de leur chemin juste pour passer devant. Il n'y avait donc rien eu de surprenant, une fois la cour déserte après le départ des moines pour leur réunion, à ce que Wistan eût posé la hache contre le tas de bois et dit : « Viens un moment, jeune camarade, nous allons examiner de plus près ce vieil ami élancé qui nous observe de là-haut. Il me semble qu'il observe nos allées et venues, et s'offense de n'avoir pas encore reçu de visite de notre part. »

Lorsqu'ils avaient pénétré sous la voûte basse donnant accès à la pénombre glacée de l'intérieur de la tour, le guerrier lui avait dit : « Prends garde. Tu crois que tu es dedans, mais regarde tes pieds. »

Baissant les yeux, Edwin avait vu devant lui un genre de douves qui suivait toute la longueur du mur circulaire pour former un cercle. Le fossé était trop large pour être franchi d'un bond, et la simple passerelle de deux planches était l'unique moyen d'atteindre le sol central en terre battue. Alors qu'il s'avançait, scrutant l'obscurité au-dessous de lui, il entendit le guerrier dire derrière lui :

« Remarque qu'il n'y a pas d'eau dedans, jeune camarade. Et même si tu y tombais tu t'apercevrais qu'il n'est pas plus haut que toi. Curieux, tu ne crois pas ? Pourquoi des douves *à l'intérieur* ? Pourquoi des douves tout court pour une petite tour comme celle-ci ? À quoi bon ? » Wistan franchit lui-même la passerelle et testa le sol central du talon. « Peut-être que les anciens ont construit cette tour pour abattre des animaux, poursuivit-il. Peut-être était-ce autrefois leur aire d'abattage. Et ce qu'ils ne voulaient pas garder de l'animal, ils le poussaient simplement dans les douves. Qu'en penses-tu, mon garçon ?

— C'est possible, guerrier, répondit Edwin. Pourtant ça ne devait pas être facile de conduire une bête sur ces planches étroites.

— Peut-être qu'autrefois il y avait un pont plus solide à cet endroit, dit Wistan. Assez robuste pour porter un bœuf ou un taureau. Une fois que la bête avait été conduite de l'autre côté, et qu'elle avait deviné son destin, ou lorsque le premier coup avait échoué à la faire tomber à genoux, cet aménagement garantissait qu'il aurait du mal à s'enfuir. Imagine l'animal en train de se contorsionner, d'essayer d'attaquer, et trouvant les douves où qu'il se tournât. Et le seul petit pont si difficile à repérer quand la bête est très agitée. Ce n'est pas une idée stupide, que cet endroit ait été une aire d'abattage. Dis-moi, mon garçon, que vois-tu quand tu lèves les yeux ? »

Edwin, découvrant le cercle de ciel tout en haut, répondit : « C'est ouvert en haut, guerrier. Comme une cheminée.

— Tu dis quelque chose d'intéressant ici. Répète-le.

— Ça ressemble à une cheminée, guerrier.

— Comment l'expliques-tu ?

— Si les anciens utilisaient cet endroit pour tuer les animaux, guerrier, il se peut qu'ils aient fait un feu à l'endroit même où nous nous tenons. Ils ont pu découper la bête, rôtir la viande, et la fumée s'est échappée dans le ciel.

« — Il est probable, mon garçon, que les choses se soient déroulées ainsi. Je me demande si ces moines chrétiens se doutent de ce qui s'est passé ici autrefois ? Ces messieurs, j'imagine, viennent dans cette tour pour son silence et son isolement. Tu vois l'épaisseur de ce mur circulaire. Presque aucun son ne le traverse, pourtant les corneilles craillaient lorsque nous sommes entrés. Et la lumière qui vient d'en haut. Ça doit leur rappeler la grâce de leur dieu. Qu'en dis-tu, petit ?

— Les messieurs viennent peut-être ici pour prier, c'est vrai, guerrier. Bien que ce sol soit trop souillé pour s'y agenouiller.

— Peut-être qu'ils prient debout, ne devinant guère que ce lieu a été le théâtre de boucheries et de rôtissages. Que vois-tu d'autre là-haut, mon garçon ?

— Rien, monsieur.

— Rien ?

— Seulement les marches, monsieur.

— Ah, les marches. Décris-moi les marches.

— Elles tournent et tournent, et s'adaptent à la rondeur du mur. Elles s'élèvent jusqu'au ciel, tout en haut.

— C'est bien observé. Maintenant écoute attentivement. » Wistan s'approcha et baissa la voix. « Cet endroit, pas seulement cette vieille tour, mais tout cet endroit, tout cet espace que les hommes appellent aujourd'hui un monastère, je parierais que c'était autrefois une forteresse construite par nos ancêtres saxons en temps de guerre. Il contient donc de nombreux pièges habiles pour accueillir les envahisseurs bretons. » Le guerrier s'écarta et se mit à arpenter lentement le périmètre du sol, fixant le fond des douves. Enfin il leva les yeux et dit : « Imagine que cet endroit est un fort, petit. Le siège a cédé après de nombreux jours, l'ennemi s'engouffre à l'intérieur. Il combat pour chaque mètre, devant chaque mur. Maintenant imagine ceci. Deux de nos cousins saxons, dehors dans la cour, tiennent en respect une masse de Bretons. Ils se battent courageusement, mais l'ennemi est trop nombreux et nos héros doivent battre en retraite. Supposons qu'ils se réfugient ici, dans cette même tour. Ils franchissent ce petit pont et se retournent pour faire face à leurs ennemis ici même. Les Bretons prennent confiance. Ils encerclent nos cousins. Ils s'avancent avec leurs épées et leurs haches, ils se hâtent de traverser la passerelle pour rejoindre nos héros. Nos braves Saxons abattent les premiers d'entre eux, mais doivent reculer encore. Regarde là, mon garçon. Ils remontent à reculons dans l'escalier près du mur. Cependant, d'autres Bretons franchissent les douves jusqu'à ce que cet espace soit plein. Mais leur nombre grandissant ne tourne plus à leur avantage. Car nos courageux cousins en combattent deux de front dans l'escalier, et les envahisseurs ne peuvent les affronter que deux par deux. Nos héros sont talentueux et, bien qu'ils battent en retraite de plus en plus haut, les envahisseurs ne peuvent pas les vaincre. Quand les Bretons tombent, ils sont remplacés par les suivants, qui tombent à leur tour. Mais nos cousins sont certainement fatigués. Ils montent de plus en plus haut, les envahisseurs les poursuivent marche après marche. Mais que se passe-t-il ? Que se passe-t-il, Edwin ? Nos frères finissent-ils par perdre courage ? Ils font demi-tour et grimpent quatre à quatre les derniers arcs de cercle de l'escalier, frappant derrière eux de temps à autre. C'est sûrement la fin. Les Bretons triomphent. Ceux qui observent depuis le bas sourient comme des hommes affamés avant un banquet. Mais regarde attentivement, mon garçon. Que vois-tu ? Que vois-tu quand nos cousins saxons s'approchent du halo de ciel ? » Attrapant les épaules d'Edwin, Wistan lui fit changer de position, lui indiquant l'ouverture. « Parle, mon garçon. Que vois-tu ?

— Nos cousins tendent un piège, monsieur. Ils se retirent là-haut seulement pour attirer les Bretons à l'intérieur comme des fourmis sur un pot de miel.

— Bien dit, mon garçon ! Et comment le piège est-il fabriqué ? »

Edwin réfléchit un moment, puis dit : « Juste avant que l'escalier atteigne le point le plus haut, guerrier, je vois ce qui ressemble d'ici à une alcôve. Ou bien une embrasure de porte ?

— Bien. Et à ton avis, qui s'y cache ?

— Peut-être une douzaine de nos plus grands guerriers ? Ensuite, avec nos deux cousins, ils se fraient un chemin à coups d'épée jusqu'en bas et affrontent les rangs des Bretons massés ici.

— Réfléchis encore, petit.

— Un ours féroce, alors, guerrier. Ou un lion.

— Quand as-tu rencontré un lion pour la dernière fois, petit ?

— Du feu, guerrier. Il y a du feu derrière cette alcôve.

— Bien dit, mon garçon. Nous ne savons pas avec certitude ce qui s'est passé ici il y a aussi long-temps. Mais je parierais que c'est ce qui attendait là-haut. Dans cette petite alcôve, à peine visible d'ici, il y avait une torche, ou peut-être deux ou trois, brû-lant derrière ce mur. Raconte-moi le reste, mon gar-çon.

— Nos cousins jettent les torches en bas.

— Quoi, sur les têtes des ennemis ?

— Non, guerrier. Dans les douves.

— Les douves ? Remplies d'eau ?

— Non, guerrier. Les douves sont remplies de bûches. Comme celles que nous avons peiné à fendre.

— Exactement, mon garçon. Et nous allons en couper encore avant que la lune soit haute. Et nous allons rassembler une belle quantité de foin sec. Une cheminée, as-tu dit, mon garçon. Tu as raison. C'est dans une cheminée que nous nous tenons en ce moment. Nos ancêtres l'ont construite dans ce but. Pourquoi y aurait-il une tour ici, alors que la vue d'en haut n'est pas meilleure que celle qu'on a depuis le mur extérieur ? Mais imagine, mon gar-çon, une torche tombant au fond de ces soi-disant douves. Puis une autre. Lorsque nous avons fait le tour de cet endroit plus tôt, j'ai vu à l'arrière, près du sol, des ouvertures dans la pierre. Cela signifie qu'un fort vent d'est, comme celui qui souffle ce soir, fera monter les flammes plus haut encore.

Comment les Bretons vont-ils échapper au brasier? Un mur solide autour d'eux, une seule passerelle étroite vers la liberté, et les douves en feu. Mais quittons ces lieux, mon garçon. Il se peut que cette tour ancienne n'apprécie pas que nous devinions tant de ses secrets. »

Wistan se tourna vers les planches, mais Edwin contemplait encore le sommet de la tour.

« Guerrier, dit-il. Nos deux cousins courageux, doivent-ils brûler dans les flammes avec leurs ennemis?

— Dans ce cas, ne serait-ce pas un marché glorieux? Mais il n'est peut-être pas nécessaire d'en arriver là. Peut-être que nos deux cousins, alors même que la chaleur brûlante s'élève, se précipitent au bord de l'ouverture et sautent dans le vide. Le feraient-ils, mon garçon? Bien qu'ils n'aient pas d'ailes?

— Ils n'ont pas d'ailes, dit Edwin, mais leurs camarades ont peut-être amené une charrette derrière la tour. Une charrette pleine de foin à ras bord.

— C'est possible, petit. Qui sait ce qui s'est passé ici jadis? Maintenant finissons-en avec ces rêveries et coupons encore un peu de bois. Car ces bons moines endurent sûrement de nombreuses nuits glacées avant la venue de l'été. »

Dans une bataille, le temps manquait pour des échanges d'information élaborés. Un coup d'œil rapide, un signe de la main, un mot aboyé par-dessus le vacarme : c'était tout ce dont les vrais guerriers avaient besoin pour se transmettre leurs souhaits. C'était dans cet esprit que Wistan avait précisé ses pensées cet après-midi dans la tour, et Edwin l'avait totalement laissé tomber.

Mais le guerrier en avait-il trop attendu de lui ? Le vieux Steffa avait seulement parlé de ses remarquables dispositions, de ce qu'il deviendrait *une fois qu'on lui aurait enseigné les talents du guerrier*. Wistan n'avait pas encore terminé de le former, alors comment Edwin aurait-il pu réagir avec cette intelligence ? À présent, semblait-il, le guerrier était blessé, mais la faute ne pouvait en incomber à Edwin seul.

Le jeune moine s'était arrêté au bord du ruisseau pour défaire ses chaussures. « C'est ici que nous passons à gué, dit-il. Le pont est beaucoup plus bas et l'horizon trop ouvert à cet endroit. On pourrait nous voir, même depuis le sommet de la colline voisine. » Puis, désignant les souliers d'Edwin, il observa : « C'est du travail habile. Tu les as fabriqués toi-même ?

— Maître Baldwin les a faits pour moi. C'est le cordonnier le plus doué du village, bien qu'il ait des crises à chaque pleine lune.

— Enlève-les. S'ils sont trempés, ils seront perdus. Tu vois les pierres de gué ? Baisse un peu plus la tête, et essaie de regarder sous la surface de l'eau. Là, tu les vois ? C'est notre chemin. Ne les quitte pas du regard et tu resteras au sec. »

Le ton du jeune moine était de nouveau cassant. Se pouvait-il que depuis leur départ il ait eu le temps de reconstituer mentalement le rôle joué par Edwin dans ce qui s'était passé ? Au début de leur parcours, non seulement le jeune moine s'était montré plus

286

chaleureux, mais il n'avait pratiquement pas cessé de parler.

Ils s'étaient rencontrés dans le couloir glacé devant la cellule du père Jonus, où Edwin attendait pendant que plusieurs voix, basses mais passionnées, discutaient à l'intérieur. La terreur de ce qu'il allait sans doute apprendre avait augmenté, et Edwin s'était senti soulagé lorsque, au lieu d'être appelé, il avait vu sortir le jeune moine, un sourire joyeux sur le visage.

«J'ai été choisi pour te servir de guide», avait-il dit triomphalement, dans la langue d'Edwin. «Le père Jonus dit que nous devons partir immédiatement et nous glisser à l'extérieur sans être vus. Sois courageux, jeune cousin, tu seras bientôt auprès de ton frère.»

Le jeune moine avait une façon de marcher bizarre, étreignant son buste comme s'il avait terriblement froid, les bras perdus sous sa robe, à tel point qu'Edwin, qui le suivait dans la descente du sentier de montagne, s'était demandé au début s'il était né, comme certains, avec des membres en moins. Mais dès que le monastère avait été loin derrière eux, le jeune moine lui avait emboîté le pas et, sortant un long bras mince, l'avait posé sur les épaules d'Edwin pour le soutenir.

«C'était idiot de ta part de revenir comme tu l'as fait, après avoir réussi ton évasion. Le père Jonus était en colère de l'apprendre. Mais te voilà tiré d'affaire cette fois encore, et avec un peu de chance personne ne s'est rendu compte que tu étais revenu. Mais quelle affaire c'était! Ton frère est-il toujours aussi querelleur ? Ou bien l'un des soldats lui a-t-il lancé une insulte féroce au passage ? Peut-être qu'une fois à son chevet, jeune cousin, tu lui demanderas comment tout a commencé, car aucun d'entre nous n'y a rien compris. Si c'est lui qui a insulté les soldats, ça devait être vraiment fort, parce qu'ils ont aussitôt oublié dans quel but ils étaient venus voir l'abbé et, changés en furies, ils ont entrepris de lui faire payer son audace. Moi-même j'ai été réveillé par le bruit de leurs cris, alors que ma chambre se trouve loin de la cour. J'y ai couru, affolé, et je suis resté impuissant avec les autres moines, regardant avec horreur ce qui se déroulait. Ton frère, m'ont-ils bientôt raconté, s'était engouffré dans l'ancienne tour pour échapper à la rage des soldats, et bien qu'ils se soient rués à sa suite avec l'intention de le mettre en pièces, il avait commencé à se battre comme un beau diable. Et quel adversaire surprenant, alors qu'ils étaient une trentaine face à un berger saxon tout seul. Nous avons regardé, nous attendant à voir d'une minute à l'autre les restes de son corps ensanglanté transportés dehors, et au lieu de cela un soldat après l'autre s'enfuyait de la tour, paniqué, ou chancelant sous le poids de ses camarades blessés. Nous pouvions à peine en croire nos yeux. Nous avons prié pour que la querelle prenne fin au plus vite car peu importe l'insulte d'origine, une telle violence n'est en aucun cas justifiée. Mais cela continuait encore et encore, et ensuite, jeune cousin, le terrible accident s'est produit. Qui sait si ce n'est pas Dieu Lui-même, contrarié qu'un conflit aussi sombre se déroule à l'intérieur de ces bâtiments sacrés, qui a tendu le doigt et les a frappés par le feu ? C'est plutôt un des soldats, courant ici et là avec des torches, qui a trébuché et commis cette grande erreur. Horrible ! La tour s'est brusquement embrasée ! Qui aurait cru qu'une vieille tour humide flamberait aussi facilement ? Pourtant elle a brûlé, et les soldats du seigneur Brennus étaient coincés à l'intérieur avec ton frère. Ils auraient mieux fait d'oublier leur querelle tout de suite et de s'enfuir le plus vite possible, mais j'imagine qu'ils ont plutôt envisagé de combattre le feu, et qu'ils se sont aperçus trop tard que les flammes les dévoraient. Un accident d'une réelle atrocité, et les quelques hommes qui ont pu sortir sont morts sur le sol dans d'horribles convulsions. Pourtant, miracle des miracles, jeune cousin, ton frère, semble-t-il, en a réchappé ! Le père Ninian l'a trouvé errant dans l'obscurité de l'enceinte du monastère, étourdi, blessé, mais toujours en vie, alors que nous regardions la tour en feu, priant pour les hommes piégés à l'intérieur. Ton frère est en vie, mais le père Jonus, qui a lui-même soigné ses blessures, a conseillé aux rares d'entre nous à être au courant de garder solennellement le secret, et même, de n'en rien dire à l'abbé. Car il craint que si la nouvelle se répand, le seigneur Brennus envoie d'autres soldats en quête de vengeance, sans tenir compte du fait que la plupart sont morts par accident et non de la main de ton frère. Tu ferais bien de n'en souffler mot à personne, avant que vous soyez tous les deux très loin de ce pays. Le père Jonus était en colère que tu aies pris le risque de revenir au monastère, pourtant il est satisfait de pouvoir faciliter ta réunion avec ton frère. "Ils doivent quitter ensemble ce pays", a-t-il dit. Le père Jonus est le meilleur des hommes, et toujours le plus sage, même après ce que les oiseaux lui ont fait. J'ose affirmer que ton frère lui doit, à lui et au père Ninian, d'être encore en vie. »

Mais c'était avant. Maintenant, le jeune moine était devenu distant, et ses bras étaient de nouveau solidement serrés à l'intérieur de sa robe. Tandis qu'Edwin traversait le torrent derrière lui, s'efforçant de distinguer les rochers sous l'eau tumultueuse, il lui vint à l'esprit qu'il devait s'en ouvrir au guerrier, lui parler de sa mère et lui dire qu'elle l'avait appelé. S'il lui expliquait tout depuis le début, honnêtement et en toute franchise, peut-être Wistan comprendrait-il et lui donnerait-il une seconde chance ?

Une chaussure dans chaque main, Edwin sauta avec légèreté sur le rocher suivant, un peu égayé par cette perspective.

TROISIÈME PARTIE

Ces veuves noires. Dans quel but Dieu les a-t-Il placées sur ce chemin de montagne ? Désire-t-Il éprouver mon humilité ? Ne Lui suffit-il pas de m'avoir vu sauver ce bon couple et le garçon blessé, tuer un chien démoniaque, dormir une heure à peine sur des feuilles imprégnées de rosée avant de me lever pour apprendre que mes tâches sont encore loin d'être accomplies, qu'Horace et moi devons nous remettre en route pour gravir une autre piste escarpée sous un ciel gris au lieu de chercher refuge dans un village plus bas ? Pourtant Il a mis ces veuves sur mon chemin, aucun doute là-dessus, et j'ai bien fait de m'adresser à elles avec courtoisie. Même lorsqu'elles se sont abaissées à des insultes stupides et ont jeté des mottes de terre sur l'arrière-train d'Horace – comme si, pris de panique, il allait se lancer dans un galop inconvenant ! –, je ne leur ai pas jeté un seul regard, parlant plutôt à l'oreille d'Horace, lui rappelant qu'il nous faut supporter ces épreuves, car celle qui nous attend sur ces sommets lointains où s'amassent des nuages d'orage est plus grande encore. D'ailleurs, ces femmes au visage buriné vêtues de chiffons qui claquent au vent ont été autrefois d'innocentes jeunes filles, dont certaines possédaient de la beauté et de la grâce, ou du moins la fraîcheur qui en tient souvent lieu aux yeux d'un homme. N'était-elle pas ainsi, celle dont je me souviens parfois quand se déploie devant moi une étendue de terre, déserte et solitaire, que je pourrais traverser par une lugubre journée d'automne ? Pas une beauté, mais une fille assez charmante pour moi. Je ne l'ai aperçue qu'une fois, quand j'étais jeune, et lui ai-je seulement parlé alors ? Pourtant elle revient quelquefois dans mon imagination, et je crois qu'elle est apparue dans mon sommeil, car je m'éveille souvent avec un mystérieux contentement même si mes rêves m'échappent.

Je goûtais encore le bonheur inspiré par un tel sentiment quand Horace m'a réveillé ce matin, piétinant le sol moelleux de la forêt où je m'étais allongé après les efforts de la nuit. Il sait très bien que je n'ai plus mon endurance d'antan, qu'après une pareille nuit il n'est pas facile pour moi de m'assoupir une petite heure avant de reprendre ma route. Pourtant, voyant le soleil déjà haut au-dessus du toit ombragé de la forêt, il n'a pas voulu me laisser dormir encore. Il a tapé du pied jusqu'à ce que je me lève, rageant contre ma cotte de mailles. Je maudis de plus en plus cette armure. M'a-t-elle sauvé de grand-chose ? Une petite blessure ou deux tout au plus. C'est l'épée, non l'armure, que je dois remercier de m'avoir si longtemps préservé. Je me suis levé et j'ai observé les feuilles autour de moi. Pourquoi y en a-t-il tant sur le sol, alors que l'été est à peine commencé ? Ces arbres sont-ils malades, alors même qu'ils nous abritent ? Un rayon de soleil filtrant sous l'épais feuillage est tombé sur les naseaux d'Horace, et je l'ai regardé secouer son nez d'un côté à l'autre, comme si ce rayon était une mouche envoyée pour le tourmenter. Lui non plus n'a pas passé une nuit agréable, écoutant les bruits de la forêt autour de lui, se demandant au-devant de quels dangers son chevalier était parti. Quoique mécontent d'avoir été réveillé si tôt, lorsque je suis allé vers lui, c'était pour tenir doucement son cou entre mes mains, et pour poser un bref instant ma tête contre sa crinière. Il a un maître dur, je le sais. Je le pousse à avancer quand je le sais fatigué, je le maudis quand il n'a rien fait de mal. Et tout ce métal est autant un fardeau pour lui que pour moi. Jusqu'où irons-nous encore ensemble ? Je l'ai tapoté gentiment, disant : « Nous allons bientôt trouver un village accueillant, et tu auras un meilleur petit déjeuner que celui que tu viens de prendre. »

J'ai parlé ainsi, croyant que le problème de maître Wistan était résolu. Mais nous arrivions au bas du chemin, encore dans les bois, quand nous avons croisé le moine débraillé, ses chaussures en loques, se hâtant en direction du camp du seigneur Brennus, et voilà qu'il nous apprend que maître Wistan s'est enfui du monastère, laissant derrière lui ses poursuivants morts, réduits pour la plupart à un tas d'os carbonisés. Quel homme ! Étrange que mon cœur se réjouisse à cette nouvelle, alors qu'elle m'impose à nouveau la lourde tâche que je croyais achevée.

Horace et moi avons donc renoncé au foin, à la viande rôtie et à la bonne compagnie dont nous rêvions, et nous voici en train de gravir la pente. Heureusement, nous nous éloignons encore de ce maudit monastère. Au fond de mon cœur, il est vrai, je suis soulagé que maître Wistan n'ait pas péri dans les mains de ces moines et du misérable Brennus. Mais quel homme ! Le sang qu'il verse chaque jour ferait déborder la Severn ! Il était blessé, croyait le moine débraillé, mais qui peut s'attendre à ce qu'un guerrier tel que maître Wistan se couche et se laisse mourir ? J'ai été stupide de permettre au jeune Edwin de s'enfuir dans cette direction, et qui oserait parier qu'il ne l'a pas retrouvé ? Si stupide, mais j'étais fatigué alors, et d'ailleurs, je n'imaginais guère que maître Wistan pourrait en réchapper. Quel homme ! S'il avait vécu à notre époque, tout Saxon qu'il soit, il aurait gagné l'admiration d'Arthur. Même les meilleurs d'entre nous auraient redouté de l'affronter comme ennemi. Hier pourtant, quand je l'ai vu combattre le soldat de Brennus, j'ai cru remarquer une légère faiblesse sur son côté gauche. Ou bien était-ce une ruse habile ? Si je le vois encore se battre, je saurai à quoi m'en tenir. Un guerrier astucieux néanmoins, et il faudrait un chevalier d'Arthur pour s'en douter, mais je l'ai pensé, en observant le combat, je me suis dit, regarde bien, une petite faille du côté gauche. Qu'un adversaire rusé pourrait bien exploiter. Lequel d'entre nous ne l'aurait-il pas respecté ?

Mais pourquoi ces veuves noires croisent-elles notre chemin ? Notre journée n'est-elle pas assez

296

chargée ? Notre patience n'est-elle pas suffisamment mise à l'épreuve ? Nous allons nous arrêter à la prochaine crête, ai-je dit à Horace dans la pente. Nous allons nous arrêter pour faire une pause bien que des nuages noirs s'accumulent, et que l'orage menace. S'il n'y a pas d'arbres je m'assiérai là, sur la bruyère râpeuse, et nous nous reposerons quand même. Mais quand la route s'est enfin aplanie, nous avons découvert de grands oiseaux perchés sur les rochers, et au lieu de s'envoler dans le ciel assombri, ils se sont levés comme un seul homme pour venir vers nous. J'ai vu alors que ce n'étaient pas des oiseaux, mais des vieilles femmes aux capes flottantes, se rassemblant sur le chemin.

Pourquoi choisir un lieu aussi désolé pour se réunir ? Pas un cairn, pas un puits sec pour le marquer. Pas un arbre frêle, pas un arbuste pour protéger le voyageur du soleil ou de la pluie. Juste ces rochers crayeux, enfoncés dans la terre de chaque côté de la route. Assurons-nous, ai-je dit à Horace, assurons-nous que mes vieux yeux ne me jouent pas un tour et que ce ne sont pas des bandits venus nous attaquer. Mais il n'a pas été nécessaire de dégainer l'épée – dont la lame est encore imprégnée de la bave puante de ce chien démoniaque, bien que je l'aie plantée dans le sol avant de m'endormir – car c'étaient bien des vieilles femmes, même si un bouclier ou deux auraient pu nous être fort utiles dans la circonstance. Ces dames, rappelons-nous que ce sont des dames, Horace, à présent que nous les avons enfin dépassées, car n'inspirent-elles pas la pitié ? Nous ne les qualifie-rons pas de harpies, même si leurs manières nous incitent à le faire. Souvenons-nous qu'autrefois, certaines possédaient grâce et beauté.

« Le voilà, a crié l'une d'elles, le chevalier impos-teur ! » D'autres ont repris en chœur à mon approche, et nous aurions pu fendre leurs rangs au trot, mais je ne suis pas du genre à fuir l'adversité. J'ai donc arrêté Horace en plein milieu, fixant le prochain sommet comme pour scruter les nuages qui s'amoncelaient. Lorsque leurs haillons ont claqué autour de moi, et que j'ai perçu l'explosion de leurs cris, je les ai considérées du haut de ma selle. Étaient-elles une quinzaine ? Une vingtaine ? Des mains se sont ten-dues pour toucher les flancs d'Horace, et je lui ai parlé à l'oreille pour le calmer. Puis je me suis redressé et j'ai dit : « Mesdames, si nous devons par-ler, cessez ce bruit ! » Elles se sont alors tues, mais leurs regards étaient encore pleins de colère, et j'ai demandé : « Que voulez-vous de moi, mesdames ? Pourquoi m'assaillir de cette façon ? » Sur quoi une femme m'a interpellé : « Nous savons que vous êtes le stupide chevalier trop timide pour accomplir la tâche dont on l'a chargé. » Et une autre : « Si vous aviez fait, il y a longtemps, ce que Dieu vous a demandé, serions-nous en train d'errer en proie au chagrin ? » Une autre encore : « Il redoute son devoir ! Ça se voit sur son visage. Il redoute son devoir ! »

J'ai contenu ma colère et je leur ai demandé de s'expliquer. Après quoi, une femme un peu plus polie que le reste s'est avancée : « Pardonnez-nous, chevalier. Nous errons depuis des jours sous ces cieux et en vous voyant venir vers nous, fièrement monté sur votre cheval, nous devons à tout prix vous faire entendre nos lamentations.

— Madame, lui ai-je dit, je parais peut-être accablé par le poids des années. Mais je reste un chevalier du grand Arthur. Si vous me confiez vos problèmes, je vous aiderai avec joie si cela m'est possible. »

À ma consternation, les femmes – y compris la plus polie – ont toutes éclaté d'un rire sarcastique, puis une voix a dit : « Si vous aviez fait votre devoir il y a longtemps et tué la dragonne, nous ne serions pas en train d'errer en proie au désespoir. »

J'en fus ébranlé, et me suis écrié : « Qu'en savez-vous ? Que savez-vous de Querig ? », mais j'ai vu à temps la nécessité de me contenir. J'ai donc dit d'un ton posé : « Expliquez donc, mesdames, ce qui vous oblige à errer ainsi sur les routes ? » À quoi une voix éraillée derrière moi a répliqué : « Si vous me le demandez, chevalier, je vous le dirai avec plaisir. Quand le batelier m'a posé ses questions, mon bien-aimé était déjà dans la barque et me tendait la main pour m'aider à monter, mais je me suis aperçue que mes souvenirs les plus chers m'avaient été dérobés. Je l'ignorais alors, mais je le sais maintenant, c'est le souffle de Querig, la créature que vous auriez dû tuer depuis longtemps, qui me les avait volés.

— Comment pouvez-vous le savoir, madame ? » ai-je demandé, désormais incapable de cacher ma consternation. Comment est-il possible que ces vagabondes connaissent un secret aussi bien gardé ? Alors la plus polie a eu un curieux sourire et répondu : « Nous sommes veuves, chevalier. On ne peut plus nous cacher grand-chose. »

À cet instant, je sens Horace trembler, et je m'entends demander : « Qui êtes-vous donc, mesdames ? Êtes-vous vivantes ou mortes ? » À quoi les femmes éclatent une fois de plus d'un rire moqueur et Horace, mal à l'aise, remue un sabot. Je le tapote doucement en disant : « Pourquoi riez-vous, mesdames ? Était-ce une question si stupide ? » Et la voix rauque lance : « Voyez comme il est craintif ! Maintenant il nous craint autant que le dragon !

— Quelle absurdité, madame ! » dis-je en criant avec plus de force, mais Horace recule d'un pas contre mon gré, et je dois tirer sur sa bride pour l'immobiliser. « Je ne crains aucun dragon, et si féroce que soit Querig, j'ai affronté des démons beaucoup plus dangereux à mon époque. Si j'ai été lent à la tuer, c'est parce qu'elle se cache avec beaucoup de ruse dans ces hauts rochers. Vous me faites des reproches, madame, mais entendons-nous parler de Querig aujourd'hui ? Il fut un temps où elle n'hésitait pas à faire une razzia chaque mois dans un village ou deux, mais depuis la dernière fois que de pareils événements nous ont été rapportés, des garçons sont devenus des hommes. Elle sait que je suis tout près, et elle n'ose pas se montrer en dehors de ces collines. »

Pendant que je parlais, une femme a ouvert sa cape en loques et une motte de boue a heurté le cou d'Horace. Intolérable, ai-je dit à Horace, nous devons poursuivre notre chemin. Que peuvent savoir ces vieilles biques de notre mission ? Je l'ai encouragé à avancer mais il était étrangement figé, et j'ai dû planter mon éperon pour le faire avancer. Heureusement, les silhouettes noires se sont écartées devant nous et j'ai de nouveau levé les yeux vers les pics lointains. Mon cœur s'est serré à la pensée de ces hautes terres désolées. Même la compagnie de ces sorcières impies, ai-je pensé, aurait été préférable à ces vents lugubres. Mais comme pour me détromper, les femmes ont repris leur litanie derrière moi, et j'ai senti qu'elles envoyaient encore de la boue dans notre direction. Mais que chantent-elles ? Osent-elles crier «lâche» ? J'ai eu envie de me retourner et de montrer ma rage, mais je me suis ressaisi à temps. Lâche, lâche. Que savent-elles ? Elles étaient là ? Elles étaient là ce jour lointain où nous sommes allés affronter Querig ? M'auraient-elles traité de lâche, moi ou un autre de nos cinq combattants ? Et même après cette grande mission – dont nous n'avons été que trois à revenir –, ne me suis-je pas hâté, mesdames, me reposant à peine, de redescendre du bord de la vallée pour honorer ma promesse à la jeune fille ?

Elle s'appelait Edra, me dit-elle par la suite. Ce n'était pas une beauté, et elle portait d'humbles guenilles, mais comme pour l'autre fille dont je rêve parfois, son éclat m'avait touché. Je la vis au bord de la route, portant sa bêche des deux bras. C'était une toute jeune femme, petite et menue, et la vue d'une telle innocence, marchant sans protection si près des horreurs dont je venais d'être témoin, m'empêcha de passer mon chemin, alors que j'étais envoyé en mission.

« Faites demi-tour, jeune fille », lui dis-je du haut de mon étalon, car c'était avant l'époque d'Horace, lorsque j'étais jeune moi aussi. « Quelle immense bêtise vous pousse dans cette direction ? Ignorez-vous qu'une bataille fait rage dans cette vallée ?

— Je le sais très bien, répondit-elle, croisant mon regard sans frayeur aucune. J'ai fait un long voyage pour venir jusqu'ici, et bientôt je serai dans la vallée et je me joindrai aux combats.

— Un esprit vous a-t-il ensorcelée, demoiselle ? J'arrive à l'instant du fond de la vallée où des guerriers chevronnés vomissent de terreur. Je ne voudrais pas que vous en entendiez même un écho lointain. Et pourquoi cette bêche est-elle trop grande pour vous ?

— Un seigneur saxon que je connais est dans la vallée maintenant, et je prie de tout mon cœur qu'il ne soit pas tombé et que Dieu le protège. Car je veux qu'il meure de mes propres mains, après ce qu'il a fait à ma mère et à mes sœurs chéries, et je porte cette bêche pour faire le travail. Elle fend la terre les matins d'hiver, et elle fera assez bien l'affaire pour les os de ce Saxon. »

Je fus alors obligé de mettre pied à terre et de la retenir par le bras alors même qu'elle tentait de se dégager. Si elle vit encore aujourd'hui – elle s'appelait Edra, m'a-t-elle dit par la suite – elle aurait presque votre âge, mesdames. Peut-être était-elle parmi vous tout à l'heure, comment le saurais-je ? Pas une grande beauté, mais comme pour l'autre fille, son innocence m'a parlé. « Lâchez-moi, monsieur ! » crie-t-elle, et je réponds : « Vous n'irez pas dans cette vallée. Vu d'en haut, le spectacle suffira à vous faire défaillir. » « Je ne suis pas une mauviette, monsieur, crie-t-elle. Laissez-moi partir ! » Et nous voici debout sur le bas-côté, en train de nous quereller comme deux enfants, et je ne parviens à la calmer qu'en lui disant :

« Demoiselle, je vois que rien ne pourra vous dissuader. Mais songez combien vos chances d'obtenir seule la vengeance que vous désirez sont minces. Avec mon aide vos chances seront décuplées. Alors soyez patiente et installez-vous un moment au soleil. Là-bas, allez vous asseoir sous ce vieil arbre, et attendez mon retour. Je dois rejoindre quatre camarades pour une mission qui, bien qu'elle comporte un grave danger, ne me retiendra pas longtemps. Si je devais périr, vous me verrez revenir attaché sur la selle de ce même cheval, et vous saurez que je ne suis plus en mesure de tenir ma promesse. Sinon je jure que je reviendrai et que nous irons ensemble réaliser votre rêve. Soyez patiente, demoiselle, et si votre cause est juste, ce que je crois, Dieu veillera à ce que cet homme ne tombe pas avant notre arrivée. »

Étaient-ce les paroles d'un lâche, mesdames, prononcées le jour même où je suis allé affronter Querig ? Et une fois que nous eûmes achevé notre tâche, et que je vis que j'avais été épargné – pourtant deux d'entre nous avaient succombé –, je me hâtai, épuisé, de redescendre au bord de la vallée, jusqu'à l'arbre où la jeune fille attendait toujours, sa bêche dans les bras. Elle se leva d'un bond, et sa vue émut de nouveau mon cœur. Pourtant, lorsque j'essayai une fois encore de la dissuader de son dessein, car je redoutais de la voir pénétrer dans cette vallée, elle dit avec colère : « Êtes-vous faux, monsieur ? Ne tiendrez-vous pas votre promesse ? » Je la plaçai donc sur la selle – elle tint les rênes tout en serrant la bêche contre sa poitrine – et je conduisis à pied le cheval et la jeune fille dans les pentes de la vallée. Blêmit-elle lorsque nous entendîmes le vacarme ? Ou quand, à la périphérie des combats, nous rencontrâmes des Saxons désespérés, leurs poursuivants sur les talons ? Se décomposa-t-elle lorsque des guerriers exténués franchirent le chemin à tâtons, se traînant sur le sol avec leurs blessures ? Des petites larmes apparurent et je vis trembler sa bêche, mais elle ne se détourna pas. Car ses yeux, absorbés par leur tâche, fouillaient ce champ ensanglanté de toutes parts, à droite et à gauche, de près et de loin. Puis je montai moi-même le cheval et, la portant devant moi comme si elle avait été un doux agneau, nous pénétrâmes en plein cœur de la bataille. Avais-je l'air timide alors, assénant des coups d'épée, la protégeant derrière mon bouclier, tournant le cheval d'un côté puis de l'autre jusqu'à ce que, finalement, la bataille nous renversât tous les deux dans la boue ? Mais elle se releva aussitôt et, récupérant sa bêche, elle commença à se frayer un chemin entre les tas écrasés et écartelés. D'étranges cris emplissaient nos

304

oreilles, mais elle ne semblait rien entendre, telle une digne jeune fille chrétienne ignorant les cris obscènes des hommes grossiers qu'elle dépasse. J'étais jeune alors et j'avais le pied agile, aussi, je courais autour d'elle avec mon épée, fauchant quiconque lui voulait du mal, la protégeant de mon bouclier contre les flèches qui tombaient régulièrement sur nous. Puis elle vit enfin celui qu'elle cherchait, mais c'était comme si nous dérivions sur des vagues agitées – bien que l'île paraisse proche, les courants la rendent inaccessible. C'est ce qui nous arriva ce jour-là. Je combattis, frappai à mort, et veillai à ce qu'elle fût saine et sauve, mais il nous fallut une éternité pour arriver jusqu'à lui, et trois hommes avaient pour mission de le protéger. Je passai mon bouclier à la jeune fille en disant : « Abritez-vous bien, car votre proie est presque à vous », et j'affrontai trois adversaires qui, je le vis, étaient des guerriers habiles, mais je les vainquis l'un après l'autre, et me trouvai enfin face au Saxon qu'elle haïssait tant. Ses genoux étaient recouverts du sang dans lequel il pataugeait, mais je vis que ce n'était pas un guerrier, et je le battis jusqu'à ce qu'il soit étendu sur le sol, haletant, ses jambes désormais inutiles, ses yeux pleins de haine fixés sur le ciel. Elle vint alors et se dressa au-dessus de lui, lâchant le bouclier, et la lueur de son regard me glaça les veines plus encore que tout ce que j'avais vu dans ce champ abominable. Elle abattit la bêche, non pas d'un geste large, mais frappant un petit coup, puis un autre, comme si elle cherchait des pommes de terre dans le sol, au point que je fus forcé de crier : « Finissez-en, jeune fille, sinon je m'en charge moi-même ! » à quoi elle répondit : « Laissez-moi à présent, monsieur. Je vous remercie pour votre aide, mais maintenant c'est fait. » « À moitié seulement, jeune fille, criai-je, tant que je ne vous aurai pas raccompagnée saine et sauve hors de cette vallée », mais elle n'écoutait plus et continuait son œuvre immonde. Je me serais encore querellé, mais à c'est à cet instant qu'il a surgi de la foule. Je parle de maître Axl, c'est ainsi qu'il s'appelle à présent, un homme certes plus jeune à l'époque, au visage déjà plein de sagesse, et lorsque je l'ai vu, j'ai eu l'impression que le bruit de la bataille était englouti dans le silence.

« Pourquoi vous exposer ainsi, monsieur ? lui dis-je. Et votre épée encore engainée ? Prenez au moins un bouclier tombé sur le sol et protégez-vous. »

Mais il garde une expression lointaine, comme s'il se trouvait dans une prairie fleurie de pâquerettes un matin parfumé. « Si Dieu choisit de diriger une flèche de ce côté, dit-il, je ne L'en empêcherai pas. Sire Gauvain, je suis content de vous voir en bonne forme. Êtes-vous arrivé depuis peu, ou étiez-vous là depuis le début ? »

Cela, comme si nous nous retrouvions dans une foire estivale, et je suis obligé de crier encore : « Protégez-vous, maître Axl ! Le champ est noir d'ennemis. » Alors qu'il continue de contempler le paysage, je dis, me souvenant de la question qu'il m'a posée : « Je suis là depuis que la bataille a commencé, mais Arthur m'a choisi ensuite avec quatre autres pour accomplir une mission d'une grande importance. Je viens juste d'en revenir. »

J'ai enfin retenu son attention. « Une mission d'importance ? Elle s'est bien passée ?

— Tristement, deux camarades sont morts, mais nous l'avons accomplie et maître Merlin a été satisfait.

— Maître Merlin, dit-il. C'est peut-être un sage, mais ce vieil homme me donne des frissons. » Puis il regarde encore autour de lui, disant : « Je suis désolé d'apprendre que vous avez perdu deux amis. Beaucoup d'autres auront disparu avant que le jour s'achève.

— Mais la victoire est à nous, dis-je. Ces maudits Saxons. Pourquoi se battre ainsi, avec la mort pour tout remerciement ?

— Je crois qu'ils le font par pure colère et par haine pour nous, répond-il. Car la nouvelle de ce qui a été fait aux innocents restés dans leurs villages a dû parvenir à leurs oreilles. J'en arrive moi-même à l'instant, alors pourquoi l'information n'aurait-elle pas atteint aussi les rangs saxons ?

— De quelle nouvelle parlez-vous, maître Axl ?

— Leurs femmes et leurs enfants, laissés sans protection après que nous avons accepté solennellement de ne pas leur faire de mal, aujourd'hui massacrés de nos mains, même les bébés les plus petits. Si nous venions de subir le même sort, notre haine s'épuiserait-elle ? Ne combattrions-nous pas nous aussi jusqu'au dernier comme ils le font, chaque blessure récente apaisée par ce baume ?

— Pourquoi s'attarder sur ce sujet, maître Axl? Notre victoire est assurée aujourd'hui et sera formidable.

— Pourquoi je m'y attarde? Monsieur, ce sont les villages avec lesquels je me suis lié d'amitié au nom d'Arthur. Dans un village on m'appelait le Chevalier de la paix, et aujourd'hui j'ai vu une simple douzaine de nos hommes les traverser sans une trace de compassion, avec pour seuls adversaires des garçons qui ne leur arrivaient pas à l'épaule.

— Je suis désolé de l'apprendre. Mais je vous prie instamment, monsieur, de ramasser au moins un bouclier.

— De village en village j'ai vu le même spectacle, et nos hommes se vanter de ce qu'ils avaient fait.

— Ne vous blâmez pas, monsieur, pas plus que mon oncle. La grande loi que vous avez autrefois négociée était une chose vraiment magnifique tant qu'elle a tenu. Combien d'innocents, bretons ou saxons, ont été épargnés grâce à elle au cours des années? Si elle n'a pas duré toujours, ce n'est pas de votre fait.

— Pourtant ils ont cru à notre marché jusqu'à aujourd'hui. C'est moi qui ai gagné leur confiance là où il n'y avait avant que de la peur et de la haine. Aujourd'hui leurs actes font de moi un menteur et un boucher, et la victoire d'Arthur ne m'inspire aucune joie.

— Que ferez-vous avec des paroles aussi insensées, monsieur? Si c'est la trahison que vous envisagez, affrontons-nous sur-le-champ!

— Votre oncle ne craint rien de moi. Cependant, vous réjouissez-vous, sire Gauvain, d'une victoire obtenue à ce prix?

— Maître Axl, ce qui a été perpétré dans ces villes saxonnes aujourd'hui, mon oncle ne l'aurait jamais ordonné d'un cœur léger, ne connaissant aucun autre moyen d'imposer la paix. Réfléchissez. Ces petits garçons saxons que vous pleurez seraient bientôt devenus des guerriers brûlant de venger leurs pères tombés aujourd'hui. Les petites filles en auraient bientôt porté d'autres dans leur ventre, et ce cercle de massacre n'aurait jamais été brisé. Voyez combien la soif de vengeance est profonde! Regardez en ce moment même cette honnête demoiselle, que j'ai moi-même escortée jusqu'ici, regardez le cœur qu'elle met à sa tâche! La grande victoire d'aujourd'hui nous offre une chance unique. Nous pouvons, une fois pour toutes, rompre ce cercle infernal, et un grand roi doit relever ce défi avec audace. C'est peut-être une journée mémorable, maître Axl, après laquelle notre pays connaîtra la paix pendant les années à venir.

— Votre raisonnement m'échappe, monsieur. Même si aujourd'hui nous massacrons un océan de Saxons, que ce soient des guerriers ou des bébés, il en reste encore beaucoup d'autres dans le pays. Ils viennent de l'est, ils débarquent en bateau sur nos côtes, ils construisent chaque jour de nouveaux villages. Ce cercle de la haine n'est en rien écorné, monsieur, mais forgé en fer par ce qui est accompli aujourd'hui. Je vais maintenant rencontrer votre oncle et lui rapporter ce dont j'ai été témoin. Je verrai sur son visage s'il croit que Dieu sourira de ces crimes. »

Un assassin de bébés. C'est ce que nous étions ce jour-là ? Et cette fille que j'ai escortée, qu'est-elle devenue ? Était-elle parmi vous, mesdames ? Pourquoi vous rassembler ainsi autour de moi alors que je cours faire mon devoir ? Laissez un vieil homme aller en paix. Un assassin de bébés. Pourtant je n'y étais pas, et même si j'y avais été, à quoi bon argumenter avec un grand roi, mon oncle de surcroît ? Je n'étais alors qu'un jeune chevalier, et d'ailleurs, chaque année qui passe ne prouve-t-elle pas qu'il a eu raison ? N'avez-vous pas tous vieilli en temps de paix ? Alors laissez-nous aller notre chemin sans nous lancer d'insultes dans le dos. La loi des innocents, une loi puissante en vérité, destinée à rapprocher les hommes de Dieu – Arthur lui-même l'a toujours dit, ou bien est-ce maître Axl qui l'a désignée ainsi ? Nous l'appelions Axelum ou Axelus alors, mais aujourd'hui il est connu sous le nom d'Axl, et il a une excellente épouse. Pourquoi me harceler, mesdames ? Est-ce ma faute si vous avez du chagrin ? Mon temps viendra avant longtemps, et je ne reviendrai pas rôder dans ce pays comme vous. J'accueillerai le batelier avec satisfaction, je monterai dans sa barque oscillante au milieu du clapotis des vagues, et je dormirai peut-être un moment, le son de la rame dans l'oreille. Je passerai de la somnolence à un état de demi-éveil, je verrai le soleil se coucher sur l'eau et le rivage s'éloigner encore, je replongerai dans mes rêves en dodelinant de la tête jusqu'à ce que la voix du batelier me tire doucement de ma songerie une fois encore. Et s'il devait me poser des questions, comme certains disent qu'il le fera, je lui répondrai honnêtement, car que me reste-t-il à cacher ? Je n'ai pas eu d'épouse, bien que j'aie parfois désiré en avoir une. Mais j'ai été un bon chevalier qui a fait son devoir jusqu'au bout. Je le lui dirai, et il verra que je ne mens pas. Il ne me dérangera pas. Le coucher de soleil paisible, son ombre tombant sur moi tandis qu'il passe d'un côté de son embarcation à l'autre. Mais cela attendra. Aujourd'hui Horace et moi devons monter sous ce ciel gris, jusqu'à la pente dénudée conduisant au sommet suivant, car notre travail n'est pas achevé et Querig nous attend.

CHAPITRE 10

Il n'avait jamais eu l'intention de tromper le guerrier. C'était comme si la tromperie même s'était déployée en silence sur les champs pour les envelopper tous les deux.

La hutte du tonnelier semblait construite dans un profond fossé, son toit de chaume si proche de la terre qu'Edwin, baissant la tête pour passer dessous, eut l'impression de descendre dans un trou. Il s'était donc préparé à l'obscurité, mais la chaleur étouffante – et l'épaisse fumée de feu de bois – le prit au dépourvu, et il annonça son arrivée par une quinte de toux.

« Je suis heureux de te voir sain et sauf, jeune camarade. »

La voix de Wistan retentit dans le noir, derrière le feu qui couvait, puis Edwin distingua la forme du guerrier sur un lit de tourbe.

« Êtes-vous grièvement blessé, guerrier ? »

Lorsque Wistan s'assit, apparaissant avec lenteur dans le rougeoiement des braises, Edwin vit que son visage, son cou et ses épaules étaient couverts de sueur. Pourtant les mains qui se tendirent vers le feu tremblaient comme s'il avait froid.

« Les blessures sont insignifiantes. Mais elles ont provoqué cette fièvre. C'était pire avant, et j'ai peu de souvenirs de ma venue ici. Les bons moines disent qu'ils m'ont attaché sur le dos de la jument, et j'imagine que j'ai marmonné tout le temps comme lorsque je jouais au demeuré à la mâchoire molle dans la forêt. Et toi, camarade ? Tu n'es pas blessé, je crois, à part la plaie que tu avais déjà.

— Je vais parfaitement bien, guerrier, mais j'ai honte devant vous. Je suis un bien piètre camarade, endormi pendant que vous combattiez. Maudissez-moi et bannissez-moi de votre vue, car c'est tout ce que je mérite.

— Pas si vite, maître Edwin. Si tu m'as déçu l'autre nuit, je vais bientôt te donner le moyen de te racheter. »

Le guerrier ramena avec précaution ses deux pieds sur le sol en terre battue, tendit la main et jeta une bûche dans les flammes. Edwin vit alors que son bras gauche était étroitement bandé avec de la toile à sac, et qu'une meurtrissure recouvrait un côté de son visage y compris l'œil, en partie fermé.

« C'est vrai, reprit Wistan, quand j'ai regardé la première fois du haut de la tour en feu, voyant que la charrette préparée avec tant de soin n'était pas là, j'ai eu envie de te maudire. Une longue chute sur le sol de pierre et la fumée brûlante qui m'enveloppait déjà. Écoutant l'agonie de mes ennemis, je me suis demandé, dois-je les rejoindre pour me réduire en cendres avec eux ? Ne vaut-il pas mieux m'écraser seul sous le ciel nocturne ? Mais avant que j'aie trouvé la réponse, la charrette est arrivée après tout, tirée par ma propre jument, un moine tenant sa bride. Je n'ai pas pris la peine de demander si ce moine était un ami ou un ennemi, mais j'ai sauté du haut de cette cheminée, et notre travail de la soirée avait été très bien fait, camarade, car j'ai plongé dans le foin comme si c'était de l'eau, et aucun outil ne m'a transpercé. Je me suis réveillé sur une table, entouré de gentils moines fidèles au père Jonus qui prenaient soin de moi comme si j'avais été leur souper. La fièvre avait dû déjà s'emparer de moi, causée par ces blessures ou par la chaleur intense, car ils disent qu'ils ont dû étouffer mes divagations quand ils m'ont descendu ici à l'abri du danger. Mais si les dieux nous sont propices, la fièvre va bientôt se dissiper et nous partirons pour achever notre mission.

— Guerrier, je suis encore saisi de honte. Même après m'être réveillé et avoir vu les soldats devant la tour, je me suis laissé posséder par un lutin, et j'ai fui le monastère derrière ces vieux Bretons. Je vous supplie de me maudire maintenant ou de me battre, mais je vous ai entendu dire qu'il existait un moyen de racheter l'indignité de la nuit dernière. Dites-moi comment, guerrier, et je me jetterai avec impatience sur la tâche que vous m'aurez attribuée. »

Alors qu'il prononçait ces paroles, la voix de sa mère l'avait appelé, résonnant à travers la petite hutte, de telle sorte qu'Edwin n'était pas sûr d'avoir prononcé ces mots à voix haute. Il avait dû le faire, car il entendit Wistan dire :

« Tu t'imagines que je t'ai choisi seulement pour ton courage, jeune camarade ? Tu as effectivement une remarquable énergie et, si nous survivons à cette mission, je t'enseignerai les talents qui feront de toi un vrai guerrier. Pour l'instant tu es dégrossi, mais pas encore aiguisé. Je t'ai choisi entre tous, maître Edwin, parce que j'ai vu que tu avais le don de chasseur correspondant à ton esprit de guerrier. Il est vraiment rare de posséder les deux.

— Comment est-ce possible, guerrier ? Je ne connais rien à la chasse.

— Un louveteau à la mamelle est capable de sentir l'odeur d'une proie dans la nature. Je pense que c'est un don inné. Une fois que je serai débarrassé de cette fièvre, nous irons plus loin dans ces collines et je parie que tu entendras le ciel te chuchoter quel chemin il faut suivre jusqu'au moment où nous serons devant l'entrée de la tanière de la dragonne.

— Guerrier, je crains que vous n'égariez votre confiance là où elle n'a pas lieu de se réfugier. Aucun de mes proches ne s'est jamais vanté de ce genre de talents, et personne ne m'a soupçonné de les avoir. Steffa lui-même, qui a perçu mon âme de guerrier, n'en a jamais fait mention.

— Alors permets-moi d'être le seul à y croire, jeune camarade. Je ne dirai jamais que tu t'en es vanté. Dès que ma fièvre sera tombée, nous partirons en direction de ces collines à l'est, où se trouve la tanière de Querig, d'après ce qu'on raconte, et à chaque bifurcation je t'emboîterai le pas. »

Ce fut alors que commença l'imposture. Il ne l'avait jamais prévue, et ne l'avait pas non plus accueillie avec satisfaction lorsque, tel un lutin surgissant d'un coin obscur, elle s'était imposée en leur présence. Sa mère avait continué de l'appeler. « Trouve la force pour moi, Edwin. Tu es presque adulte. Trouve la force et viens me sauver. » Et ce fut le désir de l'apaiser autant que l'impatience de se racheter aux yeux du guerrier qui lui avait fait dire :

« C'est curieux, guerrier. Maintenant que vous en parlez, je ressens déjà l'attraction de la dragonne. Plus un goût qu'une odeur dans le vent. Nous devrions partir sans délai, car qui sait combien de temps je vais le sentir. »

Au moment où il prononçait ces mots, les scènes défilaient rapidement dans son esprit : il pénétrerait dans leur camp, les surprenant alors qu'ils étaient assis en demi-cercle sans rien dire, regardant sa mère essayer de se libérer. Ce seraient des hommes adultes à présent ; sans doute barbus, avec un gros ventre, non plus les jeunes gens élancés venus en titubant dans le village ce jour-là. Des hommes trapus, grossiers, et lorsqu'ils attraperaient leur hache, ils verraient le guerrier derrière Edwin et la peur se lirait dans leurs yeux.

Mais comment pouvait-il tromper le guerrier – son professeur et l'homme qu'il admirait plus que tous les autres ? Wistan hochait la tête d'un air satisfait, disant : « Je l'ai su dès que je t'ai vu, maître

Edwin. Même quand je t'ai délivré des ogres près de la rivière. » Il entrerait dans leur camp. Il libérerait sa mère. Les hommes trapus seraient tués, ou peut-être autorisés à s'enfuir dans le brouillard de la montagne. Et ensuite ? Edwin devrait expliquer pourquoi, alors qu'ils se hâtaient d'achever une mission urgente, il avait choisi de tromper le guerrier.

En partie pour se distraire de pareilles pensées – car il sentait à présent qu'il était trop tard pour revenir en arrière – il dit : « Guerrier, voici une question que j'ai à vous poser. Mais vous pourriez la juger impertinente. »

La forme de Wistan s'estompa dans l'obscurité, tandis qu'il s'allongeait de nouveau sur le lit. Edwin ne voyait plus de lui qu'un genou nu qui se balançait lentement de droite à gauche.

« Vas-y, camarade.

— Je me demandais, guerrier. Y a-t-il entre vous et le seigneur Brennus une querelle particulière qui vous a forcé à rester et à combattre ses soldats quand nous aurions pu nous enfuir du monastère et gagner une demi-journée qui nous aurait rapprochés de Querig ? Ce doit être une raison magistrale qui vous a poussé à négliger même votre mission. »

Le silence qui suivit fut si long qu'Edwin crut que le guerrier s'était évanoui dans l'air suffocant. Mais le genou continuait de bouger un peu, et quand la voix résonna enfin dans le noir, le léger tremblement de la fièvre parut s'être dissipé.

« Je n'ai pas d'excuse, jeune camarade. Je ne peux qu'avouer ma sottise, et cela après la recommandation du bon père de ne pas oublier mon devoir ! Tu vois combien la détermination de ton maître est faible. Mais je suis un guerrier avant tout le reste, et fuir une bataille que je me sais capable de gagner n'est pas chose facile ! Tu as raison, nous pourrions être en ce moment même devant la tanière de la dragonne, l'appelant pour qu'elle vienne nous accueillir. Mais il s'agissait de Brennus, j'avais même l'espoir qu'il vienne en personne, et il était au-dessus de mes forces de ne pas rester pour l'accueillir.

— J'ai donc raison, guerrier. Il y a une querelle entre vous et le seigneur Brennus.

— Aucune querelle digne de ce nom. Nous nous sommes connus enfants, à l'âge que tu as aujourd'hui. C'était dans un pays plus à l'ouest, dans une forteresse bien gardée, où une vingtaine de garçons s'entraînaient du matin jusqu'au soir à devenir des guerriers dans les rangs des Bretons. J'ai fini par éprouver une affection réelle pour mes compagnons de cette époque, car c'étaient des garçons magnifiques et nous étions comme des frères. Tous sauf Brennus, c'est-à-dire, car étant le fils du seigneur, il détestait se mélanger avec nous. Pourtant il s'entraînait souvent avec nous, et bien que ses talents aient été faibles, chaque fois que l'un de nous l'affrontait avec une épée en bois, ou pour lutter dans la fosse de sable, nous devions le laisser gagner. Rien de moins qu'une glorieuse victoire devait revenir au fils du seigneur, sinon nous étions tous punis. Tu imagines ça, jeune camarade ? Être ces jeunes garçons fiers, et laisser un adversaire aussi inférieur paraître nous écraser jour après jour ? Pire, Brennus adorait accabler ses adversaires d'humiliations alors même que nous feignions la défaite. Cela lui plaisait de se tenir sur notre nuque, ou de nous lancer des coups de pied quand nous étions allongés sur le sol pour lui plaire. Imagine ce que nous ressentions, camarade !

— Je vois très bien, guerrier.

— Mais aujourd'hui j'ai des raisons d'être reconnaissant envers le seigneur Brennus, car il m'a sauvé d'un sort pitoyable. Je t'ai déjà raconté, maître Edwin, que j'avais commencé à aimer mes compagnons comme mes propres frères dans cette forteresse, alors que j'étais saxon et eux, bretons.

— Mais qu'y a-t-il de si honteux, guerrier, si vous avez été élevé à leurs côtés, affrontant ensemble des tâches ardues ?

— Bien sûr que c'est honteux, mon garçon. Je ressens de la honte même aujourd'hui en me souvenant de l'affection que j'avais pour eux. Mais c'est Brennus qui m'a montré mon erreur. Peut-être parce que, même alors, mes talents se distinguaient, il était ravi de me choisir comme son adversaire, et me réservait ses pires humiliations. Il n'a pas tardé à remarquer que j'étais un garçon saxon, et avant longtemps il a monté contre moi chacun de mes compagnons. Même ceux qui avaient été les plus proches se sont ligués contre moi, crachant dans ma nourriture, ou dissimulant mes vêtements alors que nous courions à l'entraînement un matin d'hiver rigoureux, craignant la fureur de nos professeurs. Brennus m'a enseigné une grande leçon alors, et quand j'ai compris à quel point je me couvrais de

319

honte en aimant des Bretons comme des frères, j'ai pris la décision de quitter cette forteresse, même si je n'avais ni ami ni parent en dehors de ces murs. »

Wistan cessa un instant de parler, respirant avec difficulté de l'autre côté du feu.

« Avez-vous pris votre revanche avant de quitter cet endroit ?

— Juge à ma place si je l'ai fait, camarade, car je n'ai pas d'avis tranché sur la question. La coutume dans cette forteresse était d'accorder aux apprentis que nous étions une heure pour paresser ensemble après la journée d'entraînement. Nous faisions un feu dans la cour et, assis autour, nous bavardions et plaisantions comme le font les garçons. Bien sûr, Brennus ne se joignait jamais à nous, car il avait ses quartiers privilégiés, mais ce soir-là, pour une raison que j'ignore, je l'ai vu passer. Je me suis éloigné du groupe, sans que mes compagnons se doutent de quelque chose. Cette forteresse, comme n'importe quelle autre, avait de nombreux passages secrets, que je connaissais tous, et je me glissai dans un angle non surveillé où les remparts projetaient des ombres noires sur le sol. Brennus s'approcha en flânant, seul, et lorsque je sortis de l'obscurité il s'arrêta et me regarda avec terreur. Car il vit tout de suite que ce n'était pas une rencontre fortuite et, en outre, que ses pouvoirs habituels étaient suspendus. C'était curieux, maître Edwin, de voir ce seigneur fanfaron changé en un clin d'œil en un petit enfant sur le point de pisser de peur devant moi. Je mourais d'envie de lui dire : "Mon bon monsieur, je vois votre épée sur votre hanche. Sachant avec quelle habileté supérieure vous la maniez, vous ne craindrez pas de croiser le fer avec moi." Mais je n'ai rien dit de tel, car si je l'avais blessé dans ce coin obscur, c'en était fini de mes rêves d'une vie hors de ces murs. Je ne dis rien, mais je restai devant lui en silence, laissant le moment se prolonger entre nous, car je souhaitais qu'il ne soit jamais oublié. Il s'est recroquevillé sur lui-même, il aurait appelé à l'aide si un reste d'orgueil ne lui avait rappelé que son humiliation en serait perpétuée à jamais, et nous n'avons échangé aucune parole. Puis je l'ai laissé là et tu vois donc, maître Edwin, qu'il ne s'était rien passé entre nous, mais que tout avait été dit. J'ai su alors que je devais partir le soir même, et comme ce n'était plus le temps de guerre, la surveillance n'était pas stricte, je me suis glissé sans bruit devant les gardes, sans dire adieu, et je me suis retrouvé sous le clair de lune, mes chers compagnons derrière moi, ma propre famille assassinée depuis longtemps, avec seulement mon courage et mes talents tout neufs pour m'accompagner dans mon voyage.

— Guerrier, Brennus vous poursuit-il encore aujourd'hui parce qu'il craint votre vengeance depuis cette époque ?

— Qui sait ce que les démons chuchotent dans l'oreille de cet imbécile ? Un grand seigneur aujourd'hui, dans ce pays et celui d'à côté, pourtant il vit dans la terreur de tout voyageur saxon de l'est qui passe par ses terres. A-t-il entretenu sa peur de cette nuit-là au point qu'elle lui ronge aujourd'hui le ventre comme un ver géant ? Ou bien est-ce le souffle de la dragonne qui lui fait oublier la cause de la peur que je lui inspirais autrefois, et cette terreur sans nom n'en est-elle que plus monstrueuse ? L'année dernière à peine, un guerrier saxon des marais, que je connaissais bien, a été tué alors qu'il traversait paisiblement ce pays. Mais je reste redevable au seigneur Brennus pour la leçon qu'il m'a enseignée, car sans cela je pourrais aujourd'hui encore compter les Bretons comme mes frères d'armes. Qu'est-ce qui te trouble, jeune camarade ? Tu te balances d'un pied sur l'autre comme si ma fièvre te possédait toi aussi. »

Il avait donc échoué à dissimuler son agitation, mais Wistan ne pouvait sûrement pas suspecter sa tromperie. Était-il possible que le guerrier entendît la voix de sa mère ? Elle n'avait cessé de l'appeler pendant que le guerrier parlait. « Ne vas-tu pas trouver la force pour moi, Edwin ? Es-tu trop jeune après tout ? Viendras-tu vers moi, Edwin ? Ne m'as-tu pas promis de le faire ce jour-là ? »

« Je suis désolé, guerrier. C'est mon instinct de chasseur qui me rend impatient, car je crains de perdre l'odeur, et le soleil du matin se lève déjà dehors.

— Nous partirons dès que je serai capable de grimper sur le dos de cette jument. Mais laisse-moi encore un peu de temps, camarade, car comment pourrions-nous affronter un adversaire comme cette dragonne si je suis trop fiévreux pour soulever une épée ? »

CHAPITRE 11

Il cherchait une tache de soleil pour réchauffer Beatrice. La rive opposée baignait par endroits dans la clarté du matin, mais leur côté de la rivière restait ombragé et froid. Axl sentait qu'elle s'appuyait sur lui en marchant, et ses frissons s'étaient accentués. Il allait suggérer une nouvelle pause quand ils repérèrent, derrière les saules, le toit qui s'avançait au-dessus de l'eau.

Il leur fallut un moment pour négocier la pente boueuse jusqu'au hangar à bateaux et, lorsqu'ils parvinrent sous sa voûte basse, l'obscurité presque totale et la proximité de l'eau firent frissonner Beatrice de plus belle. Ils se déplacèrent vers l'intérieur, foulant des planches de bois humides, et virent, derrière l'auvent, de hautes herbes, des joncs, et une partie de la rivière. Puis la silhouette d'un homme se leva dans l'ombre à leur gauche, disant : « Qui êtes-vous, mes amis ?

— Dieu vous garde, monsieur, dit Axl. Excusez-nous de vous avoir tiré de votre sommeil. Nous sommes deux voyageurs fatigués qui souhaitent descendre la rivière jusqu'au village de leur fils. »

Un homme barbu, imposant, d'une quarantaine d'années, vêtu d'épaisseurs de peaux de bêtes, émergea dans la lumière et les examina. Il demanda enfin, d'un ton non dénué de gentillesse :

« Cette dame ne se sent pas bien ?

— Elle est seulement lasse, monsieur, mais incapable de marcher pour le reste du trajet. Nous espérions que vous auriez un bateau à fond plat ou une barque pour nous transporter. Nous sommes tributaires de votre générosité, car une mésaventure nous a récemment privés de nos balluchons, et avec eux, de l'étain destiné à vous récompenser. Je vois que vous n'avez qu'une embarcation sur l'eau. Je peux du moins vous promettre de mener à bon port la cargaison que vous nous confieriez si vous nous autorisez à l'utiliser. »

Le canotier regarda le bateau qui se balançait sous le toit, puis se tourna vers Axl. « Il faudra attendre un certain temps avant que cette barge descende la rivière, car mon compagnon doit rapporter un chargement d'orge pour la remplir. Mais je vois que vous êtes tous les deux fatigués et que vous avez eu des malheurs. Alors voici ce que je vous suggère. Regardez par ici, mes amis. Vous voyez ces paniers.

— Des paniers, monsieur ?

— Ils ont peut-être l'air fragiles, mais ils flottent bien et ils supporteront votre poids, cependant vous devrez en prendre un chacun. Nous avons l'habitude de les remplir de sacs de blé, ou d'y mettre parfois un cochon égorgé, et attachés derrière un bateau ils résistent même à des flots houleux sans danger.

324

Aujourd'hui, comme vous le voyez, l'eau est calme, et vous voyagerez sans problème.

— Vous êtes bien aimable, monsieur. Mais n'auriez-vous pas un panier assez large pour nous deux ?

— Vous devez prendre chacun un panier, mes amis, sinon vous risquez de vous noyer. Mais je peux volontiers en accrocher deux ensemble, et ce sera presque aussi bien qu'un seul. Lorsque vous verrez le hangar à bateaux d'en bas, sur cette même rive, votre voyage sera terminé, et je vous prierai d'y laisser les paniers attachés.

— Axl, murmura Beatrice, ne nous séparons pas. Partons à pied, même si c'est plus lent.

— Marcher est au-delà de nos forces, princesse. Nous avons tous les deux besoin de chaleur et de nourriture, et cette rivière nous conduira rapidement auprès de notre fils.

— Je t'en prie, Axl. Je ne veux pas que nous nous séparions.

— Mais ce brave homme dit qu'il va lier nos deux paniers ensemble, et ce sera comme si nous étions bras dessus, bras dessous. » Puis, se tournant vers le canotier, il ajouta : « Je vous suis reconnaissant, monsieur. Nous ferons ce que vous suggérez. S'il vous plaît, attachez solidement les paniers, de telle sorte qu'un courant rapide ne risque pas de nous séparer.

— Le danger n'est pas la vitesse de la rivière, mon ami, mais sa lenteur. Il est facile d'être pris dans les herbes près de la rive et de ne plus pouvoir bouger.

Mais je vais vous donner un bâton solide pour vous dégager, et vous n'avez pas grand-chose à craindre. »

Quand le canotier s'approcha du bord de la jetée et commença à nouer la corde, Beatrice chuchota :

« Axl, je t'en prie, ne nous séparons pas.

— Nous ne serons pas séparés, princesse. Regarde les nœuds qu'il fait pour que nous restions ensemble.

— Le courant peut nous entraîner, Axl, même si cet homme affirme le contraire.

— Tout ira bien, princesse, et nous serons bientôt dans le village de notre fils. »

Le canotier les appela, et ils s'avancèrent avec précaution sur les petites pierres jusqu'à l'endroit où il maintenait avec une longue perche deux paniers qui dansaient sur l'eau. « Ils sont bien tapissés de peaux de bêtes, dit-il. Vous sentirez à peine le froid de la rivière. »

Axl eut des difficultés à s'accroupir, mais il soutint Beatrice des deux mains pour l'aider à se glisser sans encombre dans le premier panier.

« N'essaie pas de te lever, princesse, sinon tu risques de chavirer.

— Et toi, Axl, tu ne t'installes pas ?

— Je suis en train de le faire, juste derrière toi. Regarde, ce brave homme nous a solidement attachés ensemble.

— Ne me laisse pas seule, Axl. »

En prononçant ces mots, elle semblait déjà rassurée, et s'allongea dans le panier comme un enfant sur le point de s'endormir.

« Mon bon monsieur, reprit Axl. Voyez, ma

femme tremble de froid. Pourriez-vous nous prêter quelque chose pour la couvrir ? »

Le canotier regardait lui aussi Beatrice, qui s'était recroquevillée sur le flanc et fermait les yeux. Soudain, il retira une des fourrures qu'il portait et, se courbant en avant, la déposa sur elle. Elle ne parut pas le remarquer – ses yeux étaient clos – et ce fut Axl qui le remercia.

« Je vous en prie, mon ami. Laissez le tout dans le hangar à bateaux d'en bas. » L'homme les poussa dans le courant avec sa perche. « Asseyez-vous au fond et gardez le bâton à portée de main pour les herbes. »

Il faisait un froid cuisant sur la rivière, des plaques de glace brisée dérivaient ici et là, mais leurs paniers évoluaient avec aisance, s'entrechoquant parfois légèrement. Les paniers avaient presque une forme de bateau, avec une proue et une poupe, mais ils avaient tendance à pivoter, et quelquefois Axl se retrouvait tourné vers l'amont de la rivière, face au hangar à bateaux encore visible sur la berge.

L'aube se déversait à travers les herbes dansantes et, comme l'avait promis le canotier, la rivière coulait au ralenti. Même ainsi, Axl se surprenait à surveiller constamment le panier de Beatrice, qui semblait rempli à ras bord par la peau de bête, avec seulement une petite partie de ses cheveux qui dépassait, révélant sa présence. Une fois, il cria : « Nous y serons en un rien de temps, princesse » et, sans réponse de sa part, il se pencha pour attirer son panier plus près.

« Princesse, tu dors ?

— Axl, tu es toujours là ?

— Bien sûr que je suis toujours là.

— Axl. J'ai cru que tu m'avais encore quittée.

— Pourquoi te quitterais-je, princesse ? Et l'homme a attaché nos embarcations ensemble avec tant de soin.

— Je ne sais pas si c'est quelque chose que j'ai rêvé ou dont je me suis souvenue. Mais je me suis revue à l'instant, debout dans notre chambre au cœur de la nuit. C'était il y a longtemps et j'étais serrée dans cette cape de peaux de blaireaux que tu avais fabriquée autrefois pour me l'offrir tendrement. J'étais debout, dans notre ancienne chambre, pas celle d'aujourd'hui, car des branches de hêtre traversaient le mur de gauche à droite, et je regardais une chenille qui rampait dessus, me demandant pourquoi une chenille ne dormait pas à une heure aussi tardive.

— Peu importe les chenilles, que faisais-tu donc éveillée, fixant un mur en pleine nuit ?

— Je me tenais là parce que tu étais parti et que tu m'avais quittée, Axl. Peut-être que la fourrure de cet homme me rappelle celle que je portais alors, car j'étais enveloppée dans la cape que tu avais fabriquée pour moi avec de la peau de blaireau, et que nous avons perdue dans cet incendie. J'observais cette chenille et je me demandais pourquoi elle ne dormait pas, et si une créature comme elle distinguait le jour de la nuit. Je crois cependant que la raison en était ton départ, Axl.

— Un rêve insensé, princesse, et peut-être que tu as la fièvre. Mais nous serons près d'un bon feu avant longtemps.

— Tu es toujours là, Axl ?

— Bien sûr que je suis là, et le hangar à bateaux a depuis longtemps disparu.

— Tu m'avais laissée cette nuit-là, Axl. Et notre précieux fils aussi. Il était parti un ou deux jours avant, disant qu'il n'avait aucun désir d'être à la maison à ton retour. J'étais donc seule, dans notre ancienne chambre, au cœur de la nuit. Mais nous avions une bougie à cette époque, et j'ai pu voir cette chenille.

— C'est un étrange rêve dont tu parles, princesse, inspiré sans aucun doute par ta fièvre et par ce froid. J'aimerais que le soleil se lève avec moins de patience.

— Tu as raison, Axl. Il fait froid ici, même sous ce tapis.

— Je te réchaufferais dans mes bras mais la rivière ne le permet pas.

— Axl. Se peut-il que notre propre fils nous ait quittés un jour en colère et que nous lui ayons fermé notre porte, lui disant de ne jamais revenir ?

— Princesse, je vois quelque chose devant nous sur l'eau, peut-être un bateau coincé dans les roseaux.

— Tu es en train de dériver, Axl. Je t'entends à peine.

— Je suis à côté de toi, princesse. »

Il était assis au fond de son panier, les jambes écartées devant lui, mais il se hissa avec précaution dans une position accroupie, se cramponnant au bord de chaque côté.

« Je vois mieux maintenant. Un petit canot à rames, coincé dans les roseaux à l'endroit où la rive tourne devant nous. Il est sur notre trajectoire et nous devons faire attention, sinon nous serons bloqués nous aussi.

— Axl, ne t'éloigne pas de moi.

— Je suis là près de toi, princesse. Mais laisse-moi prendre ce bâton afin d'éviter ces joncs. »

Les paniers se déplaçaient plus lentement encore, happés par l'eau bourbeuse à l'endroit où la rive tournait. Plongeant le bâton dans l'eau, Axl s'aperçut qu'il touchait le fond aisément, mais lorsqu'il essaya de pousser pour retrouver le courant, le sol de la rivière aspira le bâton, ne lui donnant aucune prise. Il voyait aussi, à la clarté matinale qui s'étendait sur les champs aux longues herbes, de quelle façon les joncs s'étaient tissés étroitement autour des deux paniers, comme pour les lier un peu plus à cet endroit stagnant. Le canot était presque devant eux, et tandis qu'ils dérivaient nonchalamment vers lui Axl leva son bâton pour toucher la poupe et immobilisa les paniers.

« C'est l'autre hangar à bateaux, époux ?

— Pas encore. » Axl jeta un coup d'œil à la partie de la rivière qui coulait encore vers l'aval. « Je suis désolé, princesse. Nous sommes pris dans les roseaux. Mais il y a une barque devant nous, et si elle est fiable, nous pourrions l'utiliser nous-mêmes pour terminer le voyage. » Poussant une fois encore son bâton dans la rivière, Axl manœuvra les paniers de façon à les ranger le long de l'embarcation.

De leur position en contrebas, le bateau paraissait grand, et Axl voyait avec précision le bois abîmé, durci, et le dessous du plat-bord, où était suspendue une rangée de glaçons, comme de la cire de bougie. Plantant le bâton dans l'eau, il se redressa prudemment de toute sa hauteur et glissa un coup d'œil à l'intérieur de la barque.

La proue baignait dans une lumière orangée et il lui fallut un moment pour voir que le tas de guenilles sur le plancher était en réalité une vieille femme. La nature inhabituelle de sa tenue – un patchwork de multiples petits chiffons noirs – et la crasse charbonneuse dont son visage était enduit l'avaient momentanément induit en erreur. De plus, elle était assise dans une position bizarre, la tête penchée d'un côté à tel point qu'elle touchait presque le sol du bateau. Quelque chose dans les vêtements de la vieille femme éveilla sa mémoire, mais elle ouvrit alors les yeux et le fixa.

« Aidez-moi, étranger, dit-elle doucement, sans changer de position.

— Êtes-vous malade, madame ?

— Mon bras ne m'obéit pas, sinon je serais déjà debout et j'aurais saisi la rame. Aidez-moi, étranger.

— À qui parles-tu, Axl ? » La voix de Beatrice résonnait derrière lui. « Prends garde à ce que ce ne soit pas un démon.

— C'est juste une malheureuse femme de notre âge ou plus, blessée dans son bateau.

— Ne m'oublie pas, Axl.

— T'oublier ? Pourquoi t'oublierais-je jamais, princesse ?

— Cette brume nous fait oublier tant de choses.

Pourquoi ne nous ferait-elle pas oublier ce que nous sommes l'un pour l'autre ?

— Une telle chose n'arrivera jamais, princesse. Maintenant je dois aider cette pauvre femme, et peut-être qu'avec de la chance nous pourrons tous les trois utiliser sa barque pour descendre la rivière.

— Étranger, j'entends ce que vous dites. Vous êtes les bienvenus sur mon bateau. Mais aidez-moi maintenant car je suis tombée et je me suis blessée.

— Axl, ne m'abandonne pas ici. Ne m'oublie pas.

— Je monte juste dans ce bateau à côté de nous, princesse. Je dois m'occuper de cette pauvre étrangère. »

Le froid avait raidi ses membres, et il faillit perdre l'équilibre quand il grimpa dans l'imposante embarcation. Mais il se rattrapa, puis regarda autour de lui.

Le bateau paraissait simple et robuste, sans signes apparents de fuite. Un chargement était empilé à l'arrière, mais Axl n'y prêta guère attention, car la femme disait quelque chose. Le soleil matinal l'éclairait encore directement, et il vit que son regard fixait ses pieds avec une certaine intensité – à tel point qu'il ne put s'empêcher de les examiner lui aussi. Ne remarquant rien d'extraordinaire, il continua vers elle, et s'avança avec précaution pour s'adapter au contreventement.

« Étranger, je vois que vous n'êtes pas jeune, mais il vous reste des forces. Montrez-leur un visage féroce. Un visage féroce pour les faire fuir.

— Allons, madame. Vous pouvez vous asseoir ? »

Il l'avait dit car il était préoccupé par sa curieuse

posture – ses cheveux gris défaits pendaient et frô-
laient les planches humides. «Voilà, je vais vous
aider. Essayez de vous redresser un peu.»

Lorsqu'il se pencha et la toucha, un couteau
rouillé qu'elle tenait lui échappa, tombant sur le sol.
Au même moment, une petite créature jaillie de ses
chiffons détala et disparut dans l'ombre.

«Les rats vous ennuient-ils, madame?

— Ils sont de ce côté, étranger. Montrez-leur un
visage féroce, je vous dis.»

Il se rendit compte alors qu'elle n'avait pas fixé
ses pieds, mais quelque chose derrière lui, au fond
du bateau. Il se tourna, mais le soleil bas l'éblouit et
il ne put distinguer clairement ce qui remuait.

«Ce sont des rats, madame?

— Ils ont peur de vous, étranger. Moi aussi je
leur ai fait peur un instant, mais ils m'ont pompée
petit à petit, selon leur habitude. Si vous n'étiez pas
venu ils m'auraient déjà recouverte.

— Attendez une minute, madame.»

Il s'avança vers la poupe, levant une main pour
se protéger du soleil, et examina les objets empilés
dans l'ombre. Il distinguait des filets emmêlés, une
couverture trempée en tas, un outil à long manche,
un genre de bêche, posé en travers. Et il y avait une
caisse en bois sans couvercle – comme celles qu'uti-
lisent les pêcheurs pour garder au frais les poissons
mourants qu'ils ont attrapés. Lorsqu'il y jeta un
coup d'œil, il ne vit pas de poissons mais des lapins
écorchés – en nombre faramineux, si serrés les uns
contre les autres que leurs membres minuscules

semblaient soudés. Tandis qu'il regardait, la masse de tendons, de coudes et de chevilles tout entière se mit à remuer. Axl fit un pas en arrière, voyant un œil s'ouvrir, puis un autre. Un bruit le fit se retourner, et il vit à l'autre bout du bateau, encore inondée de lumière orangée, la vieille femme affaissée contre la proue avec des elfes – il y en avait tant qu'il ne put les compter – grouillant sur elle. À première vue elle semblait satisfaite, comme si on la couvrait d'affection, pendant que les petites créatures squelettiques couraient dans ses chiffons, sur son visage et ses épaules. Il en venait encore d'autres de la rivière, de plus en plus nombreux, grimpant sur le bord du bateau.

Axl s'empara de l'outil à long manche devant lui, mais il se sentait lui aussi enveloppé d'une immense tranquillité, et se surprit à extraire le manche de l'enchevêtrement de filets d'une manière étrangement nonchalante. Il savait que de plus en plus de créatures montaient de l'eau – combien y en avait-il à bord maintenant ? Trente ? Soixante ? – et le bourdonnement de leurs voix lui rappelait les cris d'enfants jouant au loin. Il eut la présence d'esprit de lever l'outil – une bêche, sans aucun doute, car ne voyait-il pas, au bout du long manche, s'élever dans le ciel une lame rouillée, ou bien était-ce une créature qui s'y cramponnait ? – pour l'abattre avec violence sur les minuscules genoux et articulations escaladant la paroi du bateau. Il leva une seconde fois l'instrument, cette fois en direction de la caisse de lapins écorchés d'où s'enfuyaient d'autres elfes. Il n'avait jamais eu l'âme d'un spadassin, réservant ses compétences à la diplomatie et, en cas de nécessité, à l'intrigue, mais qui aurait pu prétendre qu'il avait un jour trahi la confiance acquise grâce à ses qualités ? Au contraire, c'était lui qu'on avait trahi, mais il savait encore brandir une arme, et il allait l'abattre à tout va, car ne devait-il pas protéger Beatrice de ces créatures grouillantes ? Elles continuaient d'arriver – sortant de cette caisse, ou des eaux peu profondes ? Se rassemblaient-elles en ce moment même autour de Beatrice endormie dans son panier ? Le dernier coup de bêche avait produit un certain effet, car plusieurs elfes étaient retombés dans la rivière, puis un autre coup en avait envoyé deux, trois même, voler dans les airs, et la vieille femme était une inconnue, pourquoi aurait-il négligé sa propre épouse pour s'occuper d'elle, envers qui il n'avait aucune obligation ? Mais cette femme bizarre était là, à peine visible à présent sous les créatures qui se tortillaient, et Axl franchit la longueur du bateau, la bêche levée, et il traça un autre arc dans l'air pour en chasser le plus grand nombre possible sans blesser l'étrangère. Elles se cramponnaient si fort ! Elles osaient même lui parler maintenant – ou était-ce la voix de la vieille femme enfouie sous les elfes ?

« Laisse-la, étranger. Laisse-la-nous. Laisse-la, étranger. »

Axl lança de nouveau sa bêche, qui fendit l'air comme s'il avait la densité de l'eau, mais elle atteignit son but, dispersant plusieurs elfes alors qu'il en arrivait d'autres encore.

« Laisse-la-nous, étranger », répéta la vieille femme, et cette fois il comprit enfin, étreint par une frayeur qui parut insondable, que la voix ne parlait pas de l'inconnue agonisante devant lui, mais de Beatrice. Se tournant vers le panier de sa femme dans les roseaux, il vit l'eau tout autour grouillant de membres et d'épaules. Son propre panier chavirait presque sous la pression exercée par les elfes qui essayaient d'y grimper, préservé uniquement par le lest des lutins déjà à l'intérieur. Mais ils s'embarquaient dans son panier dans le seul but d'accéder à celui de sa femme. Il voyait d'autres créatures massées sur la peau de bête recouvrant Beatrice et, poussant un cri, il escalada le bord du bateau et se laissa tomber dans l'eau. Elle était plus profonde qu'il ne s'y était attendu, lui arrivant au-dessus de la taille, et le choc lui coupa le souffle un bref instant, puis il poussa un cri de guerre qui parut jaillir d'une lointaine mémoire, se dirigeant d'un pas incertain vers les paniers, la bêche brandie au-dessus de lui. On tirait sur ses vêtements, l'eau était douce comme le miel, mais quand il abattit la bêche sur son propre panier, son arme fendit l'air avec une lenteur frustrante, et lorsqu'elle atteignit son but, le nombre de créatures basculant dans la rivière dépassa ce qu'il avait escompté. Le coup suivant provoqua des dégâts plus sérieux encore – il avait dû frapper cette fois avec la lame tournée vers l'extérieur – car il crut voir gicler de la chair ensanglantée au soleil. Pourtant Beatrice était à une éternité de lui, flottant en toute confiance alors que les créatures se dressaient autour d'elle, venues des terres à présent, se déversant dans l'herbe de la berge. Les elfes étaient suspendus à sa bêche et il la lâcha dans l'eau, souhaitant brusquement être aux côtés de Beatrice, et rien d'autre.

Il pataugea au milieu des herbes, des joncs brisés, la boue retenant ses pas, mais Beatrice demeurait plus éloignée que jamais. La voix de l'inconnue résonna de nouveau, et bien qu'il ne la vît plus maintenant qu'il était dans l'eau, Axl se représentait avec une clarté saisissante la vieille femme, tassée sur le plancher de son bateau sous le soleil matinal, les lutins allant et venant librement sur elle tandis qu'elle prononçait ces mots :

« Laisse-la, étranger. Laisse-la-nous.

— Soyez maudite, marmonna Axl qui avançait à grand-peine. Je ne renoncerai jamais à elle, jamais.

— Un homme sage tel que vous, étranger. Vous savez depuis longtemps qu'aucun remède ne peut la sauver. Comment supporterez-vous ce qui l'attend ? Vous tarde-t-il de voir votre amour le plus cher se tordre à l'agonie, sans rien à lui offrir, sinon de bonnes paroles chuchotées à son oreille ? Donnez-la-nous et nous apaiserons ses souffrances, comme nous l'avons fait pour tant d'autres avant elle.

— Soyez maudits ! Je ne vous la donnerai pas !

— Donne-la-nous et nous veillerons à ce qu'elle ne souffre pas. Nous la laverons dans les eaux de la rivière, les années la quitteront, et elle se sentira portée par un rêve agréable. Pourquoi la garder, étranger ? Que pouvez-vous lui offrir d'autre que l'agonie d'un animal à l'abattoir ?

— Je vais me débarrasser de vous. Allez-vous-en. Lâchez-la. »

Nouant les mains pour en faire un gourdin, il lança les bras d'un côté puis de l'autre pour dégager un chemin dans l'eau où il progressait, et parvint enfin auprès de Beatrice, encore profondément endormie dans son panier. Les elfes fourmillaient sur la peau de bête qui la recouvrait, et il commença à les attraper un par un, les jetant dans l'eau.

« Pourquoi ne pas nous la donner ? Ce n'est pas gentil pour elle. »

Il poussa sa femme sur l'eau jusqu'au bas de la berge, et le panier s'immobilisa sur la boue détrempée au milieu des herbes et des joncs. Il se pencha en avant et prit Beatrice dans ses bras. Heureusement elle s'éveilla assez pour se cramponner à son cou, et il s'avança d'un pas hésitant, d'abord sur la rive, puis à travers les champs. Lorsque la terre fut dure et sèche sous ses pas, Axl la déposa sur le sol, et ils s'assirent ensemble sur l'herbe, lui reprenant son souffle, elle retrouvant peu à peu ses esprits.

« Axl, quel est cet endroit ?

— Princesse, comment te sens-tu à présent ? Nous devons nous éloigner d'ici. Je te prendrai sur mon dos.

— Et tu es trempé ! Tu es tombé dans la rivière ?

— C'est un lieu maléfique, princesse, et nous devons vite partir. Je serai heureux de te porter sur mes épaules, comme je le faisais quand nous étions jeunes et bêtes par une chaude journée de printemps.

— Faut-il quitter la rivière ? Sire Gauvain a sûrement raison de dire qu'elle nous permettra d'arriver plus vite à destination. Le terrain a l'air aussi haut dans les montagnes que nous l'avons jamais été.

— Nous n'avons pas le choix, princesse. Nous devons nous éloigner d'ici. Viens, je vais te prendre sur mon dos. Viens, princesse, attrape mes épaules. »

CHAPITRE 12

Il entendait la voix du guerrier au-dessous de lui, le priant de marcher plus doucement, mais Edwin l'ignora. Wistan était trop lent et, de façon générale, il ne semblait pas apprécier l'urgence de la situation. Ils n'avaient pas atteint la moitié de la falaise quand il avait demandé à Edwin : « Est-ce un faucon qui vient de voler devant nous, jeune camarade ? » Quelle importance cela avait-il ? La fièvre avait ramolli le guerrier, sur le plan physique, et mental.

Encore un effort, et il franchirait la crête, retrouvant la terre ferme. Il pourrait ensuite courir – il en avait tellement envie ! –, mais où ? Leur destination lui avait pour l'instant totalement échappé. De plus, il avait eu quelque chose d'important à dire au guerrier : il l'avait trompé sur un sujet quelconque, et le moment était venu d'avouer. Quand ils avaient entamé leur ascension, laissant la jument épuisée attachée à un buisson à côté du sentier de montagne, il s'était résolu à s'en ouvrir une fois qu'ils auraient atteint le sommet. Mais il y était presque, et son esprit se perdait dans des méandres confus.

Il escalada les derniers rochers et se hissa au-dessus du précipice. La terre était nue, façonnée par les vents, s'élevant peu à peu vers les pâles sommets sur l'horizon. Tout près il voyait des touffes de bruyère et d'herbe de montagne, pas plus hautes qu'une cheville d'homme. Pourtant, étrangement, à mi-distance, il semblait y avoir un bois, les arbres luxuriants résistant aux bourrasques. Un dieu avait-il, sur un caprice, saisi entre ses doigts une tranche de forêt exubérante pour la déposer sur ce terrain inhospitalier ?

À bout de souffle après la montée, Edwin prit son élan et se mit à courir. Car ce bois, sans nul doute, était le lieu où il devait être, et une fois là-bas il se souviendrait de tout. La voix de Wistan criait de nouveau derrière lui – le guerrier devait être enfin parvenu au sommet – mais Edwin, sans regarder derrière lui, accéléra le pas. Il oublierait ses aveux jusqu'à ces arbres. Sous leur feuillage, il se rappellerait mieux, et ils parleraient à l'abri du vent hurlant.

Le sol monta vers lui et lui coupa le souffle. Cela arriva de façon si inattendue qu'il fut obligé de rester allongé un moment, tout étourdi, et lorsqu'il essaya de se relever d'un bond il en fut empêché par quelque chose de doux mais de puissant. Il se rendit compte alors que le genou de Wistan était posé sur son dos, et qu'il était en train de lui attacher les mains.

« Tu m'as demandé tout à l'heure pourquoi nous devions transporter de la corde, dit Wistan. Maintenant tu vois combien c'est utile. »

Edwin se remémora alors leur échange au bas du chemin. Impatient d'entamer l'ascension, il avait été agacé par la manière dont le guerrier transférait avec soin les objets de sa selle dans deux sacs qu'ils porteraient.

« Nous devons nous dépêcher, guerrier ! Pourquoi avons-nous besoin de toutes ces choses ?

— Tiens, prends ça, camarade. La dragonne est une ennemie suffisante sans que nous l'aidions en laissant le froid et la faim nous affaiblir.

— Mais l'odeur va se perdre ! Et quel besoin avons-nous de cette corde ?

— Nous pouvons encore en avoir besoin, jeune camarade, et elle ne pousse pas sur les branches là-haut. »

La corde était à présent nouée autour de sa taille et de ses poignets, de telle sorte que lorsqu'il se mit enfin debout, il ne put avancer qu'en résistant à la traction de la laisse.

« Guerrier, vous n'êtes plus mon ami et mon professeur ?

— Je le suis toujours, et ton protecteur aussi. À partir d'ici tu dois avancer avec moins de précipitation. »

Il s'aperçut que la corde ne le dérangeait pas. La démarche qu'elle l'obligeait à adopter ressemblait à celle d'un mulet, et cela lui rappela un temps assez récent où il avait dû imiter cet animal, tournant sans cesse autour d'une charrette. Était-il le même mulet aujourd'hui, se hissant obstinément vers le haut de la pente, alors que la corde le ramenait en arrière ?

Il tirait et tirait, réussissant parfois à courir sur plusieurs mètres avant que la corde l'immobilisât d'un coup sec. Une voix résonnait dans ses oreilles – une voix familière –, elle chantait en rythme une poésie d'enfant qu'il connaissait bien lorsqu'il était plus jeune. C'était aussi réconfortant que perturbant et il s'aperçut que s'il l'accompagnait en tirant sur la corde, la voix perdait un peu de son acuité troublante. Il se mit donc à chanter, d'abord à mi-voix, puis avec moins d'inhibition, dans le vent : « Qui a renversé la chope de bière ? Qui a coupé la queue du dragon ? Qui a laissé le serpent dans le seau ? C'était le cousin Adny. » Il y avait d'autres vers dont il ne se souvenait pas, mais il fut surpris de découvrir qu'il lui suffisait d'écouter la voix pour que les mots justes lui reviennent.

Les arbres étaient proches à présent et le guerrier le tira à nouveau en arrière.

« Doucement, jeune camarade. Il ne nous faut pas seulement du courage pour pénétrer dans cet étrange bosquet. Regarde bien. Les pins à cette altitude n'ont rien de mystérieux, mais ce sont bien des chênes et des ormes qu'on voit à côté, non ?

— Peu importe quels arbres poussent ici, guerrier, ou quels oiseaux volent dans ces cieux ! Il nous reste peu de temps et nous devons nous dépêcher ! »

Ils entrèrent dans le bois et le sol changea sous leurs pas : il y avait une mousse moelleuse, des orties, des fougères. Au-dessus d'eux, les feuillages étaient assez denses pour former une voûte, et pendant un moment ils avancèrent dans une pénombre grisâtre. Pourtant ce n'était pas une forêt, car ils aperçurent bientôt devant eux une clairière sous une trouée de ciel ouvert. Il vint à l'esprit d'Edwin l'idée que c'était réellement l'œuvre d'un dieu, dans l'intention de dissimuler derrière ces arbres ce qui se trouvait plus loin. Il tira avec colère sur la corde, disant :

« Pourquoi flâner, guerrier ? Se peut-il que vous ayez peur ?

— Regarde cet endroit, jeune camarade. Tes instincts de chasseur nous ont bien servi. La tanière de la dragonne doit se trouver devant nous.

— De nous deux, je suis le chasseur, guerrier, et je vous dis que cette clairière n'abrite aucun dragon. Nous devons nous hâter de la dépasser et aller plus loin, car il nous reste encore du chemin !

— Ta blessure, jeune camarade. Montre-moi si elle est propre.

— Peu importe ma blessure ! Je vous dis que l'odeur va se perdre ! Lâchez la corde, guerrier. Je vais continuer de courir même si vous refusez de me suivre ! »

Cette fois Wistan le laissa aller, et Edwin écarta les chardons et les racines emmêlées. Il perdit l'équilibre à plusieurs reprises, car ligoté comme il l'était il ne disposait d'aucune main libre pour se retenir. Mais il atteignit la clairière sans se blesser, et s'arrêta à la lisière pour considérer le paysage.

Au centre de la clairière, il y avait un étang. Il était gelé, et un homme – s'il était courageux ou assez stupide – pouvait le traverser en une vingtaine d'enjambées. La surface lisse de la glace ne s'était brisée qu'à l'autre bout de l'étang, là où jaillissait le tronc creusé d'un arbre mort. Le long de la rive, non loin de la souche détruite, un gros ogre était accroupi au bord de l'eau, en appui sur ses genoux et ses coudes, la tête entièrement immergée. Peut-être la créature avait-elle été en train de boire – ou de chercher quelque chose sous la surface – et avait été saisie par le froid soudain. Aux yeux d'un observateur peu attentif, l'ogre aurait pu être un cadavre sans tête, décapité alors qu'il rampait pour assouvir sa soif.

La tache de ciel au-dessus de l'étang projetait une étrange lumière sur l'ogre, et Edwin le fixa un moment, s'attendant presque à ce qu'il revienne à lui, relevant un visage rougi, monstrueux. Puis, après un sursaut, il se rendit compte qu'il y avait sur la droite, à l'extrémité de l'étang, une deuxième créature dans une posture identique. Et là ! Encore une troisième sur la rive la plus proche, tout près de lui, à demi cachée par les fougères.

D'ordinaire les ogres n'éveillaient en lui que de la répulsion, mais ces créatures, et la mélancolie inquiétante de leur posture, inspirèrent à Edwin un élan de pitié. Quelle était la cause d'une telle fin ? Il commença à s'avancer vers eux, mais la corde se tendit de nouveau, et il entendit Wistan dire juste derrière lui :

« Tu refuses encore d'admettre que c'est une tanière de dragon, camarade ?

— Pas ici, guerrier. Nous devons aller plus loin.

— Pourtant cet endroit me parle tout bas. Même si ce n'est pas sa tanière, n'est-ce pas là qu'elle vient boire et se baigner ?

— Je dis qu'il est maudit, guerrier, et que ce n'est pas un bon endroit où se battre avec elle. Nous jouerons de malchance ici. Regardez ces malheureux ogres. Et ils sont presque aussi grands que les démons que vous avez tués l'autre soir.

— De quoi parles-tu, mon garçon ?

— Vous ne les voyez pas ? Regardez, là ! Et là !

— Maître Edwin, tu es exténué, comme je le craignais. Reposons-nous un moment. Même si c'est un lieu lugubre, il nous procure un instant de répit sans vent.

— Comment pouvez-vous parler de repos, guerrier ? Et n'est-ce pas ainsi que ces pauvres créatures ont connu ce destin, s'attardant trop longtemps dans ce lieu ensorcelé ? Tenez compte de leur avertissement !

— Le seul avertissement dont je tienne compte me conseille de t'obliger à te reposer avant que tu fasses exploser ton cœur. »

Il se sentit tiré vers l'arrière, et son dos heurta l'écorce d'un arbre. Puis le guerrier tourna autour de lui d'un pas lourd, enroulant la corde sur sa poitrine et ses épaules jusqu'à ce qu'il ne puisse presque plus bouger.

« Cet arbre généreux ne te veut aucun mal, jeune camarade. » Le guerrier posa une main légère sur son épaule. « Pourquoi gaspiller ainsi de l'énergie pour le déraciner ? Calme-toi, repose-toi, te dis-je, pendant que j'examine de plus près cet endroit. »

Il regarda Wistan se frayer un chemin entre les orties jusqu'à l'étang. Atteignant le bord de l'eau, le

guerrier passa plusieurs instants à aller et venir lentement, fixant le sol de près, s'accroupissant parfois pour
examiner ce qui avait retenu son attention. Puis il se
redressa, et parut se perdre dans une longue rêverie,
contemplant les arbres à l'autre bout de l'étang. Pour
Edwin, le guerrier était à présent une silhouette se
détachant contre l'eau gelée. Pourquoi ne regardait-il
même pas en direction des ogres ?

Wistan fit un mouvement et brusquement l'épée
fut dans sa main, le bras suspendu dans l'air, immobile. Puis l'arme retourna dans son fourreau et le
guerrier, se détournant de l'eau, revint vers lui.

« Nous sommes loin d'être les premiers visiteurs
ici, dit-il. Il y a une heure à peine, un groupe est passé
par ici, et ce n'est pas la dragonne. Maître Edwin, je
suis heureux de te voir plus calme.

— Guerrier, j'ai un aveu à vous faire. Une confession qui peut vous inciter à me tuer alors que je suis
ligoté à cet arbre.

— Parle, mon garçon, ne me crains pas.

— Guerrier, vous avez affirmé que j'avais le don
du chasseur, et pendant que vous en parliez, j'ai ressenti un puissant appel, et je vous ai laissé croire que
je sentais l'odeur de Querig dans mes narines. Mais
je vous ai toujours trompé. »

Wistan s'approcha et vint se planter devant lui.

« Continue, camarade.

— Je ne peux pas, guerrier.

— Tu as plus à craindre de ton silence que de ma
colère. Parle.

— Je ne peux pas, guerrier. Lorsque nous avons

commencé à grimper, je savais exactement quoi vous dire. Mais à présent… Je ne suis plus très sûr de ce que je vous ai caché.

— C'est le souffle de la dragonne, rien de plus. Il avait peu d'influence sur toi avant, mais maintenant il te submerge. C'est sans nul doute le signe que nous sommes proches d'elle.

— Je crains que ce maudit étang m'ait ensorcelé, guerrier, et vous ait ensorcelé vous aussi, car vous vous contentez de vous attarder ici et là sans même regarder ces ogres noyés. Pourtant je sais que j'ai une confession à faire et je souhaite seulement la retrouver.

— Montre-moi le chemin de la tanière de la dragonne et je te pardonnerai les petits mensonges que tu m'as dits.

— Mais c'est de ça qu'il s'agit, guerrier. Nous avons monté la jument jusqu'à ce que son cœur soit sur le point d'exploser, nous avons gravi cette pente montagneuse, mais je ne vous conduis pas du tout à la dragonne. »

Wistan était si près de lui qu'Edwin sentait le souffle du guerrier.

« Où pourrais-tu donc me conduire, maître Edwin ?

— C'est ma mère, guerrier, je m'en souviens à présent. Ma tante n'est pas ma mère. Ma vraie mère a été prise, et même si j'étais un petit garçon alors, j'ai regardé. Je lui ai promis de la ramener un jour. Maintenant que je suis presque adulte, et que vous êtes à mes côtés, même ces hommes trembleraient de nous affronter. Je vous ai trompé, guerrier, mais comprenez mes sentiments et aidez-moi maintenant que nous sommes si proches d'elle.

— Ta mère. Tu dis qu'elle est près de nous ?

— Oui, guerrier. Mais pas ici. Pas dans ce lieu maudit.

— Tu te rappelles quoi des hommes qui l'ont emmenée ?

— Ils avaient l'air féroces, guerrier, et habitués à tuer. Pas un homme du village n'a osé sortir pour les affronter ce jour-là.

— Des Saxons ou des Bretons ?

— Des Bretons, guerrier. Trois hommes, et Steffa a dit qu'ils avaient dû être soldats peu de temps auparavant, car il a reconnu leurs manières. Je n'avais pas encore cinq ans, sinon je me serais battu pour elle.

— Ma propre mère a été prise, jeune camarade, et je comprends bien tes pensées. Moi aussi j'étais un faible enfant à cette époque-là. C'était le temps de guerre, et dans ma bêtise, voyant que les hommes massacraient et pendaient tant de gens, je m'étais réjoui de les voir lui sourire, croyant qu'ils avaient l'intention de la traiter avec des égards et de la douceur. Cela s'est peut-être passé ainsi pour toi aussi, maître Edwin, quand tu étais jeune et encore ignorant des mœurs des hommes.

— Ma mère a été prise en temps de paix, guerrier, et il ne lui est pas arrivé grand mal. Elle a voyagé de pays en pays, et sa vie n'a peut-être pas été si mauvaise. Mais elle est impatiente de me revenir, et c'est vrai, les hommes qui voyagent avec elle sont souvent cruels. Guerrier, acceptez ces aveux, punissez-moi plus tard, mais aidez-moi maintenant à faire face à ses ravisseurs, car elle m'attend depuis de longues années. »

Wistan le regarda étrangement. Il parut sur le point de dire quelque chose, mais il secoua ensuite la tête et fit quelques pas pour s'éloigner de l'arbre, presque comme s'il avait honte. Edwin ne l'avait jamais vu se comporter ainsi, et il l'observa surpris.

« Je te pardonne de bon cœur cette tromperie, maître Edwin, dit enfin Wistan, se tournant pour le regarder. Et tous les autres petits mensonges que tu as pu raconter. Bientôt je vais te détacher de cet arbre et nous irons affronter l'ennemi vers lequel tu nous conduiras. Mais en retour je te demande de faire une promesse.

— Dites-moi, guerrier.

— Si je dois tomber et que tu survives, promets-moi ceci. Que tu garderas dans ton cœur la haine des Bretons.

— Que voulez-vous dire, guerrier ? Quels Bretons ?

— Tous les Bretons, jeune camarade. Même ceux qui se montrent gentils avec toi.

— Je ne comprends pas, guerrier. Dois-je haïr un Breton qui partage son pain avec moi ? Ou qui me sauve d'un ennemi comme l'a fait récemment le bon sire Gauvain ?

— Il y a des Bretons qui forcent notre respect, notre amour même, je ne le sais que trop bien. Mais désormais s'imposent à nous des choses plus importantes que ce que chacun peut éprouver pour l'autre. Ce sont les Bretons sous Arthur qui ont massacré les nôtres. Ce sont les Bretons qui ont pris ta mère et la mienne. Nous avons le devoir de haïr chaque homme, femme et enfant de leur sang. Alors promets-moi ceci. Si je dois mourir avant de t'avoir transmis mes talents, promets-moi de nourrir cette haine dans ton cœur. Et si elle devait un jour vaciller ou menacer de s'éteindre, abrite-la avec soin jusqu'à ce que la flamme reprenne. Me le promets-tu, maître Edwin ?

— Très bien, guerrier, je le promets. Mais voici que j'entends ma mère appeler, et nous sommes sûrement restés top longtemps dans ce sinistre endroit.

— Allons donc la chercher. Mais prépare-toi au cas où nous arriverions trop tard pour la sauver.

— Que voulez-vous dire, guerrier ? Comment cela se pourrait-il, car j'entends son appel même à cet instant.

— Alors hâtons-nous d'y répondre. Sache juste une chose, jeune camarade. Lorsqu'il est trop tard pour sauver quelqu'un, il est encore temps de se venger. Alors répète-moi ta promesse. Promets-moi que tu haïras les Bretons jusqu'au jour où tu mourras de tes blessures ou du poids des ans.

— Je le promets avec joie cette fois encore, guerrier. Mais détachez-moi de l'arbre, car à présent je sens clairement de quel côté nous devons aller. »

CHAPITRE 13

La chèvre, vit Axl, était très à l'aise sur ce terrain escarpé. Elle broutait gaiement l'herbe dure et la bruyère, ne se souciant ni du vent ni du fait que ses pattes de gauche étaient posées beaucoup plus haut que celles de droite. L'animal tirait avec acharnement – Axl ne s'en était que trop bien rendu compte pendant leur ascension –, et il n'avait pas été facile de trouver un moyen de l'attacher en toute sécurité pendant que Beatrice et lui se reposaient. Mais il avait repéré une racine d'arbre mort ressortant de la pente, et y avait noué la corde avec soin.

La chèvre était très visible depuis l'endroit où ils étaient assis. Les deux gros rochers, appuyés l'un contre l'autre comme un vieux couple marié, se voyaient depuis assez bas, mais Axl avait espéré trouver un endroit à l'abri du vent bien avant de les atteindre. Pourtant le versant nu n'avait rien à offrir, et ils avaient dû persévérer dans l'ascension du petit sentier, la chèvre tirant sa corde, aussi impulsive que les bourrasques déchaînées. Mais en atteignant enfin les rochers jumeaux, ils eurent l'impression que Dieu avait créé ce sanctuaire pour eux car, tandis qu'ils entendaient encore les rafales autour d'eux, ils ne sentaient dans l'air que de légers remous. Même ainsi, ils restèrent assis l'un contre l'autre, comme pour imiter les rocs au-dessus d'eux.

« Le même paysage s'étend sous nos yeux, Axl. Cette rivière ne nous a donc conduits nulle part ?

— Nous avons été interrompus avant d'aller très loin, princesse.

— Et maintenant nous escaladons de nouveau la montagne.

— C'est vrai, princesse. Je crains que la jeune fille nous ait dissimulé la véritable difficulté de cette tâche.

— Ça ne fait aucun doute, Axl, elle a donné l'impression que c'était une petite promenade. Mais qui la blâmerait ? Encore une enfant et plus de charges qu'une fille de son âge ne devrait assumer. Axl, regarde. Dans cette vallée, tu les vois ? »

Une main levée pour se protéger de la clarté, Axl essaya de discerner ce que sa femme indiquait, mais il finit par secouer la tête. « Mes yeux ne sont pas aussi bons que les tiens, princesse. Je vois une vallée après l'autre là où descendent les montagnes, mais rien de remarquable.

— Là, Axl, suis mon doigt. Ce ne sont pas des soldats qui marchent à la file ?

— Je les vois maintenant, c'est juste. Mais ils ne bougent sûrement pas.

— Ils bougent, Axl, et ce sont probablement des soldats, ça se voit à leur façon de marcher en une longue file.

— Pour mes pauvres yeux, princesse, ils n'ont pas du tout l'air de bouger. Et même si ce sont des soldats, ils sont certainement trop loin pour nous ennuyer. Ce sont plutôt ces nuages d'orage à l'ouest qui me préoccupent, car ils nous causeront des problèmes plus vite que n'importe quels soldats dans le lointain.

— Tu as raison, époux, et je me demande jusqu'où nous devrons encore aller. Cette jeune fille n'était pas honnête, en répétant que c'était une simple promenade. Mais comment la blâmer ? Ses parents absents et ses jeunes frères dont elle doit se soucier. Elle devait être désespérée pour essayer par tous les moyens de nous obliger à faire ce qu'elle voulait.

— Je les vois plus distinctement, princesse, à présent que le soleil perce derrière les nuages. Ce ne sont ni des soldats ni des hommes, mais une file d'oiseaux.

— Quelle bêtise, Axl. Si ce sont des oiseaux, comment les verrions-nous d'ici ?

— Ils sont plus proches que tu ne l'imagines, princesse. Des oiseaux noirs assis en file, comme dans les montagnes.

— Alors comment se fait-il qu'aucun ne s'envole dans les airs pendant que nous les regardons ?

— L'un d'eux peut encore s'envoler, princesse. Quant à moi je ne blâmerai pas cette jeune fille, car n'est-elle pas dans une situation critique ? Et qu'aurions-nous fait sans son aide, trempés et frissonnants comme nous l'étions, lorsque nous l'avons vue la première fois ? D'ailleurs, si je me souviens bien, la fille n'était pas la seule à avoir hâte de conduire cette chèvre au cairn du géant. Il y a bien une heure, n'étais-tu pas aussi pressée qu'elle ?

— Je le suis toujours, Axl. Ne serait-ce pas une bonne chose que Querig soit tuée et que cette brume disparaisse ? Mais quand je vois cette chèvre en train de mâchonner la terre de cette manière, j'ai du mal à croire qu'une créature aussi stupide puisse un jour éliminer une dragonne aussi imposante. »

La chèvre broutait avec le même appétit au début de la matinée, quand ils avaient découvert la petite maison en pierre. Ils auraient pu aisément la manquer, cachée dans une poche d'ombre au pied d'une haute falaise, et même lorsque Beatrice la lui avait montrée, Axl l'avait prise pour l'entrée d'un souterrain assez semblable au leur, creusé en profondeur dans le flanc de la montagne. Mais en s'approchant il s'était rendu compte qu'il s'agissait d'une structure isolée, les murs et le toit construits de la même façon, avec des éclats de roche grise. L'eau descendait des hauteurs en une fine cascade devant la paroi, recueillie dans un étang peu éloigné de la maison, et s'écoulait dans la pente, là où la terre disparaissait de leur vue. Un peu avant la maison, à présent illuminée par le soleil du matin, il y avait un petit enclos clôturé, dont la chèvre était l'unique occupante. Selon son habitude, l'animal broutait activement, mais s'était interrompu pour regarder Axl et Beatrice avec stupéfaction.

Cependant les enfants n'avaient pas remarqué leur arrivée. La fille et ses deux jeunes frères étaient debout au bord d'un fossé, le dos tourné à leurs visiteurs, préoccupés par ce qui se trouvait sous leurs pieds. Une fois, l'un des garçons s'était accroupi pour jeter quelque chose dans le fossé, poussant la fille à le tirer par le bras en arrière.

« Que sont-ils en train de faire, Axl ? demanda Beatrice. Une bêtise on dirait, et le plus jeune est encore assez petit pour y dégringoler par mégarde. »

Lorsqu'ils eurent dépassé la chèvre et que les enfants continuèrent de les ignorer, Axl lança d'un ton aussi aimable que possible : « Dieu soit avec vous », et tous les trois firent volte-face, affolés.

Leurs visages coupables confortèrent Beatrice dans l'idée qu'ils préparaient un mauvais coup, mais la fille – plus grande d'une tête que les deux garçons – se ressaisit aussitôt et sourit.

« Les anciens ! Vous êtes les bienvenus ! Hier soir à peine nous avons prié Dieu de vous envoyer et voici que vous êtes venus jusqu'à nous ! Bienvenue, bienvenue ! »

Elle s'approcha d'eux en faisant gicler l'herbe marécageuse, suivie de près par ses frères.

« Vous vous méprenez, mon enfant, dit Axl. Nous sommes juste deux voyageurs, fatigués, glacés jusqu'aux os, nos vêtements mouillés par la rivière où nous avons été attaqués il y a très peu de temps par des elfes sauvages. Pourriez-vous demander à votre père ou à votre mère de nous permettre de nous réchauffer et de nous sécher près d'un feu ?

— Nous ne nous méprenons pas, monsieur ! Nous avons prié le seigneur Jésus hier soir et maintenant vous êtes venus. Je vous en prie, anciens, entrez dans notre maison, où un feu brûle encore.

— Mais où sont vos parents, petite ? demanda Beatrice. Nous avons beau être las, nous ne voulons pas nous imposer, et nous attendrons que le maître ou la maîtresse de maison vienne nous prier de franchir le seuil.

— Nous sommes juste tous les trois maintenant, madame, vous pouvez donc me considérer comme la maîtresse de maison ! Je vous en prie, entrez et réchauffez-vous. Vous trouverez de la nourriture dans le sac suspendu à la poutre, et il y a une réserve de bois près du feu. Entrez, les anciens, et nous ne troublerons pas votre repos pendant un bon moment, car nous devons prendre soin de la chèvre.

— Nous acceptons votre aimable proposition avec gratitude, mon enfant, dit Axl. Mais dites-nous si le prochain village est loin d'ici. »

Une ombre traversa le visage de la fille, et elle échangea des regards avec ses frères, maintenant alignés à côté d'elle. Puis elle sourit de nouveau et dit : « Nous sommes très haut dans les montagnes, monsieur. Loin de tout village, et nous vous prions de rester chez nous, avec le bon feu et la nourriture que nous vous offrons. Vous devez être très fatigués, et je vois que ce vent vous fait frissonner tous les deux. Alors je vous en prie, ne parlez plus de vous en aller. Entrez et reposez-vous, anciens, car il y a si longtemps que nous vous attendons !

— Qu'est-ce qui vous intéresse dans ce fossé ? demanda brusquement Beatrice.

« — Oh, ce n'est rien, madame ! Rien du tout ! Mais vous êtes en plein vent et vos vêtements sont trempés ! Ne souhaitez-vous pas accepter notre hospitalité, et vous reposer près de notre feu ? Voyez, même en ce moment, la fumée monte du toit ! »

*

« Là ! » Axl cessa de s'appuyer au rocher et tendit le doigt. « Un oiseau s'est envolé dans le ciel. Ne te l'avais-je pas dit, princesse, ce sont des oiseaux qui se tiennent en file ? Tu l'as vu s'élever dans le ciel ? »

Beatrice, qui s'était levée quelques instants plus tôt, fit un pas, quittant le sanctuaire de leurs rochers, et Axl vit aussitôt le vent souffler dans ses vêtements.

« Un oiseau, c'est juste, dit-elle. Mais il ne vient pas de cette rangée de silhouettes là-bas. Il se peut que tu ne voies pas ce que je te montre, Axl. Je veux dire là, sur la crête plus éloignée, ces formes noires qui se détachent contre le ciel.

— Je les vois assez bien, princesse. Mais reviens ici, à l'abri du vent.

— Soldats ou pas, elles se déplacent lentement. L'oiseau n'était pas parmi elles.

— Viens t'abriter, princesse, et assieds-toi. Nous devons préserver nos forces dans la mesure du possible. Qui sait jusqu'où nous devrons tirer cette chèvre ? »

Beatrice revint dans leur abri, serrant contre elle la cape empruntée aux enfants. « Axl, dit-elle en se rasseyant près de lui, tu le crois vraiment ? Avant les grands chevaliers et les guerriers, ce serait un vieux couple comme nous, à qui on interdit d'avoir une bougie dans son propre village, qui peut tuer la dragonne ? Avec cette chèvre teigneuse pour nous aider ?

— Qui sait s'il en sera ainsi, princesse. Peut-être n'est-ce que le souhait d'une jeune fille et rien d'autre. Mais nous avons été reconnaissants de son hospitalité, aussi nous ne devrions pas rechigner à faire ce qu'elle demande. Et qui sait si elle n'a pas raison, et si Querig ne sera pas tuée de cette façon ?

— Axl, dis-moi. Si la dragonne est vraiment tuée, et si la brume commence à se dissiper. Axl, tu n'as jamais peur de ce qui va nous être révélé alors ?

— Ne l'as-tu pas dit toi-même, princesse ? Notre vie ensemble est comme un conte qui finit bien, quels qu'aient été les tournants qu'il a pris en chemin.

— Je l'ai dit avant, Axl. Mais à présent que nous allons peut-être tuer Querig de nos propres mains, une partie de moi craint la disparition de la brume. N'en est-il pas de même pour toi, Axl ?

— Peut-être que oui, princesse. Peut-être en a-t-il toujours été ainsi. Mais je crains surtout ce dont tu as parlé plus tôt. Je veux dire quand nous nous sommes reposés près du feu.

— Qu'ai-je dit alors, Axl ?

— Tu ne t'en souviens pas, princesse ?

— Avons-nous eu quelque stupide querelle ? Je ne m'en souviens pas à présent, sinon que j'étais à bout à cause du froid et du besoin de me reposer.

— Si tu ne t'en souviens pas, princesse, n'y pensons plus.

— Mais j'ai senti quelque chose, Axl, depuis que nous avons quitté ces enfants. J'ai l'impression que tu te tiens à l'écart de moi quand nous marchons, et pas seulement à cause de cette chèvre qui tire. Se peut-il que nous nous soyons querellés plus tôt, bien que je n'en aie aucun souvenir ?

— Je n'ai nulle intention de me tenir à l'écart de toi, princesse. Pardonne-moi. Si ce n'est pas la chèvre qui tire d'un côté puis de l'autre, alors ce doit être que je pense encore à quelque bêtise que nous avons pu nous dire. Je t'assure, il vaut mieux l'oublier. »

*

Il avait ranimé les flammes au centre du sol, et tout le reste, à l'intérieur de la petite maison, était plongé dans l'ombre. Axl avait fait sécher ses habits, tenant chaque vêtement devant les flammes, pendant que Beatrice dormait paisiblement tout près, blottie dans des tapis. Puis, très soudainement, elle s'était rassise et avait regardé autour d'elle.

« Le feu est-il trop chaud pour toi, princesse ? »

Pendant un moment elle avait eu l'air perplexe, puis s'était recouchée d'un air las sur les tapis. Ses yeux étaient restés ouverts et Axl s'apprêtait à reposer sa question lorsqu'elle avait dit doucement :

« Je pensais à une nuit très ancienne, époux. Tu étais parti, m'abandonnant dans un lit solitaire, et je me demandais si tu me reviendrais jamais.

— Princesse, bien que nous ayons échappé à ces

elfes sur la rivière, je crains que tu ne sois encore sous l'emprise d'un sort qui t'inspire de tels rêves.

— Ce n'est pas un rêve, époux. Juste un souvenir ou deux qui me reviennent. La nuit si noire et j'étais là, seule dans notre lit, sachant tout ce temps que tu étais parti pour une fille plus jeune et plus belle.

— Tu ne veux pas me croire, princesse ? C'est l'œuvre de ces elfes, qui sèment encore la discorde entre nous.

— Tu as peut-être raison, Axl. Et si c'étaient de vrais souvenirs, ils datent d'il y a longtemps. Même ainsi… » Elle se tut, et Axl crut qu'elle s'était assoupie de nouveau. Mais elle dit alors : « Même ainsi, époux, ce sont des réminiscences qui me donnent envie de m'écarter de toi. Lorsque nous aurons fini de nous reposer ici, et que nous aurons repris notre marche, laisse-moi marcher devant et tu resteras en arrière. Procédons de cette manière, époux, car ta présence à mes côtés n'est plus la bienvenue. »

D'abord, il ne répondit rien à cela. Puis il éloigna le vêtement des flammes et se retourna pour la regarder. Ses yeux étaient de nouveau fermés, mais il était certain qu'elle ne s'était pas rendormie. Lorsque Axl retrouva enfin la voix, ce n'était guère plus qu'un chuchotement.

« Il n'y aurait rien de plus triste pour moi, princesse. Marcher séparément de toi, quand le chemin nous permet d'avancer de front comme nous l'avons toujours fait. »

Beatrice ne parut pas l'avoir entendu, et au bout de quelques minutes sa respiration devint profonde et régulière. Il avait alors enfilé ses vêtements tout chauds et s'était allongé sur une couverture non loin de sa femme, mais sans la toucher. Une lassitude écrasante l'avait envahi, et pourtant il revoyait les lutins grouillant dans l'eau devant lui, et la bêche qu'il avait projetée dans les airs s'abattant sur eux, il se souvint du bruit qui lui avait évoqué des enfants jouant au loin, il se rappela qu'il s'était battu presque comme un guerrier, avec de la fureur dans la voix. À présent elle avait prononcé ces paroles. Une image lui vint à l'esprit, limpide, saisissante, de Beatrice et de lui sur une route de montagne, un grand ciel gris au-dessus d'eux, elle marchant plusieurs pas devant lui, et une grande mélancolie monta en lui. Ils marchaient ainsi, un vieux couple, la tête courbée, à cinq ou six pas l'un de l'autre.

Il s'éveilla pour trouver le feu encore chaud, et Beatrice debout, en train de glisser un coup d'œil par l'un des petits interstices dans la pierre qui tenaient lieu de fenêtres. Le souvenir de leur dernier échange lui revint, mais Beatrice se retourna, le visage éclairé par un triangle de soleil, et s'écria d'une voix joyeuse :

« J'ai songé à te réveiller plus tôt, Axl, voyant le matin se lever dehors. Mais ensuite je me suis dit que tu avais plongé dans la rivière et que tu avais besoin d'un peu plus qu'un petit somme. »

Comme il ne répondait pas, elle demanda alors : « Qu'y a-t-il, Axl ? Pourquoi me fixes-tu ainsi ?

— Je te regarde simplement avec bonheur et soulagement, princesse.

« — Je me sens beaucoup mieux, Axl. Le repos, c'était tout ce dont j'avais besoin.

— Je le vois à présent. Alors remettons-nous bientôt en route, car tu l'as dit, le matin s'est levé pendant que nous dormions.

— J'ai observé ces enfants, Axl. Encore maintenant ils sont debout près du même fossé que lorsque nous sommes arrivés. Il y a au fond quelque chose qui les attire et c'est une bêtise, je parie, car ils se retournent souvent avec l'air de croire qu'un adulte va les découvrir et les réprimander. Où peuvent être leurs parents, Axl ?

— Ça ne nous concerne pas et, en outre, ils semblent assez bien nourris et vêtus. Faisons nos adieux et partons.

— Axl, se peut-il que nous nous soyons disputés plus tôt ? Je sens qu'il s'est passé quelque chose entre nous.

— Oublions ça pour l'instant, princesse. Mais nous pourrons en parler avant la fin de la journée, qui sait ? Mettons-nous en route avant que la faim et le froid ne nous reprennent. »

Lorsqu'ils émergèrent dans la froideur du soleil, Axl vit des plaques de glace sur l'herbe, un grand ciel et les montagnes qui s'estompaient dans le lointain. La chèvre mangeait dans son enclos, un seau boueux retourné près de ses pattes.

Les trois enfants étaient immobiles près du fossé, regardant au fond, le dos tourné à la maison, et semblaient être en train de se disputer. La fille fut la première à se rendre compte qu'Axl et Beatrice s'approchaient, et quand elle se retourna, un sourire éclatant illumina son visage.

« Chers anciens ! » Elle s'éloigna rapidement du fossé, entraînant ses frères avec elle. « J'espère que vous avez trouvé notre maison confortable, si modeste qu'elle soit !

— Certainement, mon enfant, et nous vous sommes très reconnaissants. À présent nous sommes bien reposés et prêts à nous remettre en route. Mais qu'est-il arrivé à vos parents pour qu'ils vous laissent seuls ? »

La fille échangea des regards avec ses frères, qui s'étaient placés de chaque côté d'elle. Puis elle dit, avec un peu d'hésitation : « Nous nous débrouillons par nous-mêmes, monsieur », et elle posa un bras sur chacun des garçons.

« Qu'y a-t-il donc de si fascinant au fond de ce fossé ? demanda Beatrice.

— C'est juste notre chèvre, madame. C'était notre meilleure chèvre, mais elle est morte.

— Comment est-ce arrivé, mon enfant ? demanda gentiment Axl. L'autre paraît en assez bonne forme. »

Les enfants se regardèrent encore, et parurent prendre une décision.

« Allez regarder si vous le souhaitez, monsieur », reprit la fille, et, lâchant ses frères, elle s'écarta.

Beatrice emboîta le pas à Axl quand il se dirigea vers le fossé. Avant de parvenir à mi-chemin, il s'arrêta et chuchota : « Laisse-moi y aller le premier, princesse.

— Tu crois que je n'ai jamais vu de chèvre morte, Axl ?

« — Je sais. Attends ici un moment. »

Le fossé était si profond qu'un homme aurait pu s'y tenir debout. Le soleil, qui l'éclairait presque directement, aurait dû permettre à Axl de mieux distinguer ce qu'il y avait au fond, mais au lieu de cela, il vit des ombres confuses, et sur l'eau mêlée de boue et de glace une myriade de surfaces éblouissantes. La chèvre avait eu sans doute des proportions monstrueuses, et était à présent disloquée en plusieurs morceaux. Ici une patte arrière ; là le cou et la tête – qui affichait une expression sereine. Il lui fallut un peu plus de temps pour identifier le ventre soyeux de l'animal, car une main géante émergeant de la boue noire s'y appuyait. Il vit alors que l'essentiel de ce qu'il avait identifié au début comme une chèvre appartenait à une autre créature empêtrée dans ses pattes. Ce monticule était une épaule ; celui-là, une épaule raidie. Puis il repéra un mouvement et il se rendit compte que la chose dans le fossé était encore vivante.

« Que vois-tu, Axl ?

— N'approche pas, princesse. Ce n'est pas un spectacle qui remonte le moral. Un malheureux ogre, je suppose, agonisant d'une mort lente, et peut-être que les enfants lui ont bêtement jeté une chèvre, pensant que manger l'aiderait à récupérer. »

Pendant qu'il parlait, une énorme tête chauve tourna lentement dans la vase, un œil grand ouvert suivant le mouvement. Puis la boue l'aspira et elle disparut.

« Nous n'avons pas nourri l'ogre, monsieur, dit la voix de la fille derrière lui. Nous savons qu'il faut s'en abstenir à tout prix, et nous barricader à l'intérieur quand ils viennent. C'est ainsi que nous avons agi avec celui-ci, monsieur, et nous l'avons observé par la fenêtre quand il a défoncé la clôture et pris notre meilleure chèvre. Ensuite il est resté assis là où vous êtes, monsieur, balançant les jambes comme un petit enfant, et dévorant gaiement la chèvre toute crue, comme le font les ogres. Nous savions qu'il ne fallait pas ouvrir la porte, le soleil déclinait, l'ogre continuait de manger notre chèvre, mais nous voyions bien qu'il devenait plus faible, monsieur. Enfin il s'est redressé, tenant ce qu'il restait de la chèvre, et puis il est tombé, d'abord sur les genoux, ensuite sur le flanc. Enfin il a roulé dans le fossé, avec la chèvre et le reste, ça fait deux jours qu'il est là-dedans et qu'il n'est toujours pas mort.

— Éloignons-nous, petite, dit Axl. Ce n'est pas un spectacle pour vous et vos frères. Mais qu'est-ce qui a mis ce pauvre ogre dans cet état ? Se peut-il que votre chèvre ait été malade ?

— Pas malade, monsieur, empoisonnée ! Depuis plus d'une semaine nous la nourrissons exactement comme Bronwen nous l'a appris. Six fois par jour avec les feuilles.

— Pourquoi avoir fait une chose pareille, mon enfant ?

— Voyons, monsieur, pour que la chèvre empoisonne la dragonne. Ce pauvre ogre n'était pas censé le savoir et il s'est donc empoisonné. Mais ce n'est pas notre faute, monsieur, parce qu'il n'aurait pas dû marauder comme ça !

— Un moment, petite, intervint Axl. Vous dites que vous avez nourri la chèvre de manière délibérée pour l'imprégner de poison ?

— Du poison pour la dragonne, monsieur, mais Bronwen a dit que nous ne courions aucun danger. Comment pouvions-nous savoir que le poison infecterait l'ogre ? Nous ne sommes pas à blâmer, monsieur, et nous n'avions aucune mauvaise intention !

— Personne ne vous blâmera jamais, mon enfant. Mais dites-moi, pour quelle raison souhaitiez-vous préparer du poison pour Querig, car je suppose que c'est la dragonne dont vous parlez ?

— Oh, monsieur ! Nous avons dit nos prières matin et soir et souvent aussi dans la journée. Lorsque vous êtes arrivés ce matin, nous savions que Dieu vous avait envoyés. Alors, s'il vous plaît, dites que vous allez nous aider, car nous sommes juste de pauvres enfants abandonnés par leurs parents ! Voulez-vous emmener cette chèvre, la seule qui nous reste aujourd'hui, et gravir avec elle le sentier qui conduit au cairn du géant ? C'est une marche aisée, monsieur, moins d'une demi-journée aller et retour, et j'irais moi-même mais je ne peux laisser seuls ces jeunes garçons. Nous avons nourri cette chèvre de la même façon que celle qu'a dévorée l'ogre, et elle a absorbé sa ration de feuilles pendant trois jours supplémentaires. Si seulement vous pouviez l'emmener jusqu'au cairn du géant et la laisser attachée là pour la dragonne, monsieur, et c'est une promenade facile. S'il vous plaît dites oui, anciens, car nous craignons que rien d'autre ne puisse nous rendre nos chers père et mère.

— Enfin vous parlez d'eux, dit Beatrice. Que faut-il faire pour vous ramener vos parents ?

— Nous venons de vous le dire, madame ! Si seulement vous conduisiez cette chèvre jusqu'au cairn du géant, où il est bien connu que les gens déposent régulièrement de la nourriture pour la dragonne. Alors qui sait, elle périra de la même façon que ce pauvre ogre, qui, avant son repas, était une force de la nature ! Avant nous avons toujours craint Bronwen à cause de ses pratiques de sorcellerie, mais lorsqu'elle a vu que nous étions seuls ici, oubliés par nos propres parents, elle nous a pris en pitié. Alors aidez-nous, anciens, car qui sait quand quelqu'un d'autre passera par ici ? Nous avons peur de nous montrer aux soldats ou aux hommes étranges qui passent, mais vous êtes ceux que nous avons prié le seigneur Jésus de nous envoyer.

— Mais que savent de ce monde de jeunes enfants comme vous, demanda Axl, pour s'imaginer qu'une chèvre empoisonnée va ramener leurs parents ?

— C'est ce que nous a promis Bronwen, monsieur, et même si c'est une vieille femme terrible, elle ne ment jamais. D'après elle, c'est la dragonne, là-haut, qui a fait oublier notre existence à nos parents. Et bien que nous ayons souvent provoqué la colère de notre mère par nos méchancetés, Bronwen dit que le jour où elle se rappellera de nous, elle se dépêchera de revenir et nous serrera dans ses bras comme ceci, chacun à notre tour. » La fille étreignit soudain contre elle un enfant invisible, se balançant doucement pendant un moment. Puis, rouvrant les yeux, elle poursuivit : « Mais pour l'instant la dragonne a jeté un sort à nos parents pour qu'ils nous oublient, et ils ne rentrent pas à la maison. Bronwen affirme que la dragonne est une malédiction, pas seulement pour nous, mais pour tout le monde, et que plus vite elle périra, mieux cela vaudra. Je vous en prie, acceptez ma requête, sinon nous ne reverrons plus jamais notre père ni notre mère. Tout ce que nous vous demandons, c'est d'attacher la chèvre devant le cairn du géant, puis de vous en aller. »

Beatrice commença à parler, mais Axl couvrit aussitôt sa voix : « Je suis désolé, petite. Nous aimerions vous aider, mais monter encore dans ces collines est au-dessus de nos forces. Nous sommes âgés, exténués par de dures journées de voyage, voyez-vous. Nous n'avons d'autre choix que de poursuivre en hâte notre chemin avant que d'autres mésaventures ne nous interrompent.

— Mais monsieur, c'est Dieu qui vous a envoyés chez nous ! Il s'agit d'une petite promenade, et le sentier n'est pas escarpé à partir de cette maison.

— Ma chère enfant, dit Axl, nous sommes de tout cœur avec vous et nous chercherons de l'aide dans le prochain village. Si nous sommes trop faibles pour faire ce que vous nous demandez, d'autres gens passeront bientôt par ici et seront heureux d'emmener la chèvre pour vous. C'est trop pour des personnes de notre âge, mais nous prierons pour le retour de vos parents, et pour que Dieu veille toujours sur vous.

— Ne partez pas, anciens ! Si l'ogre s'est empoisonné, ce n'est pas notre faute ! »

Prenant le bras de sa femme, Axl l'entraîna loin des enfants. Il ne se retourna pas avant d'avoir dépassé l'enclos de la chèvre, et il vit alors les trois enfants de front, immobiles au même endroit, dominés par les hautes falaises. Axl leur fit des signes d'encouragement, mais un sentiment proche de la honte – peut-être la trace d'un souvenir ancien, le souvenir d'un autre départ de cette sorte – lui fit accélérer le pas.

Ils n'étaient pas encore très loin – le terrain marécageux avait commencé à descendre et les vallées à s'ouvrir devant eux – quand Beatrice lui saisit le bras pour le faire ralentir.

« Je n'ai pas voulu te contredire devant ces enfants, époux, dit-elle. Mais est-ce vraiment au-dessus de nos forces de faire ce qu'ils demandent ?

— Ils ne sont pas en péril immédiat, princesse, et nous avons nos propres préoccupations. Où en est ta douleur ?

— Ma douleur n'a pas empiré. Axl, regarde ces enfants immobiles là où nous les avons laissés, nous regardant devenir de plus en plus petits. Ne pouvons-nous pas au moins nous arrêter à côté de cette pierre et en parler encore ? Ne nous hâtons pas inconsidérément.

— Ne te retourne pas vers eux, princesse, tu ne ferais qu'attiser leur espoir. Nous ne retournerons pas chercher leur chèvre, mais nous descendrons dans cette vallée, pour le feu et la nourriture que de généreux étrangers nous offriront.

— Mais réfléchis à ce qu'ils demandent, Axl. » Beatrice l'avait obligé à faire une halte. « Une chance

comme celle-ci se représentera-t-elle ? Songes-y !
Nous découvrons cet endroit, si proche de la tanière
de Querig. Et ces enfants nous offrent une chèvre
empoisonnée grâce à laquelle nous pourrions tous les
deux, en dépit de notre âge et de notre faiblesse,
abattre la dragonne ! Penses-y, Axl ! Si Querig meurt,
la brume va rapidement se dissiper. Qui peut dire
que ces enfants n'ont pas raison et que Dieu Lui-
même ne nous a pas conduits ici ? »

Axl resta silencieux un moment, luttant contre
l'envie de se retourner vers la maison de pierre. « Rien
ne dit que cette chèvre causera le moindre tort à
Querig, déclara-t-il enfin. Un ogre malchanceux est
une chose. Cette dragonne est une créature capable
de disperser une armée. Est-il sage pour deux vieux
fous comme nous de nous aventurer aussi près de sa
tanière ?

— Nous ne sommes pas censés l'affronter, Axl,
mais seulement attacher la chèvre et nous enfuir.
Il se peut que Querig ne vienne pas à cet endroit
avant des jours et des jours, et nous serons alors
en sécurité dans le village de notre fils. Axl, ne
souhaitons-nous pas que nous soient rendus les
souvenirs de cette longue vie vécue ensemble ?
Ou deviendrons-nous comme des étrangers croisés
une nuit dans un abri ? Viens, époux, accepte de
rebrousser chemin et de faire ce que ces enfants
nous demandent. »

*

371

Ils avaient donc repris leur marche vers les sommets, et le vent soufflait de plus belle. Pour l'instant, les rochers jumeaux leur procuraient un bon abri, mais ils ne pouvaient pas rester là indéfiniment. Axl se demanda une fois encore s'il avait été stupide de céder.

« Princesse, dit-il enfin. Suppose que nous réussissions vraiment. Suppose que Dieu nous permette de mener à bien cette mission, et d'abattre la dragonne. Je voudrais que tu me promettes quelque chose. »

Elle était assise près de lui à présent, les yeux toujours posés sur la rangée de minuscules silhouettes dans le lointain.

« Quelle est cette requête, Axl ?

— Simplement ceci, princesse. Si Querig devait vraiment mourir et si la brume se dissipait. Si la mémoire te revenait, et le souvenir des fois où je t'ai déçue, ou des actes horribles que j'ai pu commettre autrefois pour que tu me regardes, et que tu ne me voies plus tel que je suis aujourd'hui. Promets-moi au moins cela. Promets-moi, princesse, que tu n'oublieras pas ce que tu ressens pour moi en ce moment dans ton cœur. À quoi servirait un souvenir surgi de la brume s'il se contente d'en chasser un autre ? Me feras-tu cette promesse ? Promets de garder toujours dans ton cœur ce que tu éprouves pour moi en ce moment, sans tenir compte de ce que tu verras une fois la brume disparue.

— Je le promets, Axl, et il n'y a rien de plus facile.

— Les mots me manquent pour te dire combien cela me réconforte de l'entendre, princesse.

— Tu es dans une étrange humeur, Axl. Mais qui sait quelle distance nous sépare encore du cairn du géant ? Ne restons pas plus longtemps assis entre ces grands rochers. Ces enfants étaient anxieux quand nous sommes partis, et ils vont attendre notre retour. »

LA SECONDE RÊVERIE
DE GAUVAIN

Ce maudit vent. Est-ce un orage qui approche ? Horace n'est perturbé ni par le vent ni par la pluie, mais par le fait qu'une inconnue le chevauche en ce moment, à la place de son vieux maître. « C'est juste une femme fatiguée, lui ai-je dit, qui a un plus grand besoin de s'asseoir que moi. Alors porte-la de bonne grâce. » Mais pourquoi est-elle là ? Maître Axl ne voit-il pas à quel point elle est frêle ? A-t-il perdu l'esprit pour l'emmener ainsi dans ces hauteurs hostiles ? Mais elle continue, aussi déterminée que lui, et rien de ce que je dis ne leur fait rebrousser chemin. Je marche donc, le pas chancelant, une main sur la bride d'Horace, sous le poids de cette cotte de mailles rouillée. Je murmure à Horace : « N'avons-nous pas toujours traité les dames avec courtoisie ? Passerions-nous notre chemin, laissant ce brave couple tirer cette chèvre ? »

J'ai vu d'abord leurs minuscules silhouettes tout en bas et je les ai pris pour les autres. « Regarde en bas, Horace, ai-je dit alors. Ils se sont déjà retrouvés. Ils viennent déjà, on dirait même que Brennus n'a infligé aucune blessure à cet homme. »

Horace m'a regardé pensivement, comme pour demander : « Alors, Gauvain, est-ce la dernière fois que nous montons ensemble cette pente désolée ? » Je ne lui ai pas répondu, me contentant de caresser doucement sa nuque, mais j'ai pensé à part moi : « Ce guerrier est jeune, c'est un homme terrible. Mais je suis peut-être capable de le battre, qui sait ? J'ai remarqué quelque chose alors même qu'il abattait le soldat de Brennus. Un autre ne l'aurait pas vu, moi si. Une petite ouverture à gauche pour un ennemi rusé. »

Qu'attendrait de moi Arthur aujourd'hui ? Son ombre tombe encore sur le pays et m'engloutit. M'obligerait-il à m'accroupir comme une bête guettant sa proie ? Où se cacher sur ces pentes nues ? Le vent suffira-t-il à dissimuler un homme ? Ou devrais-je me percher au bord d'un précipice et leur jeter un rocher ? Un geste indigne de la part d'un chevalier d'Arthur. J'aimerais mieux me montrer ouvertement, le saluer, essayer une fois encore un peu de diplomatie. « Faites demi-tour, monsieur. Vous mettez en danger non seulement votre innocent compagnon et vous-même, mais toutes les bonnes gens de ce pays. Laissez Querig à quelqu'un qui connaît ses habitudes. Tel que vous me voyez, je vais de ce pas la tuer. » Mais ces appels ont été ignorés auparavant. Pourquoi m'écouterait-il maintenant qu'il est venu si près, et que le garçon mordu s'apprête à le conduire jusqu'au seuil de sa tanière ? Ai-je été stupide de sauver ce garçon ? Mais l'abbé m'a horrifié, et je sais que Dieu me saura gré de ce que j'ai fait.

375

« Ils viennent aussi sûrs d'eux que s'ils avaient une carte, ai-je dit à Horace. Alors, où attendrons-nous ? Où allons-nous les affronter ? »

Le bosquet. Je m'en suis souvenu à ce moment. Étrange que les arbres soient aussi luxuriants ici, alors que le vent tourbillonne autour à sa guise. Le bois procurera un abri au chevalier et à son cheval. Je ne me jetterai pas sur lui comme un bandit, mais pourquoi me montrer une bonne heure avant la rencontre ?

J'ai donc donné un peu d'éperon à Horace, bien que cela ne produise plus d'effet sur lui à présent, et nous avons franchi la crête, sans monter ni descendre, battus par le vent pendant tout le trajet. Nous avons été reconnaissants tous les deux d'atteindre ces arbres, même s'ils poussent si bizarrement qu'on se demande si Merlin leur a jeté un sort. Quel homme, ce maître Merlin ! J'ai cru un jour qu'il avait ensorcelé la Mort, et pourtant il est parti lui aussi. Demeure-t-il au ciel ou en enfer ? Maître Axl peut bien croire que Merlin est un serviteur du diable, pourtant il déployait assez souvent ses pouvoirs pour faire sourire Dieu. Ne laissons pas dire qu'il n'était pas courageux. Il s'est maintes fois exposé avec nous aux flèches et aux haches sauvages. Il se peut que ce soit le bois de Merlin, conçu dans ce but particulier : afin que je puisse un jour m'y abriter pour attendre celui qui veut détruire notre grande œuvre de cette époque. Deux d'entre nous sur cinq sont tombés sous les coups de la dragonne, pourtant maître Merlin est resté à nos côtés, se déplaçant calmement à portée de la queue de Querig, car comment aurait-il pu achever son travail autrement ?

Les bois étaient silencieux et paisibles quand nous les avons atteints, Horace et moi. Pas même un oiseau ou deux chantant dans les feuillages, et si les branches dansaient follement, au pied des arbres s'écoulait une paisible journée de printemps, où les pensées d'un vieil homme pouvaient enfin dériver d'une oreille à l'autre sans ballotter dans la tempête ! Il y a plusieurs années maintenant qu'Horace et moi n'avons pénétré dans ce bosquet. Les mauvaises herbes sont devenues monstrueuses, une ortie aux feuilles de la taille de la paume d'un petit enfant assez développée pour s'enrouler deux fois autour d'un homme. J'ai laissé Horace à un endroit accueillant pour qu'il broute tout son soûl, et je me suis promené un moment sous la voûte feuillue. Pourquoi ne pas me reposer ici, calé contre le grand chêne ? Et le moment venu, quand ils arriveront ici, comme ils ne manqueront pas de le faire, nous nous affronterons comme des camarades de combat.

Je me suis frayé un chemin au milieu des orties géantes – n'est-ce pas dans ce but que je porte ce métal grinçant ? Pour protéger mes mollets de ces piqûres velues ? – et j'ai fini par atteindre la clairière et l'étang, la lumière du ciel gris filtrant à travers les feuilles. Tout autour, trois grands arbres, chacun fendu au milieu et effondré dans l'eau. Ils se dressaient fièrement lors de notre dernier passage, c'est sûr. La foudre les a-t-elle frappés ? Ou bien, dans la lassitude de l'âge, aspiraient-ils au réconfort de l'étang, toujours si proche de l'endroit où ils avaient grandi, et pourtant hors de portée ? Ils boivent à satiété maintenant, les oiseaux des montagnes nichent dans leurs troncs brisés. Est-ce dans ce lieu que je croiserai le fer avec le Saxon ? S'il me bat il me restera peut-être assez d'énergie pour ramper jusqu'à l'eau. Je ne vais pas y dégringoler, même si la glace cède sous moi, car ce ne serait pas un plaisir de gonfler à l'intérieur de cette armure, et quelle chance y aurait-il pour qu'Horace, cherchant son maître, s'approche sur la pointe des sabots à travers les racines tordues et tire ma dépouille hors de l'eau ? Pourtant j'ai vu des camarades au combat réclamer de l'eau alors qu'ils étaient cloués au sol par leurs blessures, et j'en ai regardé d'autres ramper jusqu'à la rivière ou l'étang, alors même qu'ils redoublaient ainsi leurs souffrances. Existe-t-il un grand secret que les mourants sont seuls à connaître ? Mon vieux camarade, maître Buel, était assoiffé ce jour-là, étendu sur l'argile rouge de la montagne. Il reste de l'eau dans ma gourde, lui dis-je, mais non, il exige un lac ou une rivière. Mais nous sommes loin de tout cela, je lui réponds. « Sois maudit, Gauvain, crie-t-il. Mon dernier souhait, ne peux-tu l'exaucer, alors que nous avons été camarades de combat pendant tant de batailles intrépides ? » « Mais cette dragonne t'a brisé en deux. Si je dois te transporter au bord de l'eau, je serai obligé de marcher sous ce soleil d'été, une moitié de toi sous chaque bras, avant de parvenir à un tel endroit. » Mais il me dit : « Mon cœur n'accueillera la mort qu'au moment où tu me coucheras près de l'eau, Gauvain, et où j'entendrai son clapotis en fermant les yeux. » Il exige cela, et ne se soucie pas de savoir si nous avons rempli notre mission, ou si le sacrifice de sa vie en vaut la peine. Quand je me penche pour le soulever, il demande seulement : « Qui d'autre a survécu ? » Je lui dis que maître Millus est mort, mais que nous sommes trois à résister encore, avec maître Merlin en plus. Il ne demande toujours pas si la mission a été menée à bien, mais parle de lacs et de rivières, et même de la mer, et c'est tout ce que je peux faire pour me rappeler que c'est mon vieux camarade, un homme courageux, choisi comme moi par Arthur pour cette grande tâche, alors que la bataille fait rage dans la vallée. Oublie-t-il son devoir ? Je le soulève, et il crie vers les cieux, et comprend alors seulement le prix de quelques petits pas, et nous sommes au sommet d'une montagne rouge dans la chaleur de l'été, à une heure de voyage de la mer, même à dos de cheval. Et quand je le repose il ne parle plus que de la mer. Ses yeux aveugles à présent, lorsque j'asperge de l'eau de ma gourde sur sa figure, il me remercie de telle façon qu'il doit s'imaginer debout sur un rivage, je suppose. « J'ai été achevé par une épée ou par une hache ? » demande-t-il, et je réponds : « De quoi parles-tu, camarade ? C'est la queue de la dragonne qui t'a frappé, mais notre tâche est accomplie et tu pars avec fierté et honneur. » « La dragonne ? demande-t-il. Qu'est-il arrivé à la dragonne ? » « Toutes les lances sauf une sont plantées dans son flanc, dis-je, et maintenant elle dort. » Il oublie la mission de nouveau, et parle de la mer, et d'un bateau qu'il a connu petit garçon quand son père l'emmenait loin du rivage par une douce soirée.

Lorsque mon heure viendra, aurai-je moi aussi le désir de voir la mer ? Je pense que je me contenterai de la terre. Et je n'exigerai pas un lieu précis, mais il suffira qu'il se trouve dans ce pays, où Horace et moi avons passé des années à nous promener avec bonheur. Les veuves noires que je viens de croiser glousseraient en m'entendant, et se hâteraient de me rappeler avec qui je risque de partager mon carré de terre. « Stupide chevalier ! Plus que tous les autres, tu dois bien choisir ton lieu de repos, sinon tu te retrouveras à côté de ceux que tu as massacrés ! » N'ont-elles pas fait une plaisanterie de cette sorte en jetant de la boue sur la croupe d'Horace ? Comment osent-elles ! Y étaient-elles ? Cette femme assise sur ma selle en dirait-elle autant si elle pouvait lire dans mes pensées ? Elle a parlé de bébés assassinés au fond de ce tunnel à l'air vicié, alors que je la libérais des moines et de leurs sombres fomentations. Comment ose-t-elle ? Maintenant elle trône sur ma selle, chevauchant mon cher cheval de bataille, et qui sait combien de voyages il nous reste, à Horace et à moi ?

Nous avons cru un moment que ce serait le dernier, mais j'avais confondu ce brave couple avec les autres, et nous faisons route en paix un moment encore. Pourtant, tout en conduisant Horace par la bride, je regarde derrière moi, car ils arrivent sûrement, même si nous allons de l'avant. Maître Axl marche à mes côtés, sa chèvre l'empêchant d'avoir un pas régulier. Devine-t-il pour quelle raison je me retourne aussi souvent? « Sire Gauvain, n'étions-nous pas camarades autrefois? » Je l'ai entendu le demander tôt ce matin lorsque nous sommes sortis du tunnel, et je lui ai dit de trouver un bateau pour descendre la rivière. Pourtant il est là, encore dans les montagnes, sa chère épouse auprès de lui. Je ne veux pas croiser son regard. L'âge nous dissimule tous les deux, de la même façon que le gazon et les mauvaises herbes dissimulaient les champs lorsque nous combattions et massacrions. Que cherchez-vous, monsieur ? Quelle est cette chèvre que vous amenez ?

« Faites demi-tour, mes amis, ai-je dit lorsqu'ils sont tombés sur moi dans le bois. Ce n'est pas une promenade pour des voyageurs âgés tels que vous. Regardez comment cette brave dame se tient le flanc. Encore deux kilomètres au moins nous séparent du cairn du géant, et il n'y a qu'un seul abri derrière des petits rochers, où il faut se recroqueviller en baissant la tête. Repartez quand vous en avez encore la force, et je prendrai soin de laisser cette chèvre bien attachée à l'entrée du cairn. » Mais ils m'ont tous les deux dévisagé d'un air soupçonneux, et maître Axl n'a pas voulu lâcher la chèvre. Au-dessus, les branches bruissaient, sa femme s'est assise sur les racines d'un chêne, regardant l'étang et les arbres brisés affaissés dans l'eau, et j'ai dit tout bas : « Ce n'est pas un voyage pour votre bonne épouse, monsieur. Pourquoi n'avez-vous pas suivi mon conseil et descendu la rivière pour quitter ces collines ? » « Nous devons conduire cette chèvre là où nous l'avons promis », a dit maître Axl. « Une promesse faite à un enfant. » Et il m'a regardé bizarrement en prononçant ces mots, ou est-ce que je l'imagine ? « Horace et moi conduirons la chèvre, ai-je dit. Ne nous faites-vous pas confiance pour cette mission ? J'ai peine à croire que cette chèvre puisse troubler Querig le moins du monde, même si elle la dévore en entier, mais cela pourrait la ralentir et me procurer un avantage. Alors donnez-moi la créature et redescendez dans la vallée avant que l'un de vous ne s'écroule sur place. »

Ils se sont alors enfoncés dans les arbres loin de moi, et j'ai entendu l'intonation de leurs voix baissées ; mais pas les mots. Puis maître Axl est venu me voir et a dit : « Encore un moment pour que ma femme se repose, puis nous poursuivrons, sire Gauvain, jusqu'au cairn du géant. » J'ai vu qu'il était inutile de discuter encore, et je suis moi aussi impatient de poursuivre l'ascension, car qui sait à quelle distance de nous se trouvent maître Wistan et le garçon mordu ?

QUATRIÈME PARTIE

CHAPITRE 15

Certains auront de beaux monuments grâce auxquels les vivants pourront se souvenir du mal qui leur a été fait. Certains n'auront que des croix en bois grossières ou des rochers peints, tandis que d'autres encore devront rester cachés dans l'ombre de l'Histoire. Ils font en tout cas partie d'une procession ancienne, et il est toujours possible que le cairn du géant ait été érigé pour indiquer le site du massacre de jeunes innocents dans une guerre, une tragédie qui a eu lieu il y a très longtemps. Cela mis à part, il n'est pas facile d'imaginer les raisons de son existence. On peut comprendre pourquoi, à une altitude plus basse, nos ancêtres ont pu souhaiter commémorer une victoire ou un roi. Mais pourquoi entasser de lourdes pierres en une pile plus haute qu'un homme, en un lieu si élevé et éloigné que celui-ci ?

Cette question, j'en suis sûr, troubla tout autant Axl quand il parvint épuisé au sommet de la pente. Lorsque la jeune fille avait mentionné le cairn du géant, il s'était représenté un édifice construit sur un large monticule. Mais ce cairn leur était simplement apparu en haut de la montagne, sans rien de particulier pour expliquer sa présence. La chèvre, néanmoins, parut deviner aussitôt sa signification, car elle se mit à se débattre frénétiquement dès que le cairn fut visible, tel un doigt noir contre le ciel. « Elle connaît son destin », observa sire Gauvain, guidant son cheval avec Beatrice en selle.

Mais à présent la chèvre avait oublié sa terreur précédente et broutait avec satisfaction l'herbe de montagne.

« Est-il possible que la brume de Querig fasse des dégâts chez les chèvres comme chez les hommes ? »

Ce fut Beatrice qui posa cette question, tenant des deux mains la corde de l'animal. Axl avait relâché un instant la créature pendant qu'à l'aide d'une pierre il plantait dans le sol le piquet en bois autour duquel la corde avait été enroulée.

« Qui sait, princesse. Mais si Dieu a un peu d'affection pour les chèvres, Il ne tardera pas à envoyer ici la dragonne, sinon le pauvre animal se sentira bien seul en attendant.

— Si la chèvre meurt avant, Axl, tu crois que Querig acceptera de manger autre chose que de la chair fraîche ?

— Qui sait comment une dragonne aime sa viande ? Mais il y a ici assez d'herbe pour occuper cette chèvre un moment, princesse, même si ce n'est pas de l'herbe toxique.

— Regarde, Axl. Je pensais que le chevalier allait nous aider, car nous sommes bien fatigués tous les deux. Mais il a oublié ses manières. »

En effet, sire Gauvain était devenu bizarrement réticent depuis leur arrivée au cairn. « C'est l'endroit que vous cherchez », avait-il dit d'un ton maussade, avant de s'éloigner. À présent il leur tournait le dos, fixant les nuages.

« Sire Gauvain, appela Axl, s'interrompant dans son travail. Pourriez-vous nous aider à tenir cette chèvre ? Ma pauvre épouse est à bout de forces. »

Le vieux chevalier ne réagit pas, et Axl, supposant qu'il n'avait pas entendu, s'apprêtait à répéter sa requête, quand Gauvain se retourna soudain, l'air si solennel qu'ils en furent saisis.

« Je les vois en bas, dit-il. Rien ne peut plus les arrêter.

— Qui donc, sire ? » demanda Axl. Puis, comme le chevalier gardait le silence : « Ce sont des soldats ? Nous avons vu plus tôt une longue colonne sur l'horizon, mais nous pensions qu'ils s'étaient éloignés de nous.

— Je parle de vos récents compagnons, maître Axl. Ceux avec lesquels vous étiez hier quand nous nous sommes rencontrés. Ils sortent du bosquet, et qui les arrêtera maintenant ? Un instant, j'ai espéré, en les voyant, qu'il s'agissait de deux veuves noires échappées de cette procession infernale. Mais le ciel nuageux me jouait des tours, et ce sont bien eux, pas de doute.

— Maître Wistan a donc réussi à s'enfuir du monastère après tout, dit Axl.

— Certainement. Et le voici qui approche, avec au bout de sa corde, au lieu d'une chèvre, le garçon saxon qui lui sert de guide. »

Sire Gauvain parut enfin remarquer Beatrice qui avait des difficultés avec l'animal et il s'éloigna aussitôt du bord de la falaise pour s'emparer de la corde. Mais Beatrice ne lâcha pas prise, et un moment ils eurent l'air de se disputer le contrôle de la chèvre. Ils s'immobilisèrent enfin, tenant tous les deux la corde, le vieux chevalier à quelques pas de Beatrice.

« Nos amis nous ont-ils vus eux aussi, sire Gauvain ? demanda Axl, reprenant son travail.

— Je parie que le guerrier a un œil aiguisé, et voit à cet instant nos silhouettes se détacher contre le ciel dans une lutte à la corde, avec la chèvre pour adversaire ! » Il rit dans sa barbe, mais la mélancolie perçait dans sa voix. « Oui, dit-il enfin. J'imagine qu'il nous voit assez bien.

— Alors il pourra joindre ses forces aux nôtres, observa Beatrice, pour abattre la dragonne. »

Sire Gauvain les fixa l'un après l'autre, mal à l'aise. Puis il dit : « Maître Axl, vous persistez encore à le croire ?

— Croire à quoi, sire Gauvain ?

— Que réunis ici, dans ce lieu abandonné, nous sommes des camarades ?

— Expliquez-vous plus clairement, sire chevalier. »

Gauvain conduisit la chèvre là où Axl s'agenouillait, sans tenir compte de Beatrice qui le suivait, agrippant toujours son bout de la corde.

« Maître Axl, nos chemins ne se sont-ils pas séparés il y a des années ? Je suis resté avec Arthur, tandis que vous… » Il parut se rendre compte de la présence de Beatrice derrière lui et, se retournant, s'inclina poliment. « Chère dame, je vous prie de lâcher cette corde et de vous reposer. Je ne laisserai pas l'animal s'échapper. Asseyez-vous là, près du cairn. Il vous protégera au moins en partie de ce vent.

— Merci, sire Gauvain, répondit Beatrice. Je vous confie donc cette créature, et elle nous est très précieuse. »

Elle commença à se diriger vers le cairn, et quelque chose dans sa démarche, les épaules courbées contre le vent, éveilla un fragment de souvenir à la périphérie de la conscience d'Axl. L'émotion que cela provoqua, avant même qu'il l'eût analysé, le surprit et le choqua, car se mêlait au désir irrésistible d'aller vers elle pour la protéger l'ombre distincte de la colère et de l'amertume. Elle avait parlé d'une longue nuit passée seule, tourmentée par son absence, mais se pouvait-il qu'il eût connu lui aussi une nuit, ou même plusieurs, hantées par une angoisse similaire ? Puis, lorsque Beatrice s'arrêta près du cairn et inclina la tête devant les pierres comme pour s'excuser, il sentit la mémoire et la colère s'amplifier, et la peur le fit se détourner d'elle. Il remarqua alors que sire Gauvain contemplait lui aussi Beatrice, une lueur de tendresse dans les yeux, l'air perdu dans ses pensées. Mais le chevalier se ressaisit aussitôt et, se rapprochant d'Axl, se pencha comme pour écarter le moindre risque d'être entendu par sa femme.

« Qui peut dire que votre chemin n'a pas été le plus pieux ? Renoncer à tous ces beaux discours sur la guerre et la paix. À cette belle loi destinée à rapprocher les hommes de Dieu. Quitter Arthur une fois pour toutes et vous consacrer à… » Il jeta encore un coup d'œil à Beatrice qui était restée debout, le front touchant presque les pierres dans son effort pour se protéger du vent. « À une bonne épouse, monsieur. Je l'ai vue marcher à vos côtés telle une ombre bienveillante. Aurais-je dû faire pareil ? Mais Dieu nous a guidés sur des chemins différents. J'avais un devoir. Ah ! Est-ce que je le crains aujourd'hui ? Jamais, monsieur, jamais. Je ne vous accuse de rien. Cette grande loi que vous avez négociée, anéantie dans le sang ! Pourtant elle a résisté un temps. Anéantie dans le sang ! Qui nous en fait le reproche aujourd'hui ? Ai-je peur de la jeunesse ? La jeunesse seule peut-elle vaincre un adversaire ? Qu'il vienne, qu'il vienne. Souvenez-vous, monsieur ! Je vous ai vu ce jour-là et vous parliez des cris d'enfants et de bébés qui résonnaient dans vos oreilles. Je les ai entendus aussi, monsieur, mais ils n'étaient pas différents des cris d'un homme en proie à d'horribles souffrances sous la tente du chirurgien alors même qu'on lui sauve la vie. Pourtant je le reconnais. Il y a des jours où je voudrais qu'une ombre bienveillante m'accompagne. Même aujourd'hui je me retourne dans l'espoir d'en voir une. Chaque animal, chaque oiseau dans le ciel ne désire-t-il pas une tendre compagne ? J'en ai connu une ou deux à qui j'aurais volontiers donné ma vie. Pourquoi le craindrais-je aujourd'hui ? J'ai combattu des Scandinaves aux crocs acérés avec des museaux de rennes, et ce n'étaient pas des masques. Tenez, monsieur, attachez votre chèvre

maintenant. Jusqu'où voulez-vous enfoncer ce bâton ?
C'est une chèvre que vous avez là ou un lion ? »

Gauvain tendit la corde à Axl, puis s'éloigna à
grands pas sans s'arrêter, jusqu'à l'endroit où le bord
de la terre touchait le ciel. Axl, un genou appuyé
dans l'herbe, fixa solidement la corde à l'entaille dans
le bois, puis regarda une fois encore sa femme. Elle
était toujours debout près du cairn, et bien qu'un
détail de sa posture le perturbât à nouveau, il fut
soulagé de ne trouver en lui aucune trace de l'amertume précédente. Au lieu de cela, il se sentit presque
submergé par la nécessité de la protéger, pas seulement du vent âpre, mais d'une autre menace, plus
vaste et plus sombre qui, même alors, se resserrait
autour d'eux. Il se leva et la rejoignit en hâte.

« La chèvre est bien arrimée, princesse, dit-il. Mais
dès que tu seras prête, redescendons cette pente.
N'avons-nous pas accompli la tâche promise à ces
enfants et à nous-mêmes ?

— Oh, Axl, je ne veux pas retourner dans ces
bois.

— Que dis-tu, mon amie ?

— Axl, tu ne t'es jamais approché du bord de
l'étang, tu étais si occupé à parler à ce chevalier. Tu
n'as jamais regardé au fond de cette eau glacée.

— Ces vents t'ont fatiguée, princesse.

— J'ai vu leurs visages tournés vers moi, comme
s'ils étaient couchés dans leurs lits.

— Qui, princesse ?

— Les bébés, juste au-dessous de la surface de
l'eau. J'ai pensé d'abord qu'ils souriaient, et que

certains faisaient des signes, mais lorsque je me suis approchée j'ai vu qu'ils ne bougeaient pas.

— Encore un rêve que tu as fait pendant que tu te reposais contre cet arbre. Je me souviens de t'avoir vue endormie et d'en avoir éprouvé du réconfort sur le moment, pendant que je parlais avec le vieux chevalier.

— Je les ai vraiment vus, Axl. Au milieu des herbes vertes. Ne retournons pas dans ce bois, car je suis sûre qu'un esprit maléfique le hante. »

Sire Gauvain, contemplant la vue au-dessous de lui, avait levé le bras en l'air, et sans se retourner il cria dans le vent : « Ils ne vont pas tarder à arriver ! Ils grimpent la pente d'un bon pas.

— Allons le rejoindre, princesse, et reste enveloppée dans la cape. J'ai été stupide de t'amener aussi loin, mais nous allons bientôt nous réfugier à l'abri. Voyons ce qui perturbe ce bon chevalier. »

La chèvre tirait sur sa corde quand ils passèrent, mais le pieu ne donna aucun signe de défaillance. Axl aurait voulu savoir à quelle distance se trouvaient les deux Saxons, mais le vieux chevalier venait à présent dans leur direction, et tous les trois s'arrêtèrent non loin de l'endroit où l'animal était attaché.

« Sire Gauvain, dit Axl, ma femme s'affaiblit et doit retourner dans un lieu abrité et se nourrir. Votre cheval pourrait-il la transporter à la descente comme il l'a fait à la montée ?

— Qu'est-ce que vous demandez ? Trop, monsieur ! Ne vous ai-je pas dit de ne pas aller plus haut quand nous nous sommes rencontrés dans le bois de Merlin ? C'est vous qui avez insisté pour venir.

— Nous avons peut-être été imprudents, monsieur, mais nous avions un but, et si nous devons repartir sans vous, vous devez nous promettre de ne pas libérer cette chèvre qu'il nous a tant coûté d'amener jusqu'ici.

— Libérer la chèvre ? Je me fiche de votre chèvre, monsieur ! Le guerrier saxon ne va pas tarder à arriver, et quel homme ! Allez donc regarder si vous ne me croyez pas ! Je me fiche de votre chèvre ! Maître Axl, je vous vois devant moi et cela me rappelle cette nuit-là. Le vent soufflait aussi fort qu'aujourd'hui. Et vous maudissiez Arthur en face pendant que nous gardions tous la tête baissée ! Car qui aurait accepté de vous abattre ? Chacun de nous évitait de fixer le roi, de peur qu'il ne lui ordonne du regard de vous passer au fil de l'épée alors que vous n'étiez pas armé. Mais vous voyez, monsieur, Arthur était un grand roi, et c'en est une preuve de plus ! Vous l'avez maudit devant ses meilleurs chevaliers, et pourtant il vous a répondu avec douceur. Vous en souvenez-vous, monsieur ?

— Je ne me rappelle rien de tel, sire Gauvain. Le souffle de votre dragonne a tout englouti.

— Les yeux baissés comme les autres, je m'attendais à voir votre tête rouler à mes pieds. Vous ne vous souvenez même pas d'une partie de ce qu'il a dit ? Le vent de cette nuit-là soufflait presque aussi fort qu'aujourd'hui, notre tente était prête à s'envoler dans le ciel noir. Mais Arthur répondait aux malédictions par de douces paroles. Il vous a remercié pour vos services. Pour votre amitié. Et il nous a ordonné à tous de penser à vous avec respect et admiration. Je vous ai murmuré mes adieux, monsieur, alors que vous déversiez votre fureur sous l'orage. Vous ne m'avez pas entendu, car je parlais tout bas, mais j'étais néanmoins sincère, et je n'étais pas le seul. Nous partagions tous un peu de votre colère, même si vous avez eu tort de maudire Arthur, le jour de sa grande victoire ! Vous dites maintenant que Querig a englouti vos souvenirs, ou bien l'âge en est-il la cause, ou même ce vent qui suffit à faire perdre la raison au moine le plus sage !

— Je ne m'intéresse à rien de tout cela, sire Gauvain. Aujourd'hui je cherche dans ma mémoire un événement, survenu une autre nuit d'orage, dont m'a parlé ma femme.

— Je vous ai fait des adieux sincères, monsieur, et permettez-moi de l'avouer, lorsque vous avez maudit Arthur, une petite partie de moi parlait à travers vous. Car vous aviez négocié un grand traité, qui a été respecté durant des années. Tous les hommes, chrétiens et païens, n'ont-ils pas dormi plus facilement grâce à lui, même la veille de la bataille ? Combattre en sachant que les innocents sont en sécurité dans nos villages ? Et pourtant, monsieur, les guerres ont continué. Là où nous avions combattu autrefois pour la terre et pour Dieu, nous combattions désormais pour venger les camarades tombés, eux-mêmes massacrés par vengeance. Où cela finirait-il ? Les bébés devenus des hommes, n'ayant connu que la guerre. Et votre grande loi subissait des violations...

— La loi avait été respectée par les deux parties jusqu'à ce jour, sire Gauvain, dit Axl. L'enfreindre fut un acte impie.

— Ah, maintenant la mémoire vous revient !

— Je me rappelle que Dieu Lui-même a été trahi, monsieur. Et je ne regrette pas que la brume m'ait volé le reste.

— Un temps, j'ai souhaité que la brume produise sur moi le même effet, maître Axl. Pourtant j'ai bientôt compris le geste d'un très grand roi. Car les guerres ont enfin cessé, n'est-ce pas ? La paix ne nous a-t-elle pas accompagnés depuis ce jour ?

— Cessez vos discours, sire Gauvain. Je ne vous en sais pas gré. Laissez-moi revoir plutôt la vie que j'ai eue avec ma chère épouse qui frissonne auprès de moi. Ne nous prêterez-vous pas votre cheval, sire ? Au moins jusqu'au bois où nous nous sommes rencontrés. Nous l'y laisserons en sécurité et il vous attendra.

— Oh, Axl, je ne veux pas redescendre dans ces bois ! Pourquoi, époux, insister pour quitter cet endroit et y retourner ? Est-ce que tu redoutes encore la disparition de la brume, malgré la promesse que je t'ai faite ?

— Mon cheval, monsieur ? Vous voulez dire que mon Horace ne me sert plus à rien ? Vous allez trop loin, monsieur ! Je ne le crains pas, même s'il a la jeunesse pour lui !

— Je ne veux rien dire du tout, sire Gauvain, je demande juste l'aide de votre excellent cheval pour transporter mon épouse dans un endroit abrité…

— Mon cheval, monsieur ? Vous insistez pour lui masquer les yeux de peur qu'il voie son maître tomber ? C'est un cheval de bataille, monsieur ! Pas un poney qui batifole dans les boutons-d'or ! Un cheval de bataille, prêt à me voir tomber ou triompher selon la volonté de Dieu !

— Si ma femme doit voyager sur mon propre dos, sire chevalier, soit. Mais j'ai pensé que vous pourriez nous prêter votre cheval au moins jusqu'au bois…

— Je vais rester ici, Axl, malgré ce vent cruel, et si maître Wistan arrive, nous resterons pour découvrir qui, de la dragonne ou du guerrier, survivra à cette journée. Peut-être n'as-tu pas envie de voir la brume se dissiper, époux ?

— Je l'ai vu de nombreuses fois, monsieur ! Un jeune homme impatient abattu par un sage vieillard. De nombreuses fois !

— Sire, je vous implore encore de vous rappeler vos manières de gentleman. Ce vent exténue mon épouse.

— Ne te suffit-il pas, époux, que je t'aie fait ce matin même le serment de ne pas oublier ce que j'éprouve pour toi aujourd'hui, malgré ce que pourrait révéler la dissipation de la brume ?

— Vous ne comprenez pas les actes d'un grand roi, monsieur ? Nous pouvons seulement regarder et nous interroger. Un grand roi, comme Dieu en personne, doit accomplir des exploits qui font reculer les simples mortels ! Croyez-vous qu'aucune n'ait retenu mon attention ? Une tendre fleur ou deux aperçues sur le chemin, que je n'aie souhaité serrer sur ma poitrine ? Cette cotte de mailles est-elle ma seule compagne de lit ? Qui me traite de lâche, monsieur ? Ou de massacreur d'enfants ? Vous étiez là ce jour-là ? Vous étiez avec nous ? Mon casque ! Je l'ai laissé dans ces bois ! Mais quel besoin en ai-je aujourd'hui ? Je retirerais aussi volontiers mon armure mais je crains que vous riiez tous de voir le renard écorché dessous ! »

Pendant un moment, ils s'égosillèrent tous les trois à qui mieux mieux, le hurlement du vent faisant la quatrième voix, puis Axl se rendit compte soudain que Gauvain et sa femme s'étaient tus et regardaient derrière son épaule. Se retournant, il vit le guerrier et le garçon saxon debout au bord de la falaise, à l'endroit où s'était tenu auparavant sire Gauvain pour contempler la vue, l'air soucieux. Le ciel s'était assombri, donnant à Axl l'impression que les nouveaux venus avaient été transportés par les nuages. Les deux personnages, presque en ombres chinoises, semblaient étrangement pétrifiés : le guerrier tenant fermement les rênes des deux mains comme un aurige ; le garçon incliné vers l'avant, les bras étendus comme pour garder l'équilibre. Un nouveau son retentit dans le vent, puis Axl entendit sire Gauvain s'exclamer : « Ah ! Le garçon chante encore ! Vous ne pouvez pas le faire taire, monsieur ? »

Wistan éclata de rire, et les deux silhouettes perdirent leur rigidité et s'approchèrent d'eux, le garçon en tête.

« Toutes mes excuses, dit le guerrier. C'est tout ce que je peux faire pour l'empêcher de sauter d'un rocher à l'autre jusqu'à ce qu'il se casse quelque chose.

— Que se passe-t-il avec le garçon, Axl ? » chuchota Beatrice tout près de son oreille, et il fut reconnaissant d'entendre à nouveau cette douce intimité dans sa voix. « Il était exactement comme cela avant que ce chien apparaisse.

— Doit-il chanter aussi faux ? » Gauvain s'adressait à Wistan. « Je lui tirerais volontiers les oreilles mais je crains qu'il ne sente rien du tout ! »

Le guerrier continua de s'approcher, rit encore, puis lança un regard joyeux à Axl et Beatrice. « Mes amis, quelle surprise ! Je croyais que vous seriez dans le village de votre fils à l'heure qu'il est. Qu'est-ce qui vous amène dans ce lieu solitaire ?

— La même chose que vous, maître Wistan. Nous désirons en finir avec cette dragonne qui nous vole nos précieux souvenirs. Vous voyez, nous avons amené une chèvre empoisonnée pour faire notre travail. »

Wistan regarda l'animal et secoua la tête. « La créature que nous affrontons doit être puissante et rusée, mes amis. Je crains que votre chèvre ne la trouble guère, en dehors d'un rot ou deux.

— Cela nous a beaucoup coûté de l'amener ici, maître Wistan, répondit Beatrice, même si nous avons eu l'aide de ce bon chevalier rencontré pendant la montée. Mais je me réjouis de vous voir ici, car désormais nos espoirs ne reposent plus seulement sur notre animal. »

À présent le chant d'Edwin rendait difficile leur conversation, et le garçon tirait plus que jamais, l'objet de son attention étant manifestement un endroit situé sur la crête de la pente suivante. Wistan donna un coup sec sur la corde, puis il dit :

« Maître Edwin semble désireux d'atteindre ces rochers là-haut. Sire Gauvain, qu'y a-t-il derrière ? Je vois des pierres empilées les unes sur les autres, comme pour cacher une fosse ou une tanière.

— Pourquoi me le demander, monsieur ? demanda sire Gauvain. Demandez à votre jeune compagnon, et il cessera peut-être même de chanter !

— Je le tiens au bout d'une laisse, monsieur, mais je n'ai pas plus de contrôle sur lui que sur un lutin déchaîné.

— Maître Wistan, dit Axl, nous avons en commun le devoir de préserver ce garçon du mal. Nous devons le surveiller avec attention dans ces hauteurs.

— Bien dit, monsieur. Je vais l'attacher au même piquet que la chèvre. »

Le guerrier conduisit Edwin là où Axl avait planté son pieu et, s'accroupissant, il commença à y enrouler la corde du garçon. Il sembla à Axl que Wistan déployait un soin inhabituel dans cette tâche, testant chaque nœud à plusieurs reprises, ainsi que la solidité de l'ouvrage d'Axl. Pendant ce temps, le garçon restait impassible. Il se calma un peu, mais son regard était toujours fixé sur les rochers au haut de la pente, et il continua de tirer avec une insistance tranquille. Son chant, quoique beaucoup moins aigu, avait acquis une ténacité qui rappela à Axl les soldats qui chantent en marchant pour se donner du courage.

De son côté, la chèvre s'était écartée aussi loin que le lui permettait sa corde, et le regardait, fascinée.

Quant à sire Gauvain, il observait avec soin chaque mouvement de Wistan, et – sembla-t-il à Axl – une sorte de ruse sournoise éclairait ses yeux. Lorsque le guerrier saxon s'était absorbé dans sa tâche, le chevalier s'était rapproché subrepticement, tirant son épée pour l'enfoncer dans le sol et s'y appuyer de tout son poids, les avant-bras posés sur la large poignée. Dans cette position, il observait maintenant Wistan, et Axl comprit qu'il mémorisait sans doute des détails sur la personne du guerrier : sa taille, son allonge, la force de ses mollets, le bras gauche en écharpe.

Une fois son travail achevé à sa satisfaction, Wistan se releva et se tourna pour faire face à sire Gauvain. Un court moment un étrange malaise transparut dans les regards qu'ils échangèrent, puis Wistan eut un sourire chaleureux.

«Voici une coutume qui différencie les Bretons des Saxons, dit-il, tendant le doigt. Voyez, monsieur. Votre épée est tirée et vous l'utilisez pour y prendre appui, comme si c'était la cousine d'une chaise ou d'un tabouret. Pour n'importe quel guerrier saxon, même éduqué par les Bretons comme je l'ai été, c'est une étrange coutume.

— Si vous atteignez mon grand âge, monsieur, vous verrez si cela vous paraît tellement étrange ! En temps de paix comme aujourd'hui, je suppose qu'une bonne épée n'est que trop heureuse d'avoir une occupation, ne serait-ce que pour soulager les os de son propriétaire. Qu'y a-t-il de curieux à cela ?

— Mais observez, sire Gauvain, comment elle s'enfonce dans la terre. Pour nous autres Saxons, la lame d'une épée est un sujet d'inquiétude perpétuelle. Nous craignons même d'exposer une lame à l'air de peur qu'elle ait perdu une infime partie de son tranchant.

— Vraiment ? Un tranchant acéré est important, maître Wistan, je ne le conteste pas. Mais n'en fait-on pas trop de cas ? Un bon jeu de jambes, une stratégie solide, un courage tranquille. Et cette lueur sauvage qui rend un guerrier imprévisible. Ce sont les qualités qui déterminent un combat, monsieur. Et la certitude que Dieu veut votre victoire. Alors laissez un vieil homme reposer ses épaules. D'ailleurs, n'arrive-t-il pas parfois qu'une épée laissée trop longtemps dans son fourreau soit dégainée trop tard ? J'ai pris cette position sur plus d'un champ de bataille pour retrouver mon souffle, réconforté de savoir que ma lame était déjà sortie, prête à agir, et qu'elle ne serait pas en train de se frotter les yeux et de me demander si c'est l'après-midi ou le matin pendant que j'essaie d'en faire bon usage.

— Alors ce doit être que nous autres Saxons traitons nos épées plus cruellement. Car nous exigeons qu'elles ne dorment pas du tout, même lorsqu'elles sont rangées dans l'obscurité de leur fourreau. Prenez la mienne, monsieur. Elle connaît bien ma manière de procéder. Elle ne s'attend pas à se retrouver à l'air sans toucher aussitôt de la chair et de l'os.

— Une différence de coutume donc, monsieur. Cela me rappelle un Saxon que j'ai connu autrefois, un bon gars, et nous étions en train de ramasser du petit bois par une nuit froide. Je m'activais avec mon épée pour couper les branches d'un arbre mort, et le voilà près de moi, employant ses mains nues et parfois une pierre émoussée. "Tu as oublié ta lame, mon ami ?" lui ai-je demandé. "Pourquoi t'y attaquer comme un ours aux griffes acérées ?" Mais il ne voulait rien entendre. À l'époque je l'ai cru fou, et vous m'éclairez. Même à mon âge, j'ai encore des leçons à apprendre ! »

Ils rirent brièvement tous les deux, puis Wistan dit :

« Peut-être que pour moi, ce n'est pas seulement une question de coutume, sire Gauvain. On m'a toujours appris que lorsque mon épée transperce un adversaire, je dois me préparer mentalement au coup qui va suivre. Si le fil n'est pas aiguisé, et que le passage de la lame est ralenti même un instant infime, retenu par un os ou perdu dans les méandres des entrailles, j'aurai sûrement pris du retard pour le coup suivant, et la victoire ou la défaite peuvent en dépendre.

— Vous avez raison, monsieur. Je crois que c'est la vieillesse et ces longues années de paix qui m'ont rendu négligent. Je suivrai votre exemple à partir d'aujourd'hui, mais pour l'instant mes genoux flanchent à cause de la montée, et je vous prie de m'accorder ce petit répit.

— Bien sûr, monsieur, reposez-vous. Vous voir dans cette posture m'a juste donné à réfléchir. »

Brusquement Edwin s'arrêta de chanter et se mit à crier. Il répétait encore et encore la même phrase, et Axl, se tournant vers Beatrice à côté de lui, demanda tout bas : « Qu'est-ce qu'il dit, princesse ?

— Il parle d'un camp de bandits qui se trouve là-haut. Il nous ordonne à tous de le suivre jusque-là. »

Wistan et Gauvain fixaient tous les deux le garçon, l'air un peu gêné. Pendant un moment encore, Edwin continua de crier et de tirer, puis il se tut, s'affaissant sur le sol, apparemment au bord des larmes. Personne ne parla pendant un temps qui sembla très long, le vent hurlant entre eux.

« Sire Gauvain, dit enfin Axl. Nous comptons sur vous à présent, sire. Levons les masques, voulez-vous ? Vous êtes le protecteur de la dragonne, n'est-ce pas ?

— Je le suis. » Gauvain les regarda tour à tour, y compris Edwin, avec un regard de défi. « Son protecteur, et depuis peu, son unique ami. Les moines l'ont nourrie pendant des années, laissant des animaux attachés à cet endroit, comme vous. Mais maintenant ils se querellent entre eux, et Querig perçoit leur trahison. Mais elle sait que je reste loyal.

— Donc, sire Gauvain, demanda Wistan, serez-vous disposé à nous dire si nous sommes proches de la dragonne à présent ?

— Elle est tout près, monsieur. Vous avez bien fait de venir ici, même si vous avez eu la chance de trouver ce garçon comme guide. »

Edwin, qui s'était remis debout, recommença à chanter, mais plus bas, comme s'il récitait une litanie.

« Maître Edwin peut se révéler beaucoup plus précieux encore, répliqua le guerrier. Quelque chose me dit que c'est un élève qui ne tardera pas à surpasser son pauvre maître, et qu'un jour il accomplira des prouesses pour les siens. Peut-être même comme celles d'Arthur pour son peuple.

— Comment, monsieur? Ce garçon qui chante et tire sa corde comme un demeuré?

— Sire Gauvain, interrompit Beatrice, répondez à une vieille femme fatiguée si vous voulez bien. Comment se fait-il qu'un bon chevalier tel que vous, neveu du grand Arthur, se trouve être le protecteur de cette dragonne?

— Peut-être que maître Wistan ici présent désire l'expliquer, madame.

— Bien au contraire, je suis aussi impatient que dame Beatrice d'entendre votre point de vue. Mais chaque chose en son temps. D'abord, il y a une question que nous devons régler. Dois-je détacher maître Edwin pour voir où il court? Ou bien nous conduirez-vous en personne, sire Gauvain, à la tanière de Querig?»

Sire Gauvain fixa d'un regard vide le garçon qui se débattait, puis soupira. «Laissez-le où il est, dit-il d'une voix pesante. Je vais vous montrer le chemin.

— Je vous remercie, monsieur, répondit Wistan. Je suis reconnaissant que nous épargnions ce danger au garçon. Mais je peux à présent deviner le chemin sans guide. Nous devons atteindre ces rochers au sommet de la pente, n'est-ce pas?»

Sire Gauvain soupira de nouveau, jeta un coup d'œil à Axl comme pour l'appeler à l'aide, puis il secoua tristement la tête. «C'est tout à fait juste, monsieur. Ces rochers encerclent une fosse, qui est loin d'être petite. Une fosse aussi profonde qu'une carrière, et vous y trouverez Querig endormie. Si vous avez la ferme intention de la combattre, maître Wistan, vous devrez y descendre. Maintenant je vous demande si vous comptez vraiment faire une chose aussi insensée ?

— J'ai fait cette longue route pour cela.

— Maître Wistan, intervint Beatrice, pardonnez l'intrusion d'une vieille femme. Vous venez de vous moquer de notre chèvre, mais c'est une grande bataille que vous allez mener. Si ce chevalier refuse de vous aider, permettez-nous au moins de faire gravir cette dernière pente à notre chèvre et de la pousser dans cette fosse. Si vous devez combattre seul la dragonne, permettez qu'elle soit ralentie par le poison.

— Je vous remercie, madame, j'entends bien votre préoccupation. Mais bien que je puisse tirer parti de sa léthargie, le poison est une arme que je préfère ne pas employer. D'ailleurs, je n'ai plus la patience maintenant d'attendre encore une demi-journée ou plus pour découvrir si le dîner de la dragonne l'a rendue malade.

— Finissons-en alors, dit sire Gauvain. Venez, monsieur, je vais vous conduire. » Puis, à Axl et Beatrice : « Attendez, mes amis, et protégez-vous du vent à côté du cairn. Vous n'aurez pas longtemps à attendre.

— Mais, sire Gauvain, répondit Beatrice, mon mari et moi avons usé nos forces pour venir jusqu'ici.

Nous allons gravir avec vous cette dernière pente s'il y a un moyen de le faire sans danger. »

Sire Gauvain secoua encore la tête, impuissant. « Alors allons-y tous ensemble, mes amis. J'ose affirmer que vous ne courrez aucun danger, et que je serai moi-même plus tranquille si vous êtes présents. Venez, mes amis, allons à la tanière de Querig, et veillez à parler doucement de peur qu'elle ne s'éveille. »

*

Tandis qu'ils entamaient la montée suivante, le vent diminua, et ils eurent encore plus l'impression de toucher le ciel. Le chevalier et le guerrier marchaient à grands pas, à un rythme soutenu, comme deux compagnons prenant l'air ensemble, et ils ne tardèrent pas à devancer largement le vieux couple.

« C'est de la folie, princesse, dit Axl. Qu'avons-nous besoin de suivre ces messieurs ? Et qui sait quels dangers nous guettent ? Rebroussons chemin et allons attendre près du garçon. »

Mais le pas de Beatrice resta déterminé. « Je veux que nous poursuivions, dit-elle. Tiens, Axl, prends ma main et aide-moi à garder courage. Car je pense à présent que c'est moi, et non toi, qui dois redouter le plus la dissipation de la brume. Je suis restée debout devant ces blocs et il m'est venu à l'esprit que j'avais autrefois commis à ton égard des actes obscurs. Sens combien cette main tremble dans la tienne à l'idée qu'ils pourraient nous revenir ! Que me diras-tu alors ? Te détourneras-tu pour m'abandonner sur cette colline désolée ? Une partie de moi souhaite voir tomber ce courageux guerrier alors qu'il marche devant nous, mais je ne veux pas que nous nous cachions. Non, je ne le ferai pas, Axl, et ne penses-tu pas comme moi ? Regardons en toute liberté le chemin que nous avons pris ensemble, que ce soit sous un soleil sombre ou joyeux. Et si ce guerrier doit vraiment affronter la dragonne dans sa fosse, faisons notre possible pour lui soutenir le moral. Il se peut qu'un cri d'avertissement au bon moment, ou un autre pour le mettre en garde contre un méchant coup, fasse toute la différence. »

Axl l'avait laissée parler, l'écoutant distraitement pendant qu'il marchait, car il avait perçu une fois de plus une sensation à la lisière extrême de sa mémoire : une nuit d'orage, une douleur cruelle, une solitude s'ouvrant devant lui comme des eaux insondables. Était-ce lui, et non Beatrice, qui, seul dans leur chambre, avait été incapable de trouver le sommeil, une petite bougie allumée devant lui ?

« Qu'est devenu notre fils, princesse ? » demanda-t-il soudain, et il sentit sa main étreindre la sienne. « Nous attend-il vraiment dans son village ? Ou devrons-nous fouiller cette région une année entière sans le trouver ?

— C'est une pensée qui m'est aussi venue, mais j'ai eu peur de la formuler tout haut. Taisons-nous à présent, Axl, sinon on nous entendra. »

Sire Gauvain et Wistan s'étaient en effet arrêtés

sur le chemin pour les attendre, et semblaient tenir une aimable conversation. Lorsque Axl arriva près d'eux, il entendit sire Gauvain dire avec un petit rire :

« J'avoue, maître Wistan, espérer que même aujourd'hui le souffle de Querig vous privera du souvenir de la raison pour laquelle vous marchez avec moi. J'attends impatiemment que vous demandiez où je vous conduis ! Pourtant, je vois à votre regard et à votre pas que vous oubliez peu de choses. »

Wistan sourit. « Je crois, sire, que c'est précisément ce don de résister à d'étranges sorts qui me vaut cette mission de mon roi. Dans les marais, nous n'avons jamais connu de créature tout à fait semblable à cette Querig, mais nous en avons rencontré d'autres dotées de merveilleux pouvoirs, et on a remarqué que je chancelais à peine, alors que mes camarades s'évanouissaient et rêvaient tout éveillés. J'imagine que c'est la seule raison pour laquelle mon roi m'a choisi, car dans mon pays presque tous mes camarades sont de meilleurs guerriers que celui qui marche à vos côtés.

— Impossible à croire, maître Wistan ! Ce que j'ai entendu à votre sujet et observé de mes propres yeux confirme vos qualités extraordinaires.

— Vous me surestimez, chevalier. Hier, contraint d'abattre ce soldat sous vos yeux, je n'étais que trop conscient du regard que pouvait porter un homme de votre talent sur mes petits exploits. Suffisants pour vaincre un garde effrayé, mais bien loin de mériter votre approbation, je le crains.

— Quelle absurdité, maître Wistan ! Vous êtes

un guerrier splendide, et n'en parlons plus ! Maintenant, mes amis – Gauvain se tourna pour inclure Axl et Beatrice –, ce n'est plus très loin. Approchons pendant qu'elle dort encore. »

Ils continuèrent en silence. Cette fois Axl et Beatrice ne restèrent pas en arrière, car un sentiment de solennité parut s'emparer de Gauvain et de Wistan, qui s'avancèrent en tête d'un pas presque cérémonial. En tout cas, le sol était devenu moins escarpé, s'aplanissant pour former un genre de plateforme. Les rochers dont ils avaient discuté plus bas se dressaient à présent devant eux, et Axl vit, quand ils s'approchèrent encore, qu'ils étaient disposés en un demi-cercle sommaire autour du sommet d'un monticule au bord de leur chemin. Il voyait aussi qu'une rangée de pierres plus petites s'élevait en une sorte d'escalier latéral jusqu'au sommet du monticule, conduisant au bord de ce qui devait être une fosse d'une profondeur significative. L'herbe qui poussait tout autour semblait avoir été noircie ou brûlée, donnant au paysage – déjà dénué d'arbres ou d'arbustes – une atmosphère de décrépitude. Gauvain, arrêtant le groupe près du début de l'escalier rudimentaire, se tourna pour faire face à Wistan, l'air préoccupé.

« Une dernière fois, monsieur, pourquoi ne pas envisager de renoncer à ce dangereux projet ? Pourquoi ne pas retourner vers votre orphelin attaché à ce pieu ? Sa voix résonne encore dans le vent. »

Le guerrier jeta un coup d'œil vers l'endroit d'où ils étaient venus, puis regarda de nouveau sire

Gauvain. « Vous le savez, monsieur. Je ne peux pas revenir en arrière. Montrez-moi ce dragon. »

Le vieux chevalier hocha la tête pensivement, comme si Wistan avait fait une observation banale mais fascinante.

« Très bien, mes amis, dit-il. Veillez à baisser la voix, car dans quel but voudrions-nous la réveiller ? »

Sire Gauvain les guida en haut du monticule et, atteignant les rochers, leur fit signe d'attendre. Il glissa un coup d'œil prudent de l'autre côté, et au bout d'un moment il les appela d'un geste, disant tout bas : « Venez ici, mes amis, et vous la verrez assez bien. »

Axl aida sa femme à se hisser sur un rebord près de lui, puis se pencha par-dessus l'un des rochers. La fosse était plus large et moins profonde qu'il ne l'avait escompté – plus semblable à un étang asséché qu'à un emplacement creusé dans le sol. La plus grande partie était éclairée par un pâle soleil, composée pour l'essentiel de roche grise et de gravier – l'herbe noircie disparaissant abruptement dès la bordure –, de telle sorte que la seule chose vivante repérable, mise à part la dragonne, était un buisson d'aubépine solitaire qui jaillissait incongrûment de la pierre, près du centre des entrailles de la fosse.

Quant à la dragonne, il fut difficile de déterminer au premier abord si elle était en vie. Sa posture – face contre le sol, la tête tordue d'un côté, les membres écartés – aurait pu résulter du choc de son cadavre projeté de très haut dans la fosse. En fait, il fallut un moment pour s'assurer que c'était vraiment un dragon : elle était si émaciée qu'elle ressemblait plus à un reptile vermiforme habitué à l'eau qui s'était échoué par erreur sur la terre et était en train de se déshydrater. Sa peau, qui aurait dû paraître huilée, d'une couleur assez semblable au bronze, était plutôt d'un blanc jaunâtre, rappelant le ventre de certains poissons. Les vestiges de ses ailes, des replis de peau affaissée qu'un regard inattentif aurait pu prendre pour des feuilles mortes accumulées de part et d'autre de son corps. La tête tournée contre les cailloux gris laissait apparaître un œil, encapuchonné comme celui d'une tortue, qui s'ouvrait et se refermait mollement selon un rythme interne. Cette palpitation, et l'imperceptible mouvement de la colonne vertébrale qui se soulevait et s'abaissait, étaient les seuls indices prouvant que Querig vivait encore.

« C'est vraiment elle, Axl ? demanda tout bas Beatrice. Cette pauvre créature, à peine un lambeau de chair ?

— Mais regardez, madame, dit la voix de Gauvain derrière eux. Tant qu'il lui reste un souffle, elle remplit son devoir.

— Est-elle malade ou peut-être déjà empoisonnée ? demanda Axl.

— Elle vieillit simplement, ainsi que cela doit nous arriver à tous. Mais elle respire encore, et l'œuvre de Merlin perdure.

— Cela me revient un peu, dit Axl. Je me souviens du travail de Merlin ici, et aussi qu'il faisait sombre.

— Sombre, monsieur ? s'exclama Gauvain. Pourquoi sombre ? C'était la seule façon. Avant même

411

d'avoir gagné la bataille, je suis venu avec quatre bons camarades pour dompter cette créature, à la fois puissante et furieuse, afin que Merlin jette ce sort magistral sur son souffle. Un homme sombre certes, mais par cet acte il a accompli la volonté de Dieu, pas seulement celle d'Arthur. Sans le souffle de la dragonne, la paix serait-elle jamais venue ? Regardez comment nous vivons à présent, monsieur ! D'anciens ennemis se considèrent comme des cousins, village après village. Maître Wistan, vous vous taisez devant ce spectacle. Je répète ma question. Ne laisserez-vous pas cette pauvre créature finir sa vie ? Son souffle n'est plus ce qu'il était, mais la magie, encore aujourd'hui, produit son effet. Pensez, monsieur, une fois qu'elle aura rendu son dernier soupir, à ce qui pourrait se réveiller dans ce pays, même après tant d'années ! Oui, nous avons massacré beaucoup de gens, je l'admets, et sans nous soucier de savoir s'ils étaient forts ou faibles. Dieu ne nous a peut-être pas souri, mais nous avons purgé ce pays de la guerre. Quittez cet endroit, monsieur, je vous en supplie. Nous prions des dieux différents, mais le vôtre bénira sûrement cette dragonne comme le mien. »

Wistan se détourna de la fosse pour regarder le vieux chevalier.

« Quel sorte de dieu est-il donc, sire, pour souhaiter que les infamies soient oubliées et restent impunies ?

— Vous avez raison de le demander, maître Wistan, et je sais que mon dieu est embarrassé par nos crimes de cette journée. Mais cela s'est passé il y a bien longtemps et les os reposent paisiblement sous un agréable tapis verdoyant. Les jeunes ne savent rien d'eux. Je vous prie de quitter ce lieu, et de laisser Querig faire son travail un peu plus longtemps. Encore une saison ou deux, elle ne durera pas plus. Mais cela peut suffire à refermer de vieilles blessures pour toujours, et à établir une paix éternelle entre nous. Voyez combien elle s'accroche à la vie, monsieur ! Soyez clément et quittez ces lieux. Laissez ce pays reposer dans l'oubli du passé.

— Absurde, chevalier. Comment de vieilles blessures peuvent-elles se refermer pendant que les asticots subsistent en aussi grand nombre ? Ou une paix se maintenir pour toujours, fondée sur des massacres et la ruse d'un magicien ? Je vois avec quelle intensité vous souhaitez que vos anciennes horreurs tombent en poussière. Pourtant ces ossements blancs attendent sous terre que des hommes les mettent à nu. Sire Gauvain, ma réponse est inchangée. Je dois descendre dans cette fosse. »

Le chevalier hocha gravement la tête. « Je comprends, monsieur.

— Je dois donc vous poser une question à mon tour, sire. Me laisserez-vous la place pour retourner auprès de votre fidèle étalon qui vous attend en bas ?

— Vous savez que je ne le peux pas, maître Wistan.

— C'est ce que je pensais. Très bien alors. »

Wistan passa devant Axl et Beatrice, et descendit les marches rudimentaires. Lorsqu'il se trouva une fois de plus au pied du monticule, il regarda autour de lui et dit, d'une voix tout à fait différente : « Sire Gauvain, cette terre a une curieuse apparence ici. Se peut-il que la dragonne, à son époque la plus vigoureuse, l'ait détruite de cette façon ? Ou la foudre frappe-t-elle assez souvent pour brûler la terre avant que d'autres herbes repoussent ? »

Gauvain, qui l'avait suivi en bas du monticule, s'éloigna lui aussi des marches, et ensemble ils se promenèrent au hasard comme des compagnons cherchant un endroit où planter leur tente.

« C'est quelque chose qui m'a toujours intrigué aussi, maître Wistan, dit Gauvain. Car même quand elle était plus jeune, elle est restée en haut, et je ne pense pas que ce soit Querig qui ait détruit le terrain de cette façon. Peut-être qu'il a toujours eu cette apparence, même quand nous l'avons amenée ici la première fois pour l'installer dans sa tanière. » Gauvain tapota le sol du talon. « Une terre de qualité malgré tout, monsieur.

— En effet. » Wistan, le dos tourné vers Gauvain, testait lui aussi le sol du pied.

« Mais peut-être un peu court en largeur ? remarqua le chevalier. Voyez comment ce talus descend sur la falaise. Un homme tombé ici reposerait sur une terre amie, c'est certain, mais son sang risquerait de couler à travers ces herbes brûlées et de déborder sur la paroi. Je ne parle pas pour vous, monsieur, mais je ne souhaite pas que mes entrailles dégoulinent sur la falaise comme les déjections blanches d'une mouette ! »

Ils rirent tous les deux, puis Wistan dit :

« Une inquiétude inutile, monsieur. Voyez que le terrain remonte légèrement avant la falaise. Quant au talus opposé, il en est trop éloigné et une belle surface de terre assoiffée s'étend devant lui.

— C'est bien observé. Eh bien, ce n'est pas un mauvais endroit alors ! » Sire Gauvain leva les yeux vers Axl et Beatrice, qui se tenaient encore sur le bord, mais le dos tourné vers la fosse. « Maître Axl, cria-t-il joyeusement, vous avez toujours été le meilleur en matière de diplomatie. Voudriez-vous user de votre belle éloquence pour nous permettre de quitter ces lieux en amis ?

— Je suis désolé, sire Gauvain. Vous nous avez montré tant de bonté et nous vous en remercions. Mais nous sommes ici pour assister à la fin de Querig, et si vous la défendez, il n'y a rien que ma femme ou moi puissions dire pour vous soutenir. Concernant cette question, nos espoirs reposent sur maître Wistan.

— Je vois, monsieur. Permettez-moi de vous demander au moins ceci : je ne crains pas cet homme, mais si je devais être le perdant, pourrez-vous conduire mon brave Horace au bas de cette montagne ? Il sera heureux d'accueillir un couple de bons Bretons sur son dos. Vous aurez l'impression qu'il renâcle, mais vous ne serez pas un fardeau trop lourd pour lui. Emmenez mon brave Horace loin d'ici et quand vous n'aurez plus besoin de lui, trouvez-lui une belle prairie verte où il puisse manger jusqu'à plus soif et penser au bon vieux temps. Vous ferez cela pour moi, mes amis ?

« — Avec joie, sire, et votre cheval sera aussi notre sauveur, car la descente de ces collines est ardue.

— À ce propos, monsieur. » Gauvain était revenu au pied du monticule. « Je vous ai déjà recommandé de descendre la rivière, et n'hésitez pas à recommencer. Prenez Horace pour descendre ces pentes, mais une fois que vous serez près de la rivière, cherchez un bateau qui vous emmène à l'est. Il y a de l'étain et des pièces dans la selle pour payer votre traversée.

— Nous vous remercions, sire. Votre générosité nous touche.

— Mais, sire Gauvain, dit Beatrice, si votre cheval nous prend tous les deux sur son dos, comment votre corps sera-t-il transporté depuis cette montagne ? Dans votre abnégation vous négligez votre propre cadavre. Et nous serions désolés de vous enterrer en un lieu aussi solitaire que celui-ci. »

Un instant, les traits du vieux chevalier devinrent solennels, presque affligés. Puis ils se plissèrent, éclairés par un sourire, et il dit : « Allons, madame. Ne discutons pas de projets d'enterrement alors que je compte encore remporter la victoire ! En tout cas, cette montagne n'est pas à mes yeux un lieu plus solitaire qu'un autre, et je redouterais le spectacle auquel mon fantôme devrait assister plus bas si ce duel devait prendre une autre tournure. Maître Wistan, avez-vous quelque chose à demander à ces amis au cas où la chance ne serait pas de votre côté ?

— Comme vous, monsieur, je préfère ne pas penser à la défaite. Pourtant seul un imbécile fini vous considérerait autrement que comme un redoutable ennemi, en dépit de votre âge. Je vais donc moi aussi confier une requête à ce bon couple. Si je ne suis plus, veillez, je vous prie, à ce que maître Edwin atteigne un village accueillant, et faites-lui savoir que je l'ai considéré comme le plus méritant des apprentis.

— Nous le ferons, monsieur, dit Axl. Nous chercherons ce qu'il y a de mieux pour lui, bien que la blessure qu'il porte rende son avenir bien sombre.

— C'est bien dit. Cela me rappelle que je dois faire plus d'efforts encore pour survivre à cette rencontre. Eh bien, sire Gauvain, n'est-ce pas le moment d'y aller ?

— Encore une requête, dit le vieux chevalier, et celle-ci s'adresse à vous, maître Wistan. Je soulève le sujet avec embarras, car il touche ce dont nous avons discuté avec plaisir il y a un moment. Je parle, monsieur, de la question de l'épée à tirer. Avec le poids des années, je trouve que cela prend un temps stupidement long de tirer cette vieille arme hors de son fourreau. Si nous nous faisons face vous et moi, nos épées engainées, je crains de vous offrir un piètre divertissement, sachant avec quelle rapidité vous tirez la vôtre. Eh bien, je risque d'être encore en train de boitiller en marmonnant de petits jurons et de m'acharner sur ce métal d'une main puis de l'autre pendant que vous prenez l'air, vous demandant si vous devez me couper la tête ou chanter une ode pour patienter ! Mais si nous pouvions nous mettre d'accord pour tirer nos épées à notre rythme… cela m'embarrasse énormément, monsieur !

« — Plus un mot là-dessus, sire Gauvain. Je ne pense jamais de bien d'un guerrier qui compte sur sa rapidité à dégainer pour prendre l'avantage sur son adversaire. Affrontons-nous une fois nos épées dégainées, comme vous le suggérez.

— Je vous en remercie. Et en retour, bien que je voie votre bras en écharpe, je m'engage à ne pas chercher à exploiter ce désavantage.

— Je vous en suis reconnaissant, bien que cette blessure soit bénigne.

— Eh bien, monsieur. Avec votre permission. »

Le vieux chevalier tira son épée – cela prit en effet un certain temps – et posa la pointe sur le sol, comme il l'avait fait auparavant devant le cairn du géant. Mais au lieu de s'y appuyer, il resta là à examiner son arme du haut en bas avec un mélange de lassitude et d'affection. Puis il prit l'épée à deux mains et la leva – et la posture de Gauvain s'imprégna d'une indéniable splendeur.

« Je vais me retourner à présent, Axl, dit Beatrice. Dis-moi quand ce sera fini, et espérons que ce ne soit pas long et malsain. »

Au début les deux hommes pointèrent leurs épées vers le sol, pour ne pas épuiser leurs bras. De son poste d'observation, Axl voyait parfaitement leurs positions : écartées de cinq foulées au plus, le corps de Wistan légèrement incliné vers la gauche du côté opposé à son adversaire. Ils gardèrent un moment ces positions, puis Wistan fit trois pas lents sur la droite, de telle sorte que, selon toute apparence, son épaule extérieure n'était plus protégée par son épée. Mais pour prendre l'avantage, Gauvain devait combler l'écart très rapidement, et Axl ne fut pas surpris lorsque le chevalier, fixant le guerrier d'un air accusateur, se déplaça vers la droite d'un pas délibéré. Pendant ce temps, Wistan changea la position de ses deux mains sur son épée, et Axl ne fut pas sûr que Gauvain l'eût remarqué – le corps de Wistan lui cachant la vue. Mais Gauvain modifia lui aussi sa prise, transférant le poids de l'épée sur son bras gauche. Puis les deux hommes se figèrent dans leurs positions et, aux yeux d'un innocent spectateur, ils auraient semblé, dans leur rapport l'un avec l'autre, pratiquement inchangés depuis tout à l'heure. Pourtant, Axl sentit que ces nouvelles positions avaient une signification différente. Cela faisait bien longtemps qu'il n'avait pas eu à considérer un combat aussi en détail, et il subsistait en lui une frustration car il ne parvenait pas à voir la moitié de ce qui se déroulait devant lui. Mais il savait, d'une manière ou d'une autre, que le combat avait atteint un point critique ; que le *statu quo* ne pouvait pas se maintenir longtemps ainsi sans que l'un ou l'autre des adversaires soit forcé de s'engager.

Même ainsi, il fut déconcerté par la soudaineté avec laquelle Gauvain et Wistan se heurtèrent. Comme s'ils avaient réagi à un signal : l'espace entre eux disparut, et ils se retrouvèrent enfermés dans une étreinte inextricable. Cela arriva si vite qu'Axl eut l'impression que les hommes avaient abandonné leurs épées et s'immobilisaient par une clé de bras compliquée et réciproque. Pendant ce temps, ils pivotèrent un peu, comme des danseurs, et Axl put alors voir que leurs deux lames, peut-être à cause de l'énorme impact de leur enlacement, s'étaient confondues en une seule. Les deux hommes, mortifiés par la tournure des événements, faisaient de leur mieux pour dégager leurs épées. Mais ce n'était pas tâche aisée, et les traits du vieux chevalier se contorsionnaient sous l'effort. Le visage de Wistan n'était pas visible pour l'instant, mais Axl voyait que le guerrier secouait sa nuque et ses épaules comme s'il faisait lui aussi tout son possible pour inverser le désastre. Mais leurs efforts furent vains : à chaque instant, les deux épées semblaient s'imbriquer plus étroitement, et il n'y avait sûrement plus rien à faire, sinon abandonner les armes et recommencer le combat à zéro. Aucun des deux hommes, cependant, ne paraissait disposé à renoncer, alors même que l'effort menaçait d'épuiser leurs forces. Puis quelque chose céda, et les lames se séparèrent. À cet instant, un grain sombre – peut-être la substance qui avait provoqué au départ l'enchevêtrement des lames – jaillit dans l'air entre eux. Gauvain, avec une expression de soulagement surpris, décrivit un demi-cercle, chancela et tomba sur un genou. Wistan, pour sa part emporté par l'élan, fit presque un tour complet et s'immobilisa, pointant son arme désormais libérée vers les nuages au-delà de la falaise, le dos tourné vers le chevalier.

« Dieu le protège », dit Beatrice à côté de lui, et Axl se rendit compte qu'elle avait regardé tout ce temps. Lorsqu'il baissa à nouveau les yeux, Gauvain avait posé son autre genou sur le sol. Puis la haute silhouette du chevalier tomba lentement, en se contorsionnant, sur l'herbe noire. Il se débattit un moment, tel un homme dans son sommeil qui aurait essayé de trouver une position plus confortable, et lorsque son visage se tourna vers le ciel, bien que ses jambes fussent encore repliées sous lui en fouillis, Gauvain parut satisfait. Quand Wistan s'approcha d'un pas préoccupé, le vieux chevalier sembla dire quelque chose, mais Axl était trop loin pour entendre. Le guerrier se dressa au-dessus de son adversaire un moment, tenant près de lui son épée oubliée, et Axl vit les gouttes sombres s'écouler de la pointe de la lame dans le sol.

Beatrice se pressa contre lui. « C'était le défenseur de la dragonne, dit-elle, mais il nous a témoigné de la bonté. Qui sait où nous serions sans lui, Axl, et je regrette de le voir à terre. »

Il serra Beatrice contre lui. Puis, la relâchant, il monta un peu pour mieux voir le corps de Gauvain couché sur la terre. Wistan avait eu raison : le sang ne s'était écoulé que vers l'endroit où le sol remontait en une sorte de corniche au bord de la falaise, et s'y accumulait sans risquer de déborder. À ce spectacle, il fut submergé par la mélancolie mais aussi – bien que ce fût une impression vague, lointaine – par le sentiment qu'une grande colère au fond de lui avait enfin trouvé sa réponse.

« Bravo, monsieur, cria Axl. Maintenant il n'y a plus d'obstacle entre vous et la dragonne. »

Wistan, qui pendant ce temps n'avait cessé de fixer l'homme tombé, s'approcha d'un pas lent, un peu vacillant, du pied du monticule, et lorsqu'il leva les yeux il parut être dans une sorte de rêve.

« J'ai appris il y a longtemps, dit-il, à ne pas craindre la mort quand je combattais. Pourtant j'ai cru entendre son pas feutré derrière moi quand j'ai affronté ce chevalier. Un grand âge, mais il a failli avoir le dessus. »

Le guerrier parut alors remarquer l'épée encore dans sa main, et fit mine de la plonger dans la terre meuble au pied du monticule. Mais au dernier moment il s'arrêta, la lame presque au contact du sol, et se redressant, il dit : « Pourquoi déjà nettoyer cette épée ? Pourquoi ne pas laisser le sang de ce chevalier se mélanger à celui de la dragonne ? »

Il gravit le flanc du monticule, avec l'allure d'un homme ivre. Les frôlant au passage, il s'appuya à un rocher et regarda dans la fosse, ses épaules se soulevant à chaque respiration.

« Maître Wistan, dit doucement Beatrice. Nous sommes à présent impatients de vous voir tuer Querig. Mais après, enterrerez-vous le pauvre chevalier ? Mon mari est fatigué et doit épargner ses forces pour le reste de notre voyage.

— C'était un proche de l'odieux Arthur, dit Wistan en se tournant vers elle, mais je ne le laisserai pas aux corbeaux. Rassurez-vous, madame, je m'occuperai de lui, et je le déposerai peut-être même dans cette fosse, à côté de la créature qu'il a si longtemps défendue.

— Alors hâtez-vous, monsieur, dit Beatrice, et achevez votre tâche. Car bien que Querig soit faible, nous ne serons pas tranquilles avant de savoir qu'elle est abattue. »

Mais Wistan ne semblait plus l'entendre, car il fixait Axl avec une expression absente.

« Vous sentez-vous bien, monsieur ? finit par demander Axl.

— Maître Axl, dit le guerrier, nous ne nous reverrons sans doute pas. Alors laissez-moi vous demander une dernière fois. Seriez-vous cet aimable Breton de mon enfance qui évoluait autrefois dans mon village tel un prince sage, et faisait rêver les hommes en leur disant comment préserver les innocents de la guerre ? Si vous en avez gardé un souvenir, je vous prie de me le confier avant que nous nous séparions.

— Si j'étais cet homme, je ne le vois aujourd'hui qu'à travers la brume du souffle de cette créature, il ressemble à un fou, à un rêveur, pourtant il partait d'une bonne intention, et il a souffert de voir des serments solennels réduits à néant par des massacres cruels. D'autres hommes ont mis en œuvre le traité dans les villages saxons, mais si mon visage éveille quelque chose en vous, pourquoi supposer que c'était celui d'un autre ?

— Je l'ai pensé la première fois que je vous ai rencontré, mais je n'en étais pas sûr. Je vous remercie pour votre franchise.

— Alors, parlez-moi aussi franchement à votre tour, car c'est une chose qui m'agite depuis notre rencontre hier, et peut-être, en vérité, depuis plus longtemps. Cet homme dont vous vous souvenez, maître Wistan. Est-ce l'un de ceux dont vous cherchez à vous venger ?

— Que dis-tu, époux ? » Beatrice s'avança, se plaçant entre Axl et le guerrier. « Quelle querelle peut-il y avoir entre toi et ce guerrier ? S'il y en a une, il devra me frapper en premier.

— Maître Wistan parle d'une peau dont je me suis dépouillé avant de te connaître, princesse. Une peau qui, je l'espérais, était depuis longtemps tombée en poussière sur un chemin oublié. » Puis, à Wistan : « Que dites-vous, monsieur ? Votre épée ruisselle encore. Si c'est la vengeance que vous recherchez, c'est une chose facile à trouver, mais je vous prie de protéger ma chère épouse qui tremble pour moi.

— Cet homme était quelqu'un que j'ai autrefois adoré de loin, et il est vrai que parfois j'ai souhaité qu'il soit cruellement puni pour le rôle qu'il avait joué dans la trahison. Mais je vois aujourd'hui qu'il a sans doute agi sans ruse, souhaitant le bien de ses proches et le nôtre, sans distinction. Si je le revois, monsieur, je lui souhaiterai d'aller en paix, bien que je sache que la paix ne pourra plus durer très longtemps maintenant. Mais excusez-moi, mes amis, et laissez-moi redescendre pour achever ma mission. »

Dans la fosse, ni la position ni la posture de la dragonne n'avaient changé : si ses sens l'avertissaient de la proximité d'étrangers – dont un en particulier qui descendait la paroi abrupte de la fosse –, Querig n'en laissa rien paraître. Ou peut-être le mouvement de sa colonne vertébrale était-il devenu un peu plus prononcé ? Y avait-il une nouvelle impulsion dans l'œil encapuchonné qui s'ouvrait et se refermait ? Axl ne pouvait en être sûr. Mais alors qu'il continuait de regarder la créature, l'idée lui vint que le buisson d'aubépine – la seule autre chose vivante dans la fosse – était devenue une source de grand réconfort pour elle, et que même en cet instant, dans son imaginaire, elle cherchait à l'atteindre. Axl se rendit compte que l'idée était fantaisiste, mais plus il regardait, plus cela lui paraissait crédible. Car comment un buisson solitaire aurait-il pu pousser dans un pareil endroit ? Merlin lui-même avait-il choisi de le laisser là afin de procurer un compagnon à la dragonne ?

Wistan poursuivait sa descente, son épée encore dégainée. Son regard ne s'éloignait guère de l'endroit où la créature reposait, comme s'il s'était à moitié attendu à la voir se lever brusquement, transformée en un formidable démon. À un moment donné il fit un faux pas, et planta son épée dans le sol pour éviter de glisser sur le dos une partie du trajet. Cet épisode fit dégringoler des pierres et du gravier dans la pente, mais Querig ne réagit toujours pas.

Puis Wistan arriva sain et sauf sur le sol ferme. Il s'essuya le front, leva les yeux vers Axl et Beatrice, puis se dirigea vers l'animal, s'arrêtant à quelques pas de lui. Ensuite il brandit son épée et commença à examiner la lame, surpris de découvrir qu'elle était souillée de sang. Il resta ainsi quelques instants sans bouger, de telle sorte qu'Axl se demanda si l'étrange humeur qui avait submergé le guerrier depuis sa victoire lui avait fait oublier un instant la raison pour laquelle il était entré dans la fosse.

Alors, avec l'imprévisibilité qui avait caractérisé son combat avec le vieux chevalier, Wistan s'avança brusquement. Il ne courait pas, mais marchait d'un pas vif, enjambant le corps de la dragonne sans interrompre son élan, et il se hâta de continuer comme s'il était désireux d'atteindre l'autre côté de la fosse. Au passage, son épée avait décrit un arc rapide au-dessus du sol, et Axl vit la tête du dragon tournoyer dans l'air et rouler un peu avant de s'immobiliser sur le terrain pierreux. Elle n'y resta pas longtemps, car elle fut bientôt engloutie par le flot abondant qui la contourna de chaque côté, puis la souleva, la faisant glisser à travers la fosse. Elle s'arrêta au niveau de l'aubépine et se nicha là, sa gorge tournée vers le ciel. Ce spectacle évoqua à Axl la tête du chien monstrueux que Gauvain avait tranchée dans le tunnel, et la mélancolie menaça à nouveau de le submerger. Il se força à détourner le regard du dragon, et à observer plutôt la silhouette de Wistan, qui n'avait pas cessé de marcher. Le guerrier faisait à présent demi-tour, évitant la mare qui continuait de s'étendre puis, son épée encore dégainée, il entama la montée pour sortir de la fosse.

« C'est fait, Axl, dit Beatrice.

— Oui, princesse. Pourtant il y a encore une question que je veux poser à ce guerrier. »

*

Wistan prit un temps infini pour sortir de la fosse. Lorsqu'il reparut enfin devant eux, il n'avait pas l'air triomphant, mais accablé. Sans un mot, il s'assit sur le sol noirci au bord de la fosse, et planta enfin son épée dans la terre. Puis il détourna le regard et posa les yeux au-delà de la fosse, sur les nuages et les pâles collines dans le lointain.

Au bout d'un moment, Beatrice s'approcha et lui toucha doucement le bras. « Nous vous remercions pour cette action, maître Wistan, dit-elle. Et beaucoup d'autres gens dans ce pays le feraient s'ils étaient ici. Pourquoi être aussi découragé ?

— Découragé ? Qu'importe, je vais bientôt me ressaisir, madame. Mais à ce moment précis... » Wistan se détourna de Beatrice et contempla les nuages une fois encore. Puis il dit : « Peut-être que je suis resté trop longtemps parmi les Bretons. J'ai méprisé les lâches, admiré et aimé les meilleurs d'entre vous, et cela depuis l'âge le plus tendre. Maintenant je suis assis là, et je ne tremble pas de fatigue, mais à la seule pensée de ce que mes mains ont commis. Je dois sans tarder endurcir mon cœur, sinon je serai un frêle guerrier pour mon roi lors des conflits à venir.

— De quoi parlez-vous, monsieur ? demanda Beatrice. D'une autre tâche ?

— La justice et la vengeance attendent, madame. Elles vont bientôt se bousculer ici, car elles ont été longtemps différées. Mais maintenant que l'heure est presque arrivée, je m'aperçois que mon cœur tremble comme celui d'une jeune fille. Je suis resté de trop longues années parmi vous, c'est la seule raison.

— Je n'ai pas manqué de noter le conseil que vous m'avez donné tout à l'heure, dit Axl. Vous m'avez souhaité d'aller en paix, ajoutant que cette paix ne durerait pas. Je me suis demandé alors ce que vous entendiez par là, quand vous descendiez dans la fosse. Voulez-vous bien nous l'expliquer à présent ?

— Je vois que vous commencez à comprendre, maître Axl. Mon roi ne m'a pas envoyé détruire cette dragonne simplement pour construire un monument aux Saxons assassinés autrefois. Vous commencez à voir, monsieur, que ce dragon est mort pour préparer la voie à la prochaine conquête.

— Conquête, monsieur ? » Axl se rapprocha de lui. « Comment est-ce possible, maître Wistan ? Vos armées saxonnes ont-elles grossi leurs rangs grâce à vos cousins du continent ? Vos guerriers sont-ils si féroces pour que vous parliez de conquérir des pays bien installés dans la paix ?

— Il est vrai que nos armées sont encore peu nombreuses, même dans les marais. Mais tournez vos regards vers ce pays tout entier. Dans chaque vallée, près de chaque rivière, vous trouverez maintenant des communautés saxonnes, dont chacune comprend des hommes forts et des garçons qui grandissent. C'est avec eux que nous gonflerons nos rangs en balayant le pays vers l'ouest.

— Maître Wistan, vous parlez sûrement sous l'effet de la victoire, dit Beatrice. Comment cela se pourrait-il ? Vous voyez bien qu'ici vos proches et les miens vivent en bonne intelligence dans leurs villages. Lequel d'entre eux se tournerait contre des voisins affectionnés depuis l'enfance ?

428

— Voyez le visage de votre mari, madame. Il commence à comprendre pourquoi je reste assis là comme si je me trouvais face à une lumière trop violente pour mes yeux.

— C'est vrai, princesse, les paroles du guerrier me font trembler. Nous attendions tous les deux avec impatience la fin de Querig, songeant seulement à nos chers souvenirs. Mais qui sait quelles vieilles haines vont se déchaîner maintenant dans le pays ? Nous devons espérer que Dieu trouve encore un moyen de préserver les liens entre nos peuples, pourtant la coutume et la suspicion nous ont toujours divisés. Qui sait ce qui arrivera quand des hommes à la parole facile feront rimer d'anciens griefs avec un désir neuf de terre et de conquête ?

— Vous avez raison de le redouter, maître Axl, dit Wistan. Le géant, autrefois bien enfoui, est en train de s'éveiller. Dès qu'il se lèvera, ce qu'il ne manquera pas de faire, les liens amicaux entre nous seront semblables aux nœuds que font les jeunes filles avec des tiges de petites fleurs. La nuit, les hommes brûleront les maisons de leurs voisins. À l'aube, ils pendront les enfants aux arbres. Les rivières empesteront les cadavres boursouflés après des jours de voyage. Et à mesure qu'elles progresseront, nos armées grossiront, gonflées par la colère et la soif de vengeance. Pour vous, Bretons, ce sera comme si une boule de feu roulait vers vous. Vous fuirez ou périrez. Et, région après région, cela deviendra une terre nouvelle, une terre saxonne, sans la moindre trace de l'époque de votre peuple, à l'exception d'un troupeau de moutons ou deux errant dans les collines sans berger.

— Est-ce qu'il dit vrai, Axl ? Il a sûrement la fièvre ?

— Il peut encore se tromper, princesse, mais il n'a pas la fièvre. La dragonne n'est plus, et l'ombre d'Arthur va disparaître avec elle. » Puis il ajouta, à l'intention de Wistan : « Je suis du moins réconforté, guerrier, de constater que vous ne tirez aucun plaisir des horreurs que vous décrivez.

— Je le ferais si je pouvais, maître Axl, car ce serait une vengeance justifiée. Mais je suis affaibli par les années passées parmi vous, et j'ai beau essayer, une partie de moi se détourne des flammes de la haine. C'est une faiblesse qui me fait honte, mais je vais bientôt présenter à ma place un garçon formé par mes soins, dont la volonté est plus pure que la mienne.

— Vous parlez de maître Edwin, monsieur ?

— Oui, et j'ose dire qu'il va rapidement devenir plus calme maintenant que la dragonne est tuée et que son appel n'a plus d'effet sur lui. Ce garçon a l'esprit d'un vrai guerrier, qu'il est donné à peu d'entre nous de posséder. Il apprendra le reste assez vite, et j'endurcirai son cœur pour qu'il ne nourrisse aucun des sentiments indulgents qui ont envahi le mien. Il ne fera preuve d'aucune pitié dans notre œuvre à venir.

— Maître Wistan, dit Beatrice, je ne sais pas encore si vous êtes en train de délirer. Mais mon mari et moi faiblissons, et nous devons retourner dans les terres plus basses, et trouver un refuge.

Vous souviendrez-vous de votre promesse d'enterrer l'aimable chevalier en bonne et due forme ?

— Je promets de le faire, madame, mais je crains que les oiseaux ne l'aient déjà trouvé. Mes bons amis, prévenus comme vous l'êtes, vous avez assez de temps pour vous enfuir. Prenez le cheval de sire Gauvain et éloignez-vous vite de ces régions. Cherchez le village de votre fils si vous le devez, mais ne vous y attardez pas plus d'un jour ou deux, car qui sait d'ici combien de temps les flammes s'embraseront devant l'arrivée de nos armées. Si votre fils n'entend pas vos avertissements, laissez-le et fuyez le plus à l'ouest possible. Vous pouvez encore échapper au massacre. Partez maintenant, allez trouver le cheval du chevalier. Et si vous voyez que maître Edwin est vraiment calmé, son étrange fièvre dissipée, libérez-le et ordonnez-lui de venir me rejoindre. Un avenir violent s'ouvre devant lui, et je désire qu'il voie cet endroit, le chevalier à terre et la dragonne décapitée, avant sa prochaine étape. D'ailleurs je me souviens de son habileté à creuser une tombe avec une ou deux pierres ramassées au hasard. Dépêchez-vous de partir, mes doux amis, et adieu. »

CHAPITRE 16

Depuis un moment la chèvre piétinait l'herbe tout près de la tête d'Edwin. Pourquoi l'animal avait-il besoin de venir aussi près ? Ils étaient attachés au même pieu, mais il y avait sûrement assez de territoire pour chacun d'eux.

Il aurait pu se lever et la chasser, mais il se sentait trop las. L'épuisement l'avait accablé un instant plus tôt, avec une telle intensité qu'il était tombé en avant sur le sol, l'herbe de montagne s'incrustant dans sa joue. Il avait atteint les limites du sommeil, réveillé en sursaut par la conviction soudaine que sa mère était partie. Il n'avait pas bougé, gardant les yeux fermés, mais avait marmonné tout haut contre la terre : « Mère. Nous arrivons. Il n'y en a plus pour longtemps. »

Il n'avait eu aucune réponse, et il avait senti un grand vide l'envahir. Depuis ce moment-là, flottant entre le sommeil et l'éveil, il l'avait appelée plusieurs fois encore, mais n'avait reçu que le silence en réponse. Et maintenant la chèvre broutait l'herbe près de son oreille.

« Pardonne-moi, mère, dit-il tout bas contre la terre. Ils m'ont attaché. Je ne pouvais pas me libérer. »

Il y eut des voix au-dessus de lui. Il lui vint alors à l'esprit que les pas autour de lui n'étaient pas ceux de la chèvre. Quelqu'un lui détachait les mains, et la corde se retirait sous lui. Une main douce lui souleva la tête, et il ouvrit les yeux pour voir la vieille femme – dame Beatrice – qui le regardait avec attention. Il se rendit compte qu'il était libre, et se mit debout.

Un de ses genoux était très douloureux, mais lorsqu'une bourrasque l'ébranla, il parvint à garder l'équilibre. Il regarda autour de lui : le ciel gris, le terrain escarpé, les rochers sur la crête de la colline suivante. Peu de temps auparavant, ces rochers avaient représenté tout ce qui lui importait, mais maintenant elle était partie, cela ne faisait aucun doute. Et il se souvint d'une phrase que lui avait dite le guerrier : quand il était trop tard pour porter secours, il était encore assez tôt pour se venger. Si c'était vrai, ceux qui avaient pris sa mère paieraient un prix terrible.

Il n'y avait aucun signe de Wistan. Seul le vieux couple était là, mais Edwin se sentit réconforté par sa présence. Ils étaient debout devant lui, le considérant avec inquiétude, et la vue de la bienveillante dame Beatrice lui fit soudain monter les larmes aux yeux. Puis il se rendit compte qu'elle disait quelque chose – à propos de Wistan – et il s'efforça de l'écouter.

Son saxon était difficile à comprendre, et le vent semblait emporter ses paroles. À la fin, il l'interrompit pour demander : « Maître Wistan est-il mort ? »

Elle se tut, mais ne répondit pas. Lorsqu'il répéta sa question, couvrant le vent de sa voix, dame Beatrice secoua la tête énergiquement et s'exclama :

« Vous ne m'entendez pas, maître Edwin ? Je vous dis que maître Wistan va bien et qu'il vous attend au sommet de ce chemin. »

La nouvelle le remplit de soulagement, et il se mit à courir, mais un vertige le gagna aussitôt, l'obligeant à s'arrêter avant même d'avoir atteint le sentier. Il se stabilisa et, jetant un regard derrière lui, vit que le vieux couple avait fait quelques pas dans sa direction. Edwin remarqua combien ils semblaient frêles. Ils s'appuyaient l'un contre l'autre, debout dans le vent, l'air beaucoup plus vieux que lorsqu'il les avait rencontrés. Leur restait-il des forces pour redescendre le flanc de la montagne ? À présent ils le fixaient avec une étrange expression, et derrière eux la chèvre avait elle aussi interrompu son activité incessante pour le regarder. Une étrange pensée traversa l'esprit d'Edwin, il devait être, se dit-il, couvert de sang des pieds à la tête, et cela expliquait pourquoi il faisait l'objet d'un tel examen. Mais lorsqu'il baissa les yeux, bien que ses vêtements fussent souillés de boue et d'herbe, il ne vit rien d'inhabituel.

Le vieil homme cria soudain quelque chose. Il parlait dans la langue des Bretons et Edwin ne le comprenait pas. Était-ce un avertissement ? Une requête ? Puis la voix de dame Beatrice lui parvint à travers le vent.

« Maître Edwin ! Nous avons une prière à vous adresser. Pendant les jours à venir, souvenez-vous de nous. De nous et de cette amitié, quand vous étiez encore un enfant. »

Lorsqu'il entendit ces mots, une autre pensée revint à Edwin : une promesse faite au guerrier ; l'obligation de haïr tous les Bretons. Mais Wistan n'avait sûrement pas eu l'intention d'inclure ce couple si gentil. À présent maître Axl levait une main hésitante en l'air. Était-ce en guise d'adieu ou une tentative pour le retenir ?

Edwin se détourna et cette fois, quand il courut, malgré le vent qui le poussait d'un côté, son corps ne se déroba pas. Sa mère était partie sans espoir de retour, mais le guerrier allait bien et l'attendait. Il continua de courir, alors que le sentier devenait plus pentu et que la douleur de son genou empirait.

CHAPITRE 17

Ils sont arrivés à cheval sous une pluie torrentielle pendant que je m'abritais sous les pins. Ce n'est pas un temps pour un couple aussi âgé, ni pour une monture affaiblie non moins épuisée. Le vieil homme craint-il pour le cœur de l'animal s'il fait un mètre de plus ? Sinon pourquoi s'arrêter dans la boue à vingt pas de l'arbre le plus proche ? Mais le cheval attend avec patience sous la pluie pendant que l'homme soulève sa femme. Exécuteraient-ils ce mouvement plus lentement s'ils figuraient dans un tableau ? Je les appelle : « Venez, mes amis. Dépêchez-vous de vous mettre à l'abri. »

Aucun ne m'entend. C'est peut-être le chuintement de la pluie, ou bien l'âge a-t-il scellé leurs oreilles ? J'appelle encore, le vieil homme regarde autour de lui et me voit enfin. Elle glisse jusqu'au sol dans ses bras et, bien qu'elle soit un frêle moineau, je remarque que lui possède à peine assez de force pour la soutenir. Je quitte donc mon abri, et il se retourne, affolé de me voir approcher dans l'herbe gorgée d'eau. Mais il accepte mon aide, car n'était-il pas sur le point de s'écrouler, les bras de sa chère épouse encore accrochés à son cou ? Je la lui prends et je me hâte de retourner vers les arbres, avec mon fardeau léger comme une plume. J'entends le vieil homme haleter sur mes talons. Peut-être craint-il pour son épouse dans les bras d'un étranger. Je la repose donc avec précaution, pour montrer que je ne leur veux que du bien. Je place sa tête contre l'écorce souple, bien abritée de la pluie, bien qu'une goutte ou deux tombent encore.

Son mari s'accroupit près d'elle, lui disant des mots d'encouragement, et je m'éloigne, ne souhaitant pas m'immiscer dans leur intimité. Je reviens à l'endroit où j'étais, à la lisière des arbres et du terrain dégagé, et je regarde la pluie balayer la lande. Qui peut me blâmer de me protéger ainsi de l'orage ? Je rattraperai facilement le temps pendant le trajet, et je me sentirai d'autant mieux pendant les semaines de labeur ininterrompu à venir. Je les entends parler dans mon dos, et que suis-je censé faire ? M'avancer sous la pluie pour échapper à leurs murmures ?

« C'est juste la fièvre, princesse.

— Non, non, Axl, répond-elle. Ça me revient, il y a autre chose. Comment l'avons-nous jamais oublié ? Notre fils vit sur une île. Une île visible depuis une anse protégée, certainement tout près de nous à présent.

— Comment est-ce possible ?

— Tu ne l'entends pas, Axl ? Je l'entends même en ce moment. N'est-ce pas la mer à côté de nous ?

437

— Ce n'est que la pluie, princesse. Ou peut-être une rivière.

— Nous l'avons oublié, Axl, avec la brume au-dessus de nous, mais maintenant cela commence à s'éclairer. Il y a une île un peu plus loin, et notre fils nous y attend. Axl, tu n'entends pas la mer ?

— C'est la fièvre, princesse. Nous trouverons bientôt un abri et tu te sentiras bien de nouveau.

— Demande à cet étranger, Axl. Il connaît mieux ce pays que nous. Demande s'il y a une crique toute proche.

— C'est un homme serviable venu nous aider. Pourquoi aurait-il connaissance de ces choses ?

— Pose-lui la question, Axl. Quel mal y a-t-il ? »

Dois-je garder le silence ? Que faire ? Je me retourne et je dis : « Cette dame a raison, monsieur. » Le vieil homme sursaute, et je lis de la peur dans ses yeux. Une partie de moi souhaite se taire à nouveau ; se détourner et observer le vieux cheval debout sous la pluie, impavide. Mais à présent que j'ai parlé, je dois continuer. J'indique le bois, derrière l'endroit où ils sont blottis.

« Entre ces arbres, un chemin descend jusqu'à une crique semblable à celle décrite par la dame. Elle est recouverte de galets mais à marée basse, comme en ce moment, le sable apparaît après les cailloux. Et vous avez raison, chère dame. Il y a une île un peu plus loin sur la mer. »

Ils me regardent en silence, elle avec une joie lasse, lui avec une peur croissante. Ils ne diront rien ? S'attendent-ils à ce que je parle encore ?

« J'ai regardé le ciel, dis-je. Cette pluie va bientôt cesser et la soirée sera belle. Alors si vous souhaitez que je vous emmène jusqu'à l'île dans ma barque, je serai heureux de le faire.

— Ne te l'ai-je pas dit, Axl ?

— Êtes-vous donc batelier, monsieur ? » demande le vieil homme d'un ton solennel. « Est-il possible que nous nous soyons déjà rencontrés quelque part avant ?

— En effet, je suis batelier, lui dis-je. Me souvenir de quelqu'un est au-dessus de mes forces, car chaque jour, durant de longues heures, je dois transporter un grand nombre de passagers. »

Le vieil homme semble plus effrayé que jamais, il s'accroupit près de sa femme et la serre contre lui. Jugeant préférable de changer de sujet, je dis :

« Votre cheval est toujours sous la pluie. Alors qu'il n'est pas attaché et que rien ne l'empêche de s'abriter sous les arbres tout proches.

— C'est un vieux cheval de bataille, monsieur. » Le vieillard, heureux d'abandonner le sujet de la crique, parle avec vivacité. « Il reste discipliné, bien que son maître ait disparu. Nous devrons nous occuper de lui le moment venu, ainsi que nous l'avons promis il y a peu de temps à son courageux propriétaire. Mais pour l'instant, c'est ma chère épouse qui m'inquiète. Savez-vous où nous pouvons trouver un abri, monsieur, et un feu pour la réchauffer ? »

Je ne peux pas mentir et j'ai un devoir à remplir. Je réponds : « En fait, il y a un petit abri dans cette crique. C'est moi qui l'ai fabriqué, un simple toit de brindilles et de chiffons. Il y a une heure j'y ai laissé un feu encore chaud et il n'est pas impossible de le ranimer. »

Il hésite, scrutant mon visage avec attention. Les yeux de la vieille femme sont fermés à présent et sa tête repose sur son épaule. Il répond : « Batelier, mon épouse a parlé sous l'effet de la fièvre. Nous n'avons pas besoin d'îles. Nous allons plutôt nous abriter sous ces arbres accueillants jusqu'à la fin de la pluie, ensuite nous reprendrons notre voyage.

— Que dis-tu, Axl ? demande la femme en ouvrant les yeux. Notre fils n'a-t-il pas attendu assez longtemps ? Laisse ce bon batelier nous conduire jusqu'à la crique. »

Le vieil homme hésite encore, mais il sent sa femme frissonner dans ses bras, et il me fixe d'un œil suppliant, désespéré.

« Si vous le souhaitez, dis-je, je vais porter cette dame pour vous faciliter le trajet jusqu'à la crique.

— Je la porterai moi-même, réplique-t-il, l'air défait, mais plein de défiance. Si elle n'est pas capable de marcher sur ses jambes, je la prendrai dans mes bras. »

Que lui répondre, le mari est presque aussi faible que l'épouse ?

« L'anse n'est pas loin, dis-je avec douceur. Mais le sentier est raide, avec des ornières et des racines tordues. Je vous en prie, permettez-moi de la porter, monsieur. C'est le plus sûr. Vous marcherez près de nous là où le chemin est assez large. Venez, lorsque la pluie se sera calmée, nous nous dépêcherons de descendre, vous voyez bien que la dame tremble de froid. »

La pluie ne tarde pas à s'arrêter, je transporte la femme au bas de la colline, le vieil homme trébuchant derrière nous, et, arrivés dans la baie, nous voyons que les nuages noirs ont été balayés d'un côté du ciel, comme par une main impatiente. Les nuances rougeoyantes du soir teintent le rivage, un soleil brumeux décline sur la mer, et ma barque danse sur les vagues. Avec la même douceur, je l'allonge sous la couverture grossière de peaux séchées et de branches, plaçant sa tête sur un coussin de pierre moussue. Il vient s'affairer autour d'elle avant que j'aie pu m'écarter.

« Regardez, mon ami, dis-je, et je m'accroupis près du feu qui couve. Voici l'île. »

Un mouvement de tête permet à la femme d'apercevoir la mer, et elle pousse un léger cri. Il se tourne sur les galets, et promène un regard perplexe sur les vagues.

« Là-bas, mon ami, dis-je. Vous voyez ? À mi-chemin entre le rivage et l'horizon.

— Ma vue n'est pas assez bonne, répond-il. Mais oui, je crois que je l'aperçois à présent. Ce sont les cimes des arbres ? Ou des rochers en dents de scie ?

— Il y aura des arbres, mon ami, car c'est un endroit accueillant. » Je parle tout en cassant des brindilles pour alimenter le feu. Ils regardent tous les deux vers l'île et je m'agenouille, les galets entamant mes os, afin de souffler sur les braises. Cet homme et

cette femme ne sont-ils pas venus de leur plein gré ?
Qu'ils décident donc eux-mêmes du chemin à suivre.

« Tu sens la chaleur du feu, princesse ? s'écrie-t-il.
Tu vas bientôt te sentir mieux.

— Je vois l'île, Axl », dit-elle, et comment puis-je
éviter de m'immiscer dans cette intimité ? « C'est là
où notre fils attend. C'est si étrange que nous ayons
oublié une telle chose. »

Il marmonne une réponse et je vois qu'il se trouble
de nouveau. « Voyons, princesse, nous ne sommes
pas encore décidés. Souhaitons-nous vraiment faire
la traversée ? D'ailleurs, nous n'avons aucun moyen
de payer notre passage, car nous avons laissé l'étain et
les pièces sur le cheval. »

Dois-je garder le silence ? « C'est sans importance,
mes amis, dis-je. Après, je prendrai volontiers ce
qu'on me doit dans la selle. Cet étalon n'ira pas
loin. » Certains diraient que c'est une ruse, mais j'ai
parlé par simple charité, sachant très bien que je ne
reverrai jamais le cheval. Ils ont continué de parler
d'une voix douce, tandis que, le dos tourné, je
veillais sur le feu. Car je ne souhaite pas m'en mêler,
n'est-ce pas ? Mais elle lève la voix, le ton plus assuré
qu'avant.

« Batelier, dit-elle. Il existe une légende que j'ai
entendue autrefois, peut-être quand j'étais enfant.
À propos d'une île remplie de bois accueillants et de
torrents, un lieu aux étranges qualités. Beaucoup de
gens s'y rendent, mais pour chacun de ceux qui y
résident, c'est comme s'il se promenait seul sur l'île,

442

car il ne voit ni n'entend ses voisins. S'agit-il de l'île qui se trouve devant nous, monsieur ? »

Je continue de casser de menues branches et de les disposer avec soin sur les flammes. « Chère dame, je connais plusieurs îles qui correspondent à cette description. Qui sait si celle-ci en est une ? »

Une réponse évasive, qui lui inspire de l'audace. « J'ai aussi appris, poursuit-elle, que, parfois, ces curieuses conditions cessent de prévaloir. Que des dispenses particulières sont accordées à certains voyageurs. Ai-je bien compris, monsieur ?

— Chère dame, dis-je, je ne suis qu'un humble batelier. Ce n'est pas mon rôle d'aborder de pareils sujets. Mais puisqu'il n'y a personne d'autre ici, permettez-moi de vous proposer cette réponse. J'ai entendu dire que, quelquefois, peut-être pendant un orage comme celui qui vient de s'achever, ou une nuit d'été lorsque la lune est pleine, un insulaire peut avoir la sensation que d'autres personnes se déplacent à ses côtés dans le vent. C'est peut-être ce qu'on vous a raconté.

— Non, batelier, insiste-t-elle, c'était plus que cela. On m'a dit qu'un homme et une femme, après des années de vie commune, et liés par un amour d'une force inhabituelle, peuvent se rendre sur l'île sans être contraints de l'arpenter en solitaire. J'ai entendu dire qu'ils peuvent savourer le plaisir d'être ensemble comme ils l'ont fait tout au long de leur existence passée. Serait-ce la vérité, batelier ?

— Je vous le répète, chère dame. Je ne suis qu'un batelier, chargé de transporter ceux qui souhaitent faire la traversée. Je ne peux parler que de ce que j'observe pendant mon labeur quotidien.

— Mais aujourd'hui il n'y a ici personne d'autre que vous pour nous guider, batelier. Voici donc ce que je vous demande, monsieur. Si vous nous emmenez, mon mari et moi, est-il possible que nous ne soyons pas séparés, mais libres de nous promener dans l'île bras dessus, bras dessous comme aujourd'hui ?

— Très bien, chère dame. Je vais vous parler franchement. Vous et votre mari formez un couple que nous autres bateliers avons rarement l'occasion de croiser. J'ai vu combien vous étiez dévoués l'un à l'autre quand vous êtes arrivés à cheval sous la pluie. Il est donc certain que vous serez autorisés à demeurer sur l'île ensemble. Soyez-en assurée.

— Ce que vous me dites me remplit de joie, batelier. » Elle paraît s'affaisser, soulagée. Puis elle ajoute : « Et qui sait ? Pendant un orage, ou par une paisible nuit de clair de lune, Axl et moi apercevrons peut-être notre fils tout près. Et nous échangerons même un mot ou deux avec lui. »

Le feu a bien pris, je me remets debout. « Regardez là-bas, dis-je en indiquant la mer. La barque oscille sur l'eau peu profonde. Mais je cache ma rame dans une grotte voisine, plongée dans une flaque de rocher où de minuscules poissons tournent en rond. Mes amis, je vais aller la chercher tout de suite et, pendant ce temps, vous pourrez parler entre vous, sans être gênés par ma présence. Vous aurez alors arrêté votre décision une fois pour toutes, si c'est une traversée que vous voulez faire. Je vous laisse un moment. »

Mais elle ne renonce pas aussi aisément. « Encore un mot avant que vous ne partiez, batelier. Dites-nous si, à votre retour, avant de consentir à nous emmener, vous avez l'intention de nous questionner l'un après l'autre. Car j'ai entendu dire que c'était ainsi que procédaient les bateliers, pour découvrir les rares couples dignes de séjourner dans l'île sans être séparés. »

Ils me fixent tous les deux, le visage éclairé par la lumière du soir, et je vois que celui de l'homme est plein de méfiance. Je croise le regard de sa femme, pas le sien.

« Chère dame, dis-je, je vous suis reconnaissant de me le rappeler. Dans ma hâte, j'ai sans doute négligé ce que la coutume m'oblige à faire. Comme je l'ai dit, j'ai vu dès le début que vous étiez un couple lié par un dévouement extraordinaire. Mais pardonnez-moi, mes amis, car le temps me manque. Quand je reviendrai, vous m'informerez de votre décision. »

Je les laisse donc, et marche sur le rivage du soir jusqu'à ce que les vagues deviennent plus fortes et que les galets glissent sous mes pas dans le sable mouillé. Chaque fois que je me retourne vers eux, je vois le même spectacle, chaque fois un peu plus réduit : le vieil homme gris, accroupi dans une conférence solennelle avec sa femme. D'elle je ne distingue pas grand-chose, car le rocher auquel elle s'appuie la dissimule entièrement, excepté la main qu'elle lève ou baisse en parlant. Un couple fidèle, mais le devoir m'appelle, et je vais chercher ma rame dans la grotte.

Lorsque je reviens vers eux, la rame sur l'épaule, je lis leur décision dans leur regard avant même qu'il déclare : « Nous vous prions de nous emmener dans l'île, batelier.

— Alors hâtons-nous de rejoindre la barque, car je suis déjà très en retard », dis-je, et je fais mine de me précipiter vers les vagues. Mais je me retourne alors, ajoutant : « Ah, mais attendez. Nous devons d'abord en passer par ce rituel stupide. Alors, mes amis, voici ce que je propose. Cher monsieur, pourriez-vous vous relever et vous éloigner un peu de nous. Une fois que vous serez hors de portée de voix, je parlerai brièvement avec votre aimable épouse. Elle n'a pas besoin de bouger de l'endroit où elle est assise. Puis, le moment venu, je vous rejoindrai sur la plage. Une simple formalité, et nous reviendrons ici chercher cette dame pour la conduire à la barque. »

Il me fixe, une partie de lui désire ardemment me faire confiance. Il dit enfin : « Très bien, batelier, je vais me promener un moment sur le rivage. » Puis, à sa femme : « Nous ne serons séparés qu'un instant, princesse.

— Ne t'inquiète pas, Axl, dit-elle. Je suis bien reposée, et en sécurité sous la protection de ce brave homme. »

Il s'éloigne, marchant lentement vers l'est de la crique et la grande ombre de la falaise. Les oiseaux s'éparpillent devant lui, mais reviennent aussitôt picorer les algues et le rocher. Il boite légèrement, le dos courbé comme s'il s'avouait presque vaincu, mais je vois encore un petit feu brûler en lui.

La femme assise devant moi lève les yeux avec un doux sourire. Que vais-je lui demander ?

« Ne craignez pas mes questions, chère dame. » Je voudrais qu'il y ait un long mur près de moi, vers lequel je pourrais me tourner en lui parlant, mais il n'y a que la brise du soir, et le soleil bas sur mon visage. Je m'accroupis devant elle, de la même façon que son mari, et je remonte ma robe sur mes genoux.

« Je ne crains pas vos questions, batelier, dit-elle doucement. Car je sais ce que je ressens pour lui dans mon cœur. Demandez-moi ce que vous voulez. Mes réponses seront honnêtes, mais ne prouveront qu'une seule chose. »

Je pose une question ou deux, les questions habituelles, car ne l'ai-je pas fait assez souvent ? Puis, de temps à autre, pour l'encourager et montrer que je suis attentif, j'en pose une nouvelle. Mais ce n'est guère nécessaire, car elle parle librement. Elle continue de parler, ses yeux se fermant parfois, sa voix toujours claire et ferme. Et j'écoute avec soin, car c'est mon devoir, même lorsque mon regard se pose sur la silhouette du vieil homme fatigué qui va et vient d'un pas anxieux sur les petits rochers, à l'autre bout de la crique.

Puis, me souvenant du travail qui m'attend ailleurs, j'interromps ses souvenirs, disant : « Je vous remercie, chère dame. Permettez-moi de rejoindre à présent votre époux. »

Il commence sûrement à me faire confiance, car sinon pourquoi s'éloignerait-il autant de sa femme ? Il entend mes pas et se tourne comme en rêve. La lueur rougeoyante du soir l'enveloppe et je vois que son visage n'est plus empreint de méfiance, mais d'un profond chagrin, et qu'il y a des petites larmes dans ses yeux.

« Alors, monsieur ? demande-t-il tout bas.

— C'est un plaisir d'écouter votre chère épouse », dis-je, adaptant ma voix à la douceur de son ton, bien que le vent se déchaîne. « Maintenant, mon ami, soyons brefs, car nous devons nous mettre en route.

— Demandez ce que vous voulez, monsieur.

— Je n'ai aucune question indiscrète, monsieur. Mais votre chère épouse vient de se rappeler un jour où vous avez tous les deux rapporté des œufs du marché. Elle a dit qu'elle les portait devant elle dans un panier, et que vous marchiez à côté d'elle, sans quitter des yeux son contenu, de crainte que ses pas n'abîment les œufs. Elle s'est souvenue de cet épisode avec bonheur.

— Je pense que c'est aussi mon cas, batelier, répond-il, et il me regarde avec un sourire. Je m'inquiétais pour les œufs car elle avait trébuché lors d'une course précédente, en cassant un ou deux. Une petite marche, mais nous étions très contents ce jour-là.

— C'est ce dont elle se souvient, dis-je. Très bien, ne perdons plus de temps, car cette conversation m'a juste été utile pour respecter la coutume. Allons chercher la dame et portons-la jusqu'à la barque. »

Je repars donc en direction de l'abri et de son épouse, mais maintenant il avance à un rythme lugubre, m'obligeant à ralentir.

« N'ayez pas peur de ces vagues, mon ami, dis-je, pensant que c'est la raison de son inquiétude. L'estuaire est bien protégé et aucun mal ne peut nous arriver entre ce rivage et l'île.

— Je me fie volontiers à votre jugement, batelier.

— Mon ami, puisque l'occasion s'en présente, dis-je, pourquoi ne pas profiter de ce lent trajet pour bavarder encore un peu ? Il y a une question que j'aurais pu vous poser tout à l'heure si nous avions eu plus de temps. Puisque nous marchons ensemble à cette cadence, cela vous ennuie-t-il que je vous dise de quoi il s'agissait ?

— Pas du tout, batelier.

— J'allais simplement vous demander si un souvenir de vos années ensemble vous inspirait encore une douleur particulière ? C'est tout.

— Ce dont nous parlons fait-il encore partie de l'interrogatoire, monsieur ?

— Oh non, dis-je. C'est fini et terminé. J'ai posé la même question plus tôt à votre chère épouse, et c'était juste pour satisfaire ma propre curiosité. Gardez le silence à ce sujet, mon ami, je n'en serai pas offensé. Regardez donc. » J'indique un rocher au passage. « Ce ne sont pas de simples anatifes. Si j'avais plus de temps, je vous montrerais comment les détacher de la pierre pour préparer un dîner rapide. Je les ai souvent fait griller sur un feu.

— Batelier, reprend-il gravement, et ses pas

ralentissent encore. Je vais répondre à votre question si vous voulez. Je ne suis pas sûr de ce qu'elle vous a dit, car beaucoup de choses restent non dites, même dans un couple comme le nôtre. De plus, jusqu'à aujourd'hui, le souffle d'une dragonne a pollué l'air, volant les souvenirs sombres ou heureux. Mais la dragonne a été tuée et beaucoup de détails deviennent déjà plus clairs dans mon esprit. Vous demandez si un souvenir me procure une souffrance particulière. Que puis-je vous répondre, batelier, sinon que c'est celui de notre fils, presque adulte lorsque nous l'avons vu la dernière fois, qui nous a quittés avant de porter une barbe. C'était après une querelle, il était seulement parti dans un village voisin, et j'ai cru qu'il reviendrait au bout de quelques jours.

— Votre femme a parlé de cela, mon ami, lui dis-je. Et elle a dit qu'elle était responsable de son départ.

— Si elle s'accuse de l'avoir provoqué, c'est bien moi qui suis à blâmer pour la suite des événements. Car il est vrai qu'elle m'a été infidèle un court moment. Il se peut, batelier, que j'aie fait en sorte de la pousser dans les bras d'un autre. Ou est-ce quelque chose que j'ai omis de dire ou de faire ? C'est si loin à présent, comme un oiseau qui s'envole et devient un point dans le ciel. Mais notre fils a été témoin de cette amertume, à un âge trop avancé pour se laisser berner par de douces paroles, et trop jeune cependant pour connaître les étranges circonvolutions de nos cœurs. Il est parti en jurant de ne jamais revenir, et il était encore loin quand nous nous sommes réconciliés avec bonheur.

450

— Votre épouse me l'a raconté. Peu après, vous avez appris que votre cher fils avait été emporté par la peste qui sévissait dans le pays. Mes propres parents ont été victimes de cette peste, mon ami, et je m'en souviens très bien. Pourquoi vous le reprocher ? Une peste envoyée par Dieu ou le diable, mais en quoi est-ce votre faute ?

— Je lui ai interdit d'aller sur sa tombe, batelier. C'était cruel. Elle souhaitait que nous allions ensemble là où il reposait, mais j'ai refusé. Beaucoup d'années ont passé depuis et il y a quelques jours seulement, nous avons quitté notre village pour la retrouver, car, entre-temps, la brume de la dragonne nous avait privés de toute idée précise de ce que nous cherchions.

— Ah, c'est donc cela, dis-je. La partie de l'histoire que votre épouse n'a pas osé révéler. Alors c'est vous qui l'avez empêchée de se rendre sur sa tombe.

— C'était cruel de ma part. Et une trahison plus noire que la petite infidélité qui m'a fait cocu un mois ou deux.

— Qu'espériez-vous gagner, monsieur, en empêchant votre femme et vous-même de pleurer sur le lieu où repose votre fils ?

— Gagner ? Il n'y avait rien à gagner, batelier. C'était juste de la bêtise et de l'orgueil. Et tout ce qui se cache dans les profondeurs du cœur d'un homme. Peut-être était-ce l'envie de punir, monsieur. J'ai pardonné avec des mots et des actes, mais j'ai gardé pendant de longues années, enfermé au fond de mon cœur, un désir de vengeance. Ce que je

451

leur ai fait, à elle mais aussi à mon fils, était mesquin et honteux.

— Je vous remercie de me l'avoir confié, mon ami. Peut-être que c'est mieux ainsi. Car bien que cette conversation n'intervienne en rien dans mes fonctions, et que nous bavardions à présent comme deux amis qui font passer le temps, j'avoue avoir éprouvé tout à l'heure un léger malaise, et le désir d'entendre l'histoire jusqu'au bout. Je vais donc ramer jusqu'à l'île avec une satisfaction insouciante. Mais dites-moi, mon ami, ce qui a fait ployer une détermination de tant d'années et vous a convaincu de vous mettre enfin en route ? Est-ce quelque chose qu'on vous a dit ? Ou un changement d'humeur aussi mystérieux que le ciel et la marée devant nous ?

— Je me le suis moi-même demandé, batelier. Et je pense à présent que si j'ai changé d'avis, ce n'est pas à cause d'un événement particulier, mais parce que les années vécues ensemble m'ont peu à peu persuadé de renoncer. C'est peut-être la seule raison, batelier. La blessure s'est lentement cicatrisée, mais a fini par se refermer. Car un matin, il n'y a pas très longtemps, l'aube s'est levée, porteuse des premiers signes du printemps, et j'ai regardé ma femme encore endormie alors que le soleil inondait déjà la chambre. Et j'ai su que les dernières traces de l'obscurité s'étaient dissipées. Nous avons alors entamé ce voyage et, maintenant, ma femme se souvient que notre fils a fait avant nous la traversée jusqu'à cette île, sa sépulture doit donc se trouver dans ses bois ou sur ses rivages accueillants. Batelier, je vous ai parlé honnêtement, et j'espère que cela ne remettra pas en question votre jugement sur nous. Car je suppose que certains, en entendant mes paroles, penseraient que notre amour est entaché et brisé. Mais Dieu connaît le lent chemin de l'amour d'un vieux couple, et il comprendra que les ombres noires font partie de son entité.

— Ne vous inquiétez pas, mon ami. Ce que vous m'avez raconté reflète simplement ce que j'ai vu quand vous êtes arrivé avec votre femme sous la pluie, sur cet étalon à bout de course. Eh bien, monsieur, cessons de bavarder, car un autre orage pourrait venir de ce côté. Dépêchons-nous de la rejoindre et de la porter dans la barque. »

Elle est endormie contre le rocher, le visage serein, le feu fumant près d'elle.

« Je vais la porter moi-même cette fois, batelier, dit-il. Je sens que mes forces sont revenues. »

Vais-je accepter cela ? Cela ne me facilitera pas la tâche. « Ces galets rendent la marche difficile, mon ami, dis-je. Imaginez les conséquences, si vous trébuchez en la portant. Je suis très habitué à ce travail, car elle n'est pas la première à avoir besoin d'être portée dans une barque. Vous pouvez marcher près de nous, lui parler à votre guise. Faites comme le jour où elle portait ces œufs et où vous surveilliez son panier avec inquiétude. »

La peur revient sur son visage. Mais il répond calmement. « Très bien, batelier. Suivons vos conseils. »

Il marche à côté de moi, marmonnant des

encouragements à sa femme. Est-ce que je vais trop vite ? Car à présent il est à la traîne, et tandis que je la porte dans la mer je sens sa main se cramponner à mon dos. Pourtant ce n'est pas un endroit où s'attarder, car mes pieds doivent trouver le quai qui se cache sous la surface de cette eau glacée. Je m'avance sur les pierres, les vagues clapotent, plus douces à présent, et j'entre dans la barque, m'inclinant à peine bien que je la porte dans mes bras. Mes tapis sont mouillés par la pluie près de la poupe. Je repousse du pied les premières couches trempées et je la dépose avec douceur. Je la laisse assise, la tête juste au-dessous du plat-bord, et je cherche des couvertures sèches dans le coffre pour la protéger du vent marin.

Je sens qu'il monte sur le bateau pendant que je l'enveloppe, le plancher vacille sous son pas. « Mon ami, dis-je, vous voyez que la mer est plus agitée. Et ce n'est qu'une petite embarcation. Je n'ose pas transporter plus d'un passager à la fois. »

Je vois alors le feu qui est en lui embraser ses yeux. « Je croyais qu'il était entendu, batelier, que ma femme et moi ferions la traversée ensemble. Ne l'avez-vous pas répété à plusieurs reprises, et n'était-ce pas le but de vos questions ?

— Je vous en prie, ne vous méprenez pas, mon ami, dis-je. Je ne parle que de l'angle pratique de cette traversée. Il ne fait aucun doute que vous résiderez ensemble dans cette île, bras dessus, bras dessous comme vous l'avez toujours fait. Et si la sépulture de votre fils se trouve dans quelque lieu ombragé, vous pouvez envisager d'y mettre des fleurs sauvages que vous ne manquerez pas de trouver sur l'île. Il y aura de la bruyère cendrée, et même des soucis dans la forêt. Mais pour aujourd'hui, je vous prie d'attendre un peu plus longtemps sur le rivage. Je veillerai à ce que cette dame soit installée confortablement sur la rive opposée, car je connais un endroit près du débarcadère où trois rochers se font face comme de vieux compagnons. Je l'y laisserai bien à l'abri, mais avec vue sur les vagues, et je me hâterai de revenir vous chercher. Mais laissez-nous pour l'instant et attendez encore un moment sur la baie. »

La lueur rougeoyante du couchant sur lui, ou est-ce le feu dans ses yeux ? « Je ne quitterai pas cette barque, monsieur, tant que ma femme s'y trouvera. Emmenez-nous ensemble ainsi que vous l'avez promis. Ou dois-je ramer moi-même ?

— C'est moi qui tiens la rame, monsieur, et il est de mon devoir de décider combien de personnes je peux accueillir. Est-il possible que, malgré notre amitié récente, vous soupçonniez une tromperie infâme ? Craignez-vous que je me ravise ?

— Je ne vous accuse de rien, monsieur. Cependant les rumeurs sont légion sur les bateliers et leurs manières de faire. Je ne souhaite pas vous offenser, mais je vous prie de nous emmener tous les deux maintenant, et sans plus attendre.

— Batelier, dit la voix de sa femme, et je vois sa main se lever en l'air comme pour me chercher, même si ses yeux restent fermés. Batelier. Laissez-nous un petit moment. Permettez-nous de parler seul à seule un instant. »

Est-ce que j'ose leur laisser la barque ? Mais elle défend ma cause à présent. Tenant la rame d'une main ferme, je passe près de lui et j'entre dans l'eau. La mer monte jusqu'à mes genoux et mouille l'ourlet de ma robe. La barque est bien amarrée et c'est moi qui ai la rame. Que pourrait-il arriver de mal ? Pourtant je ne me risque pas trop loin et, bien que je fixe la baie, immobile tel un roc, je me surprends à tendre l'oreille. Leurs voix couvrent le paisible clapotis des vagues.

« Il est parti, Axl ?

— Il est dans l'eau, princesse. Il a quitté son bateau à contrecœur et je pense qu'il ne nous accordera guère de temps.

— Axl, ce n'est pas le moment de nous quereller avec le batelier. Nous avons eu beaucoup de chance de le rencontrer aujourd'hui. Il nous considère d'un œil si favorable.

— Pourtant nous avons souvent entendu parler de leurs ruses sournoises, n'est-ce pas ?

— J'ai confiance en lui, Axl. Il tiendra sa parole.

— Comment peux-tu en être aussi sûre, princesse ?

— Je le sais, Axl. C'est un homme bon et il ne nous laissera pas tomber. Fais ce qu'il dit et attends son retour ici. Il viendra te chercher très bientôt. Faisons-le de cette façon, sinon je crains que nous perdions la magnifique dérogation qu'on nous procure. On nous promet de passer notre temps ensemble sur l'île, ce qui n'arrive qu'à de rares couples, même à ceux qui se sont aimés toute leur vie. Pourquoi mettre en péril cette chance inouïe pour quelques minutes d'attente ? Ne te querelle pas avec lui. Qui sait si la prochaine fois nous n'aurons pas affaire à une brute ? Axl, je t'en prie, fais la paix avec lui. Même maintenant, je crains qu'il se mette en colère et change d'avis. Axl, tu es encore là ?

— Je suis toujours devant toi, princesse. Nous sommes réellement en train d'envisager de faire ce trajet séparément ?

— Il s'agit seulement d'un instant ou deux, époux. Que fait-il à présent ?

— Il est debout, immobile, et nous montre son grand dos et sa tête luisante. Princesse, crois-tu vraiment que nous puissions nous fier à cet homme ?

— Oui, Axl.

— Ta conversation avec lui, tout à l'heure. Elle s'est bien passée ?

— À merveille. Et pour toi aussi ?

— Je le suppose, princesse. »

Le coucher de soleil sur la crique. Silence dans mon dos. Est-ce que j'ose déjà me tourner vers eux ?

Je l'entends encore : « Dis-moi, princesse. Tu es heureuse que la brume se dissipe ?

— Cela risque de provoquer des atrocités sur cette terre. Mais pour nous elle disparaît juste à temps.

— Je me demandais, princesse. Est-ce que notre amour serait devenu aussi fort avec les années si la brume ne nous avait pas volé nos souvenirs ? Peut-être a-t-elle permis à d'anciennes blessures de se refermer.

— Quelle importance maintenant, Axl ? Réconcilie-toi avec le batelier et laisse-le nous emmener sur l'île. S'il nous y conduit l'un après l'autre, pourquoi te quereller avec lui ? Axl ?

— Très bien, princesse. Je ferai ce que tu dis.

— Alors laisse-moi à présent et retourne sur le rivage.

— Bien sûr, princesse.

— Pourquoi t'attardes-tu, époux ? Tu penses que les bateliers ne s'impatientent jamais ?

— Très bien, princesse. Mais permets-moi de te tenir une fois encore. »

Est-ce qu'ils s'embrassent, alors que je l'ai emmaillotée comme un bébé ? Même s'il doit s'agenouiller et se contorsionner étrangement sur le plancher de la barque ? Je suppose que oui, et aussi longtemps que dure le silence, je n'ose pas me retourner. La rame dans mes bras projette une ombre sur l'eau qui danse. Combien de temps encore ? Enfin, leurs voix reviennent.

« Nous parlerons plus sur l'île, princesse.

— Nous le ferons, Axl. Et une fois la brume disparue, nous aurons tant à nous dire. Le batelier est-il toujours debout dans l'eau ?

— Oui, princesse. Je vais m'en aller à présent, faire la paix avec lui.

— Adieu donc, Axl.

— Adieu, mon seul véritable amour. »

Je l'entends traverser l'eau. A-t-il l'intention de me dire un mot ? Il a parlé de rétablir notre amitié. Mais quand je me tourne, il ne regarde pas de mon côté, fixant seulement la terre et le soleil bas sur la crique. Je ne cherche pas non plus à croiser son regard. Il passe devant moi en pataugeant, sans se retourner. Attends-moi sur le rivage, mon ami, dis-je tout bas, mais il ne m'entend pas et continue de marcher.

DU MÊME AUTEUR

Aux Éditions des Deux Terres

LE GÉANT ENFOUI, 2015 (Folio n° 6118).

NOCTURNES, 2010 (Folio n° 5307).

AUPRÈS DE MOI TOUJOURS, 2006 (Folio n° 4659).

Aux Éditions Calmann-Lévy

QUAND NOUS ÉTIONS ORPHELINS, 2001 (1re éd. Belfond, 1994). (Folio n° 4986).

LES VESTIGES DU JOUR, 2001 (1re éd. Belfond, 1994). (Folio n° 5040).

L'INCONSOLÉ, 1997 (Folio n° 5039).

Aux Éditions Presses de la Renaissance

UN ARTISTE DU MONDE FLOTTANT, 1987 (Folio n° 4862).

LUMIÈRE PÂLE SUR LES COLLINES, 1984 (Folio n° 4931).

Composition IGS-CP à L'Isle-d'Espagnac (16).
Impression 🐖 *Grafica Veneta*
à Trebaseleghe, le 2 novembre 2017
Dépôt légal : novembre 2017
1ᵉʳ dépôt légal dans la collection: mars 2016

ISBN : 978-2-07-046510-1./Imprimé en Italie